书法实训教程

SHUFA SHIXUN JIAOCHENG

主编　郭继明
副主编　杨祖涛　殷娜　陈小文

国家一级出版社
全国百佳图书出版单位
西南师范大学出版社
XINAN SHIFAN DAXUE CHUBANSHE

图书在版编目（CIP）数据

书法实训教程 / 郭继明主编. — 重庆 : 西南师范大学出版社, 2012.8（2020.7重印）
ISBN 978-7-5621-5963-6

Ⅰ. ①书… Ⅱ. ①郭… Ⅲ. ①汉字—书法—教材
Ⅳ. ①J292.1

中国版本图书馆CIP数据核字(2012)第202699号

书法实训教程

郭继明　主编

选题策划：周　松
责任编辑：戴永曦　王玉菊
封面设计：张　宏
排版设计：重庆美惠彩色印刷有限公司
出版发行：西南师范大学出版社
地址：重庆市北碚区天生路2号
邮编：400715
http://www.xscbs.com
经　　销：全国新华书店
印　　刷：重庆紫石东南印务有限公司
幅面尺寸：185mm×260mm
印　　张：15.25
字　　数：390千字
版　　次：2012年8月　第1版
印　　次：2020年7月　第4次印刷
书　　号：ISBN 978-7-5621-5963-6

定　　价：42.00元

序言

中国高等书法教育有着悠久的历史。最早可以追溯到殷商时期，当时的书法教育与书写教育就有着密不可分的关系。到了东汉时期，鸿都门学把书法作为重要教学内容，魏开设书学博士，隋唐以后书学博士更为普遍，书法教育更为鼎盛。可以说，直到20世纪，书法教育与书写教育就是融为一体的。20世纪以来，钢笔书写日益普及，粉笔书写在学校教育中占据重要地位。因此，20世纪后半期以来的初等书法教育，尤其是培养中小学教师的师范学校，往往把如何写好毛笔字、钢笔字与粉笔字作为重要的学习内容。

从技法而言，毛笔字的书写在乎笔法、字法、章法和墨法，其中笔法是最为核心的部分。由于工具的不同，相比较而言，钢笔字与粉笔字的写法中，字法反而成为最重要的了。作为长期从事书法教育的教师，本书作者从各种书写技法的基本要求出发，选择了唐代楷书作为毛笔字学习的主要范本。唐代楷书的书写，中锋与提按是主要的用笔方法，而提按也是钢笔字与粉笔字书写的主要技法之一。写好了唐楷中的任何一种，对于钢笔字、粉笔字的书写都是大有裨益的。本书作者深明其理，精选了褚遂良书法和颜真卿书法，颇具特色与代表性。褚遂良书法以“王书”为主体，兼具虞笔法复存欧骨力的许多特点，形成华丽中见古朴的书体，对当代楷书的影响极为深远；颜真卿书法气象雄伟，雍容典雅，“雄秀独出，一变古法”，开辟了盛唐时期的新风貌，成为学习楷书的代表之一。写字虽为基础，但是如何能够将字写得活而不板、活而有法，则需要读者的智慧与认真刻苦的学习了。

由于本书主要面对中小学教师和师范院校学生，作者选取了历年教学中积累的不同水平的书法作品，逐件评点，颇有新意。诸君可以边练习边对照，从而获得灵感与鼓励。

通观本书，其针对性强，基础性突出，想必将会为诸君提供一个接触书法、学习书法的重要契机。如果读者在学习中能够对书法有所感悟，甚至大幅度地提高书写水平，我想，本书作者的努力应该说是卓有成效的了。

是为序。

曹建

壬辰五月于嘉陵江上

目 录

第一章　毛笔字训练基本常识

第一节　书写工具

1. 笔，从考古发现，现能见到最早的毛笔是1953年从长沙出土的战国时代的“笔”。

（1）按其柔软性能可分为：刚性笔、柔性笔、中性笔。

刚性笔：兔毫、狼毫、鼠毫、黄鼠狼毫、猪鬃等。

柔性笔：羊毫、鸡毫、胎毛等。

中性笔：“三紫七羊”“五紫五羊”“三狼七羊”“七紫三羊”等。

（2）择笔的四个条件：“尖、齐、圆、健”。

笔毫聚拢时看上去“尖”。

笔毫压扁时看上去“齐”。

写起字来四面如意称“圆”。

笔肚不空虚有弹性称“健”。

2. 墨，西北科学团在发现“居延笔”的地方还发现了一些木炭，古人拿来磨了当墨使。据考证墨的使用至少不晚于殷商时代。

（1）择墨时要记住“烟细、胶轻、色墨”。

“烟细、胶轻”可从磨出的横断面上看，空孔极小极少。“色墨”可以从写出的笔画上细看，有一种沉静之光。

（2）磨墨记住四点。

第一，墨必须要垂直顺磨。

第二，磨墨注水，宁少勿多。

第三，磨时不必太急，以有无噪声为别。

第四，墨毕须即藏于匣中。

3. 纸，大概汉朝初年已经有了幡纸代简。

（1）按时期看。

汉成帝时——赫蹏纸

汉和帝时——左伯纸

汉末时——左伯纸

唐朝时——“硬黄纸”“云蓝纸”

宋朝时——“澄心堂纸”

明室德时——“室德纸”

清代时——“仿古纸”

（2）按工艺看。

生宣质地细腻，吸墨快，表现墨韵层次好，宜于写行笔较快的书体；熟宣不带水，宜于写小字；半生半熟宜写行笔较慢的书体。

4. 砚，汉朝已有陶砚。砚以“端溪石砚”和“翕砚”这两大正宗石砚。

（1）端溪石砚在广东肇庆城南生产。

（2）翕砚出产于安徽婺源的龙尾山。

另外，山东青山“鲁砚”，甘肃临洮“洮砚”也久负盛名。

总之，写字要择工具，倘使天下第一行书《兰亭序》的书写者王羲之不用鼠须笔和茧纸来写，也许不会有“神品”的产生。

第二节　书写姿势

1. 坐姿：“头正、身直、臂开、足安”。

2. 站势：站立书写适用于写行草或大字，便于统观全局。

3. 蹲姿：特大的字一般要蹲着写，要求书写者左膝着地，右腿弯曲支撑身体，左臂伸直扶地，右手握笔，自然挥写。

第三节　书写执笔

1. 按：用大拇指第一关节指肚紧贴笔管，力量由内向外。

2. 押：用食指第一关节指肚紧贴笔管，力量由外向内。

3. 钩：用中指第一关节指肚钩住笔管，加强食指的力量。

4. 格：用无名指指甲稍上的节肉挡着笔管，力量由内向外。

5. 抵：用小指抵住无名指，以加强无名指的力量。

毛笔执笔姿势

第四节　书写用笔

元代赵孟頫说：“书法用笔为上，而结字亦须用工，盖结字因时相结，用笔千古不易。”这句话里说明了两个问题：一是“用笔”是关键，二是结构可随每个书家而不一致。

1. 用笔的路径

包括起笔、行笔和收笔，其要领是“逆入、中行、回收”。

2. 用笔的形式表现

（1）提笔，一画变细则提笔，断笔需提笔。

（2）顿笔，一画变粗则顿笔，停笔需顿笔。

（3）转笔，一画变曲则转笔。

（4）折笔，一画变方则折笔。

（5）中锋，“含笔心常在点画中行”，点画丰满圆润，元气内含。

（6）侧锋，笔尖偏向点画的一边，轻浮扁弱，但有飘逸活泼之感。

（7）藏锋，点画藏头护尾，不露锋芒。

（8）露锋，点画笔锋外露。

3. 用笔的本质

线条的节奏感是依靠于用笔速度的变化，断续连贯，轻重疾徐；线条的力量感是依靠于用笔提按顿挫，转折方圆；线条的立体感是依靠于用笔的中锋法则。

第五节　选帖

古人云：“取法乎上，得乎其中”。选帖分两种情况，如果只想把字写好，可以选取近人的硬笔字帖，楷书如卢中南、丁谦、田英章、史小波、王惠松、顾仲安、张秀……行书如王正良、沈鸿根、邹慕白、任平、骆恒光……如果要把书法提高到一定的水准，非古碑名帖不选，楷书如王羲之的《乐毅论》《黄庭经》《孝女曹娥》、钟繇的《宣示表》、唐钟绍京的《灵飞经》、欧阳询的《九成宫醴泉铭》、褚遂良的《雁塔圣教序》、虞世南的《孔子庙堂碑》、柳公权的《玄秘塔碑》、颜真卿的《多宝塔碑》、文徵明的《离骚经》、北碑《张猛龙碑》《张玄墓志》等；行书如《兰亭序》《圣教序》《祭侄文稿》《黄州寒食诗帖》《蜀素帖》《苕溪诗》《松风阁》《李思训碑》、文徵明的《滕王阁序》等；隶书如《曹全碑》《西狭颂》《石门颂》《乙瑛碑》《礼器碑》《张迁碑》等。

总之，选帖的标准有下面三点：一是初学者只能选取一种，二是选自己比较喜欢或与自己的性情相近的字帖，三是先楷隶篆后行草。

第二章　颜真卿楷书训练

第一节　颜真卿书法概述

在中国书法史上，唐朝书法是一颗璀璨的明珠。唐朝经济繁荣，政治文化政策宽松，书家辈出，为后人留下了大量的、宝贵的书法精品。唐朝的帝王将相把书法视为一种重要的文化活动，推崇书法家，临习书法家的字帖，给书法家以高官厚禄，唐太宗还为书法家王羲之写传记，这种现象在中国历史上，也是绝无仅有。当时广大学子在做学问的同时，也要学写一手漂亮的书法，以期走捷径进入仕途，这种把书法活动制度化的做法，为书法艺术的继承和发展奠定了坚实的基础。在唐代众多的书法家中，颜真卿就是突出的代表，他把前代书法和同时代的书法探索成果进行了总结、补充，创下了颜体书法。

颜真卿，字清臣，京兆万年（今陕西西安）人，祖籍琅琊临沂（今山东临沂）。生于景龙三年（709年），逝于贞观元年（785年），享年77岁，又称“颜平原”、“颜鲁公”，曾任平原太守，封鲁郡开国公。颜真卿出身于名门贵族，其家族是一个世代擅长书法、文字学的封建士大夫家庭。从西晋至唐，世代以重视学识，尤以训诂、文字、书法见称。被颜氏后人尊为远祖的颜回为鲁国曲阜人，是孔子最钟爱的弟子，《论语》中多有称赞；颜七世祖颜见远仕齐和帝，为治书侍御史，兼御史中丞，是南朝为人称道的忠臣；五世祖颜之推，是北周有名的文学家，著有《颜氏家训》；曾祖颜师古，是隋唐间著名的文学家和史学家，也是唐太宗时弘文馆学士，精训诂，又擅书法。不仅颜真卿父系以能书著称，母系也是如此。如他的外祖父殷仲容，是武则天时的秘书丞，书法名重一时。他的姑母颜真定为叔父颜敬仲申冤，不顾当时刑法酷恶，带领两个妹妹割耳诉冤，使叔父得以免死。她孝心烈性，震撼了幼年颜真卿的心灵，其影响是非常深远的。二兄颜允南长颜真卿15岁，也起到了老师的作用。在这种思想、学术和艺术氛围很浓厚的环境里，颜真卿从小受到儒家思想的熏陶和影响。颜真卿的忠臣形象和他的大书法家形象并称。他高尚的人品和丰富的阅历，造就了他的书法。纵观颜真卿的一生，他忠心君主，视死如归，恪守儒家道义，追求政治清明，敢于对君主直言进谏，对权贵邪恶敢于坚持正义。颜真卿历事四朝，刚正不阿，为权贵所不容，屡遭贬谪，最终为奸人所害而死。颜真卿终不改其正道直行，其气节罕见于青史。

唐代楷书登峰造极，大家辈出，颜真卿就是其中的领头人。颜真卿主要受儒家思想的影响，儒家思想是中国封建社会中占统治地位的思想，它自上而下地灌输、渗透到社会意识形态的各个领域，书法艺术理论中的“阳刚之美”以及“文以载道”等，都是儒家的美学思想，它起到了奠定中国美学思想基本特征的关键作用。伦理观念是儒家思想的重要组成部分，在这种思想指导下，不仅要求艺术作品要透露出君子之象，而且要求艺术家也是一个堂堂君子。贞观年间，王羲之书法所体现的那种儒雅风范，是士大夫追慕的最高精神境界。安史之乱后，刚毅的精神成了首要的品质，颜真卿书法的雄强、颜真卿品行的忠烈，在士大夫心目中拥有至高无上的地位，故颜体书法被推崇，这正是因为其人其书都是最高伦理精神的体现。颜真卿在书法上开创一代新风，成为继王羲之之后的第二颗闪亮的书法艺术之星。王以行书绝尘，颜以楷书盖世。颜真卿是唐代中期最杰出的书法家，他的书法初学虞世南、褚遂良，后师张旭。其书风雍容壮伟，气势磅礴。苏东坡对他推崇备至，说他“雄秀独出，一变古法”，赞曰：“诗至于杜子美，书至于颜鲁公，文至于韩退之。”他的书法开辟了盛唐时期的新风貌，也称“颜体”。

颜真卿的书法从古帖中出，临遍魏晋南北朝以及初唐名家，转益多师，形成了自己独特的风格。颜真卿对浑厚平稳的楷书进行了总结。清刘熙载说：“颜鲁公书，自魏晋及唐初诸家皆归囊括。东坡诗有‘颜公变法出新意’之句，其实变法得古意也。”（《艺概》）从总体上来说，颜真卿受褚遂良、虞世南的影响较大，他的楷书一反初唐书风，参入篆籀的笔法，化瘦硬为丰腴雄浑，其结体采取了褚遂良的平面宽结，气势恢宏。颜真卿楷书笔画的提按分明，行笔准确，笔画圆光流动而富有生气，让人感觉肥而不滞，力含其中，筋脉通畅。

颜真卿的楷书作品主要有《多宝塔碑》《东方朔画赞碑》《麻姑山仙坛记》《颜勤礼碑》《颜家庙碑》等。《多宝塔碑》是颜真卿早期的成名作品，书写诚恳恭谨，从中可以见到二王、欧阳询、虞世南、褚遂良等人的余风而又与唐人写经有明显的相似之处，说明颜真卿在向前辈书法家学习的同时，也非常注重从民间的写经书法中汲取营养。整篇点画圆整，结构严密，端庄秀丽，一撇一捺寓动于静，飘然欲仙。此碑与他后来所书的《颜家庙碑》《麻姑山仙坛记》风格迥异，由此可以看出他由单细笔画向丰腴肥美转化的学书历程。《麻姑山仙坛记》庄严雄秀，不但结体严谨，开张一任自然，而且在笔画上也有“屋漏痕”的意趣。欧阳修《集古录》中说：“此碑遒峻紧结，尤为精悍笔画巨细皆有法。”《颜勤礼碑》是颜真卿为其曾祖所立，其笔画精到，横细竖粗，结体古朴大方。《颜家庙碑》横竖均匀，笔画饱满，坚持中锋用笔，苍劲老辣。王世贞云：“余尝评颜鲁公《家庙碑》以为今隶中之有玉箸体者，风华骨格，庄密挺秀，其书家至宝。”

学习《多宝塔碑》时，要求学生重点掌握其用笔，方圆兼备，骨力遒劲，已具备横细竖粗的特点，收笔之处提锋回折，在转折处逆时针旋转折肩，调顺笔顺再铺毫写出。无论是竖画、捺画，还是钩折，都显得雄厚强壮，丰腴饱满。

《颜勤礼碑》，全称《秘书省著作郎夔州都督长史上护军颜公神道碑》。大历十四年（799年）书碑。用笔劲健有力，外观丰满而气骨内蕴，表现出“颜筋”的风采。字体易方为圆，落笔藏锋，自然含蓄，横轻竖重，表现得很明显，结构匀称稳重，向外撑起，笔画间避让有序，外密中疏而疏密适当，从而开阔舒展，大方端庄。通篇大气磅礴，雄强厚重，同时又体现颜体书法晚年寓巧于拙、洒脱自如的特点。

《麻姑山仙坛记》，全称《有唐抚州南城县麻姑山仙坛记》，大历六年（771年）撰书。用笔多参篆法，转折处不折而多转。不严守细横竖粗的原有做法，锋芒内敛。通篇沉稳雄厚，不一味图平稳，于守规矩中求变化，与《多宝塔碑》相比，面貌大不相同，是颜体成熟期的代表作之一，且别具风格。

总的来说，颜真卿的楷书有以下特点。笔法方面，颜真卿的早期楷书如《多宝塔碑》受前朝及唐朝早期楷书的影响，笔画比较秀美，起笔和收笔的提按动作明显。其点画比较圆润，长横画一般露锋起笔，呈倒三角形状，略微向上倾斜运笔，然后向右下方顿笔，再回锋收笔，如“有”“言”“千”等字的长横。颜体的竖钩和斜钩在早期的作品中还能明显看到出锋，但到了晚期的作品就不是很明显，有时只表示一下动作，并没有出锋，如《颜勤礼碑》中的“刊”“孙”“武”等字。在横折的处理上，颜体的横折是在要拐弯处向下按，形成的角是圆的，而柳体的横折是在要拐弯处停笔或者向上提按，再调峰下行，结果这个折角处是方的，以方笔突显骨节。结体方面，颜体楷书笔画交叉没有柳体那么紧凑，整个字形比较均匀，其晚期作品更趋向于扁方，四平八稳，节奏较舒缓，字的上半部分相对要密一点，呈现出上紧下松之态，如《颜勤礼碑》中的“高”“东”“曾”等字。

我们欣赏颜真卿的书法，最欣赏的是他字中所表现出的“劲”与“力”，这也是他人格力量的显现。而“雄浑”一词又最能恰当地表现出颜真卿书法的书法风格。历代书法的雄浑之美也应以颜真卿为代表。颜真卿的书法表现出宏大的力量、浩荡的气势，是震撼人心的壮美、阳刚美。观赏颜真卿书法时，不要错过颜真卿书法所特有的大气和遒劲的笔力，还要细心领悟他的风格，感受他的磅礴气势，捕捉住这种感性是学习颜真卿书法的最大目的。颜真卿以他不凡的身世和独特的视角，用毕生精力孜孜以求，努力从传统书法中挖掘艺术因素，形成独具特色的楷书新体。

另外，《祭侄文稿》是颜真卿行书的代表作，又称《祭侄季明文稿》，于千元元年（758年）书。此文稿哀祭就义的堂侄颜季明。颜真卿挥笔起草之际，哀思不已，悲愤交加，情不自禁，无意为文作书而顿挫起伏，一随感情波动而自然挥洒，动人心弦，成为行草精品。无意为文作书，而其文其书自工，感染力极强，用笔参篆籀笔法，圆转通劲，点画连贯处痛快淋漓，转折处锋毫变换轻重多端；结体牵连映带，线条流动时疾时徐，跌宕多姿；空间疏密相生，密集处不显拥挤，疏朗处不显空虚，深得行草书“计白当黑”的意趣。稿中有大量渴笔，笔迹枯涩，与润泽处形成对比，这与书写时心情的急剧变化相一致。通观全篇，后人可以感受到颜真卿当时的情绪波动。

“颜体”在其后几个朝代一直作为标准字体印刷书籍，得到了广大人民的喜爱，并影响着一代又一代的书法家。“颜体”在后世发生如此深广的影响，其原因之一在于这种书法形式很符合我国人民的审美要求。中华民族是一个伟大的民族，勤劳勇敢的中国人民脚踏实地而心胸宽广，所以历来也十分重视坚韧、厚实、雄壮这样的审美特征；其次，颜真卿崇高的人格及其书法里表现出来的浩然之气，为后代人们所敬仰，人们喜欢“颜体”的雄浑，更主要是希望成为颜真卿这样的人；再次，颜真卿为官刚正不阿、宁死不屈的高贵品格对培育人的品德、毅力有很强的感染力，对学生是生动的活教材，很多学生在学习“颜体”书法时都为之震撼，他们不但学会了书法艺术，更重要的是学会了怎样做人。“颜体”书法可以磨炼学生的意志品质，提高学生的审美能力，同时通过书法教学，培养学生的竞争意识，适应社会发展的需要。

第二节　颜真卿楷书的书写技法

一、基本笔画训练

（一）点

1．瓜子点

写法：露锋落笔；转笔右下；顿笔回收

2．长点

写法：露锋落笔；转笔右下；拖长顿笔；回锋收笔

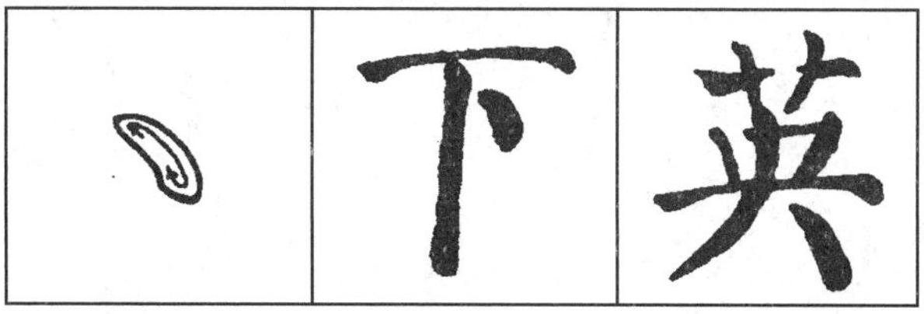

3．撇点

写法：顺锋切入；转笔右下；顿笔出锋

4．挑点

写法：顺锋右下；顿笔回转；右上出锋

5．垂点

写法：顺锋切入；转锋右下；顿笔转中；回锋左上

6．上尖点

写法：露锋左下；转笔右下；回笔向上

（二）横

1．长横

写法
- 顺锋切入
- 折笔右向
- 提笔中行
- 顿笔回收

2．左尖横

写法
- 顺锋向右
- 由提到按
- 顿笔回锋

3．右尖横

写法
- 顺锋切入
- 折笔向右
- 由按渐提

（三）竖

1．悬针竖

写法
- 顺锋切入
- 转锋右下
- 顿笔转中
- 慢行渐收

2．垂露竖

写法
- 同于悬针
- 收笔顿回

（四）撇

1．竖撇

写法
- 同于悬针
- 带弧弯收

2．斜撇

写法
- 同于竖撇
- 弯度有别

3．直撇

写法
- 同于悬针
- 变正为斜

4．短撇

写法
- 同于直撇
- 变长为短

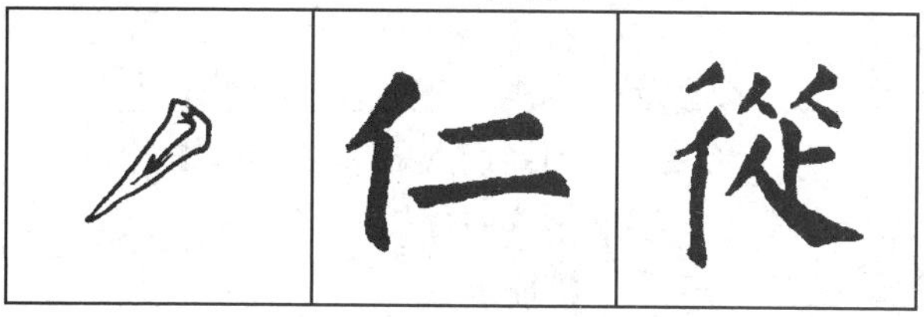

（五）捺

颜体捺画多环形，多波折，多厚重。

1．斜捺

写法
- 顺锋切入
- 转锋向右
- 行笔渐按
- 稍驻后提

2．平捺

写法
- 同于斜捺
- 斜度变小

3．反捺

写法
- 同于瓜点
- 路径变长

（六）钩

钩画外圆内方，出锋短，宜厚重。

1．横钩

写法
- 同于横画
- 末端提笔
- 转笔作顿
- 回锋左出

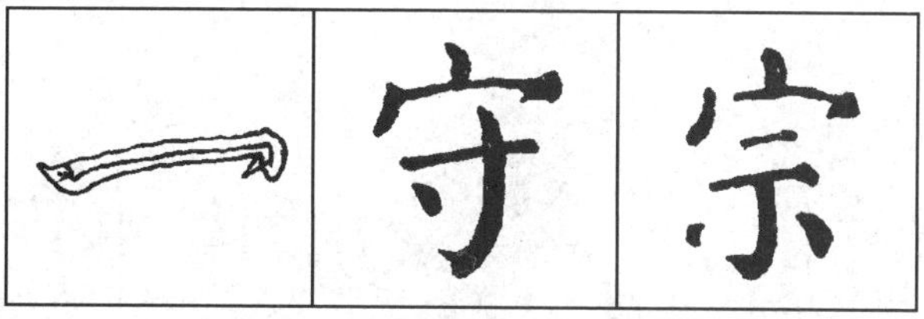

2．竖钩

写法
- 同于竖画
- 下端弯提
- 回笔蓄势
- 微而出钩

3. 斜钩

写法：
- 顺锋稍按
- 中锋右下
- 回笔上钩

4. 竖弯钩

写法：
- 顺锋切入
- 中锋右斜
- 横腕向右
- 回笔上钩

（七）折

1. 横折

写法：
- 横末稍提
- 折处另起
- 按笔而下
- 提笔回收

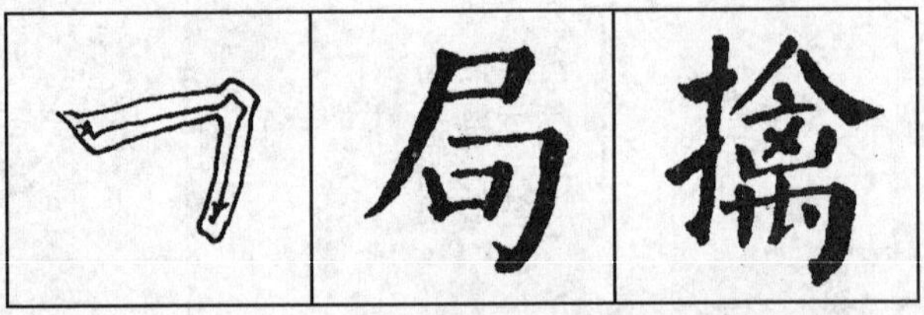

2. 撇折

写法：
- 短撇带弧
- 提笔右转
- 长点带弧

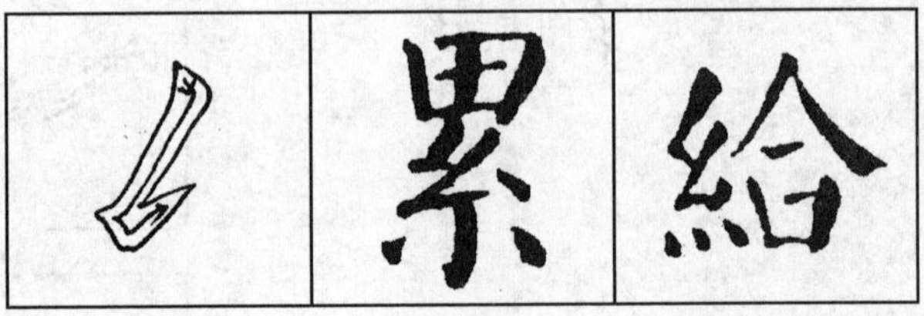

（八）挑

写法：
- 顺锋切入
- 右下顿笔
- 转锋出挑

二、偏旁、结构法则及范字

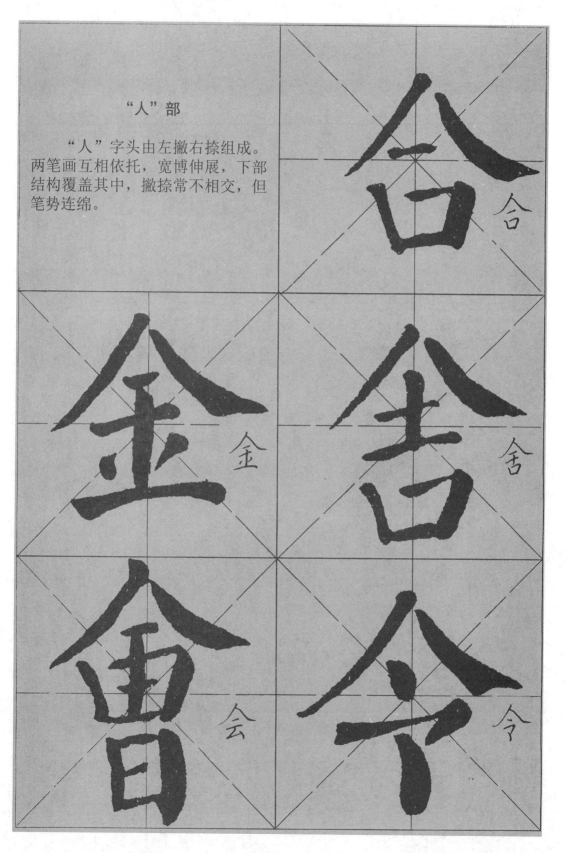

“人”部

“人”字头由左撇右捺组成。两笔画互相依托，宽博伸展，下部结构覆盖其中，撇捺常不相交，但笔势连绵。

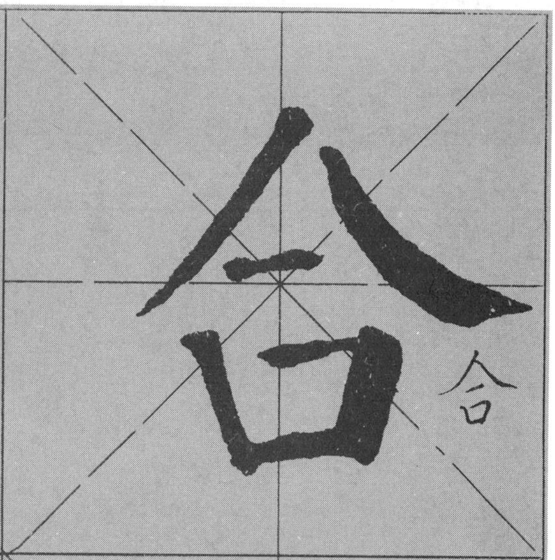

“八”部（上）

“八”字头的点有正八和倒八两种。正八两点相背，左点以短撇为之；而倒八两点相向，右点作短撇。两点不论相向或相背，皆笔势贯通，分置中线两旁。

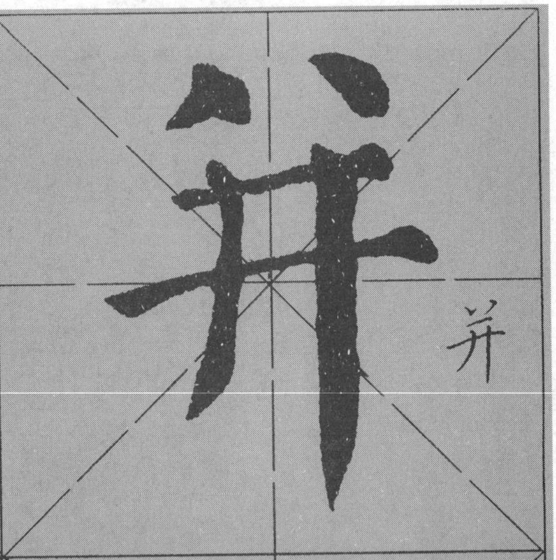

“亠”部

以藏锋起笔，回锋收笔，斜欹以取其势，务求饱满圆润。上点为字之重心所系，上点与下横中部相接，下横呈上拱之势，且左低右高，显得刚健婀娜。

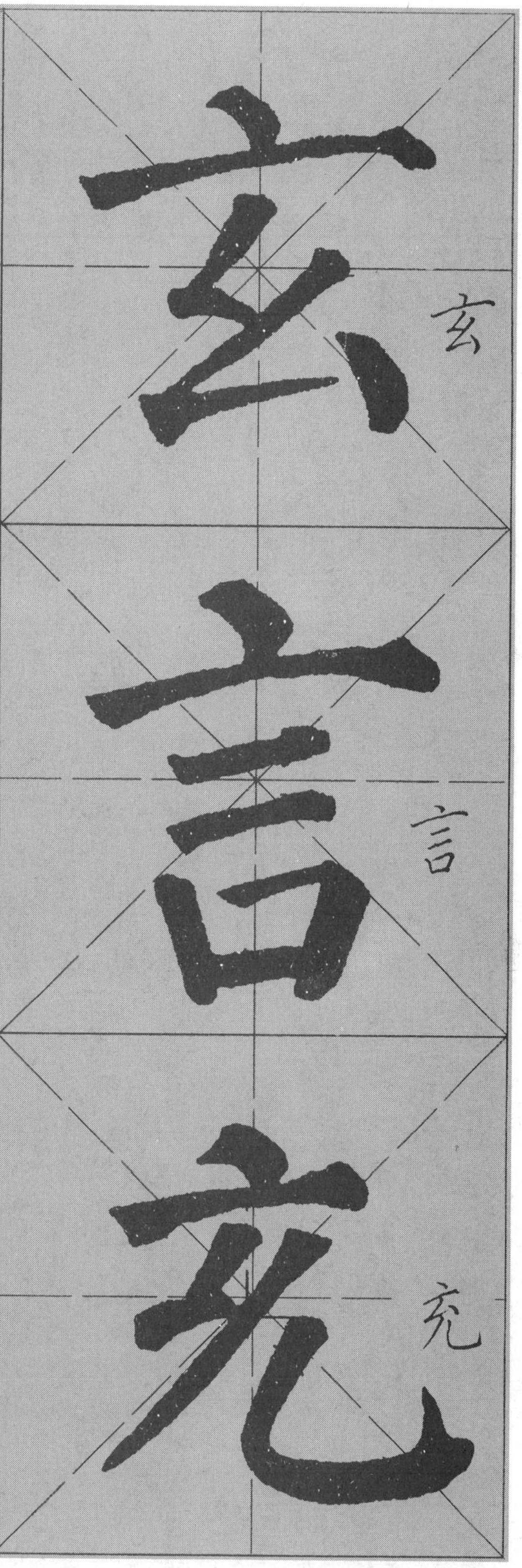
玄

言

充

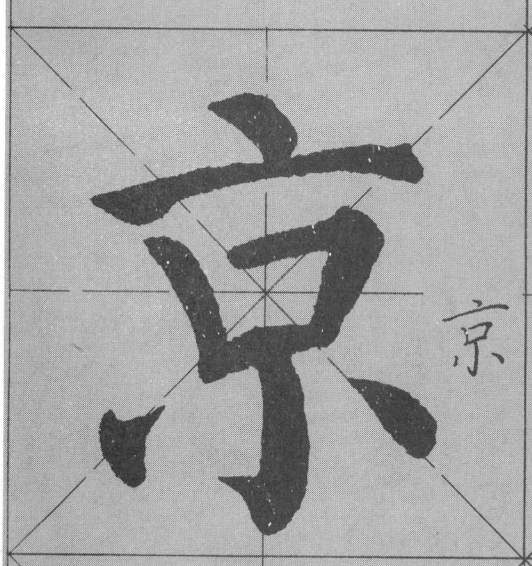
京

亭

奇
高
蛮
帝
童
雍

“广”部

“广”头的上点卧立有致与横画相接，偶有与横画断开者，皆居中而俯视全字。横画或长或短，与竖撇的起笔常相断开，竖撇劲挺而力送笔尖。

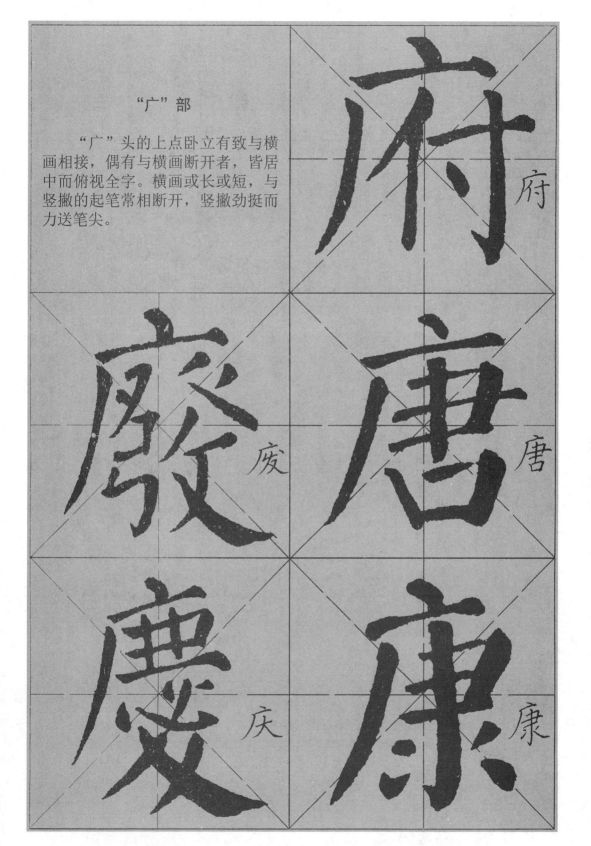

“宀”部

“宀”头的上点居中而决定字的重心。书写时以藏锋落笔，回锋收笔，借收笔之势自然过渡到左点的起笔。左点饱满劲健，气势开张，借以稳住字的左部，收笔往右上回锋，顺势作横钩。

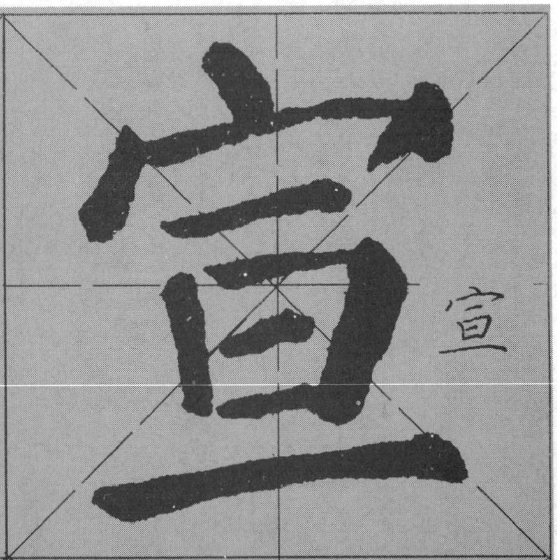

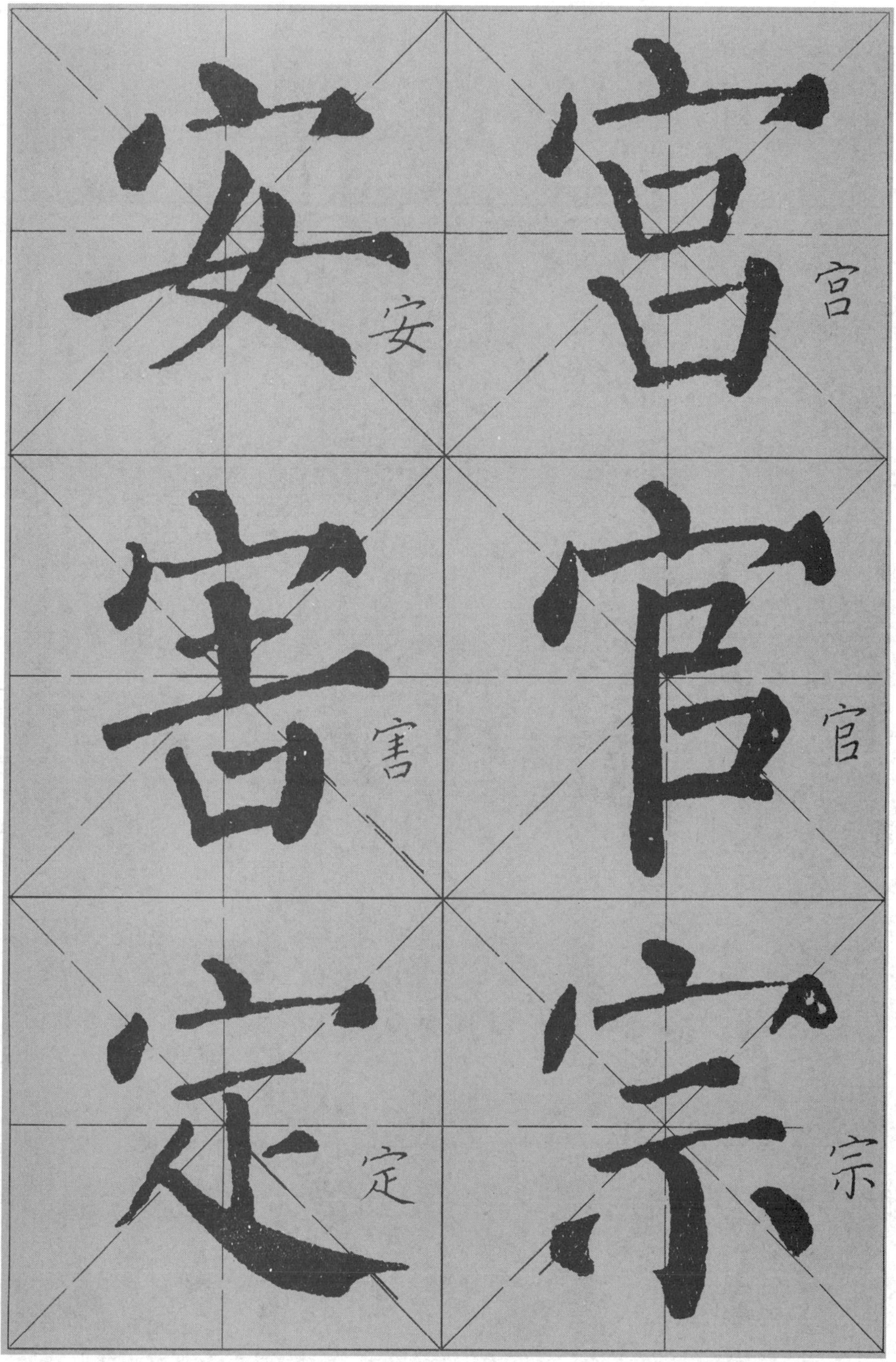
宫
官
宗
安
害
定

“尸”部

“尸”作字头应能覆住下面部分，其体势与“广”字头相似，但上面的横折宜紧卷而略窄，以使下部不受压抑。

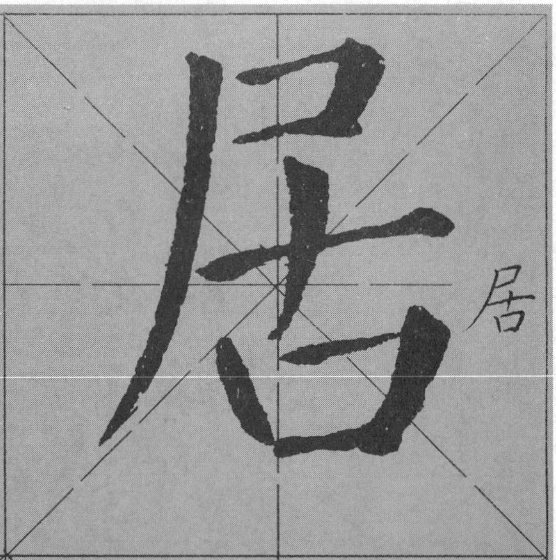

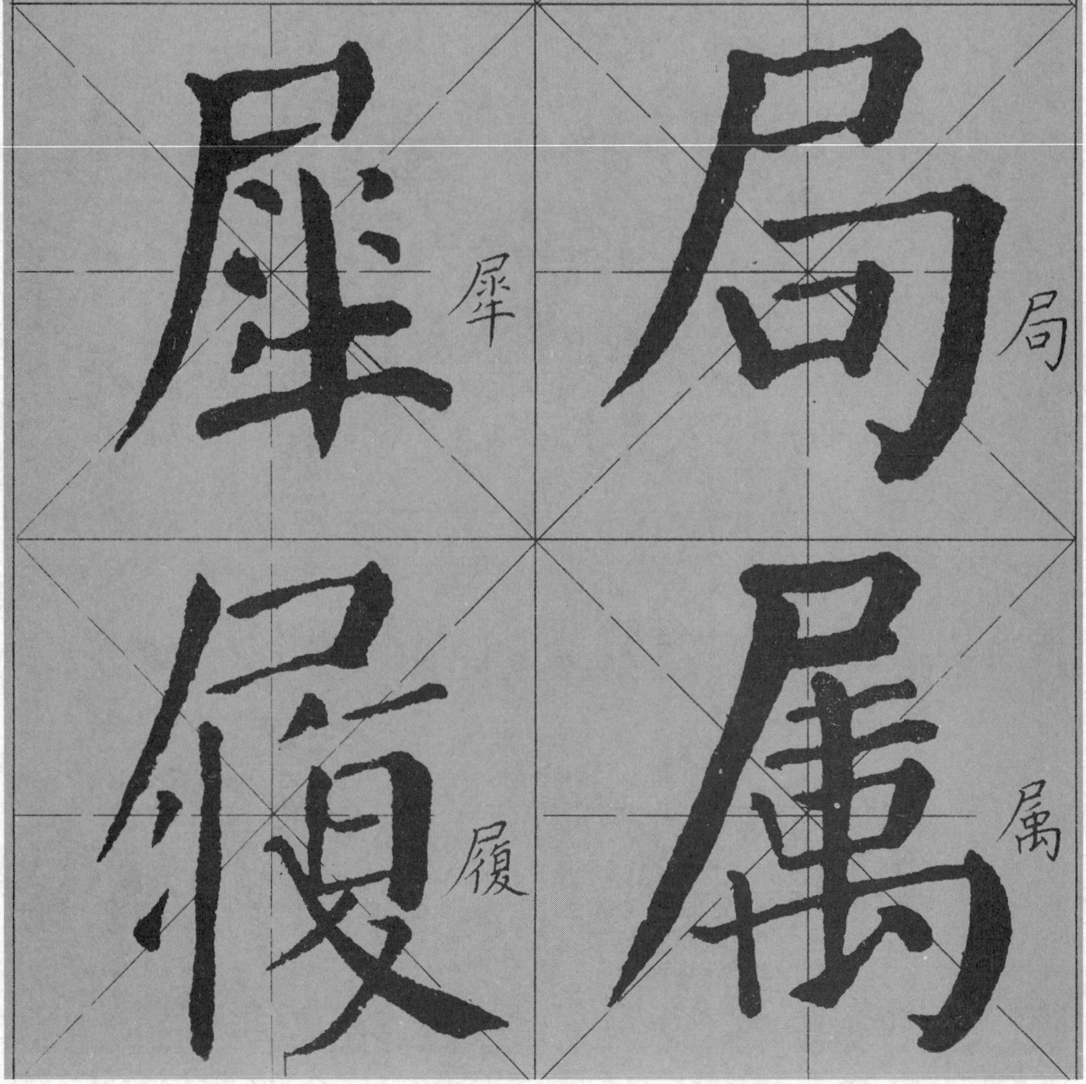

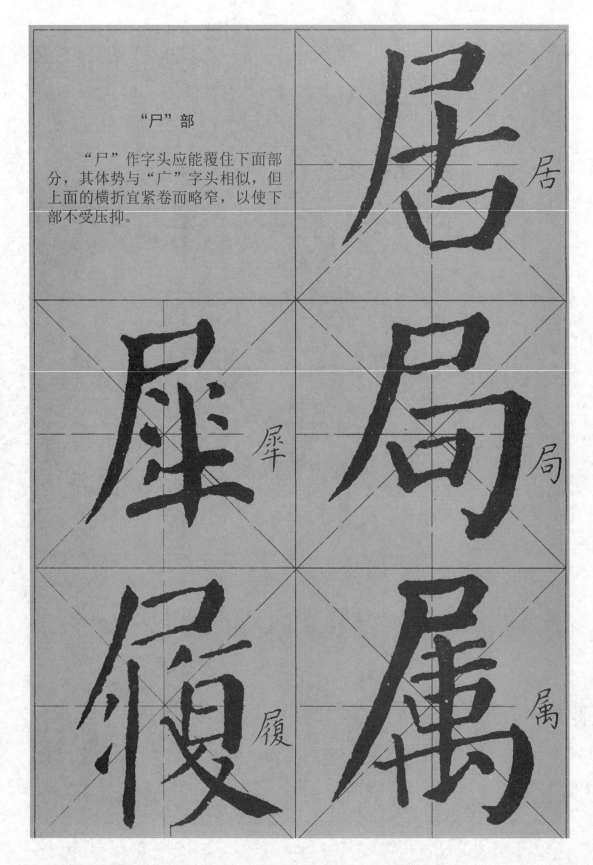

“艹”部

“艹”头上宽下窄，分居中线的左右，如人之双目，炯炯有神，左右距离适中，宽则呆滞，窄则窘迫。书写速度须快而敏捷。

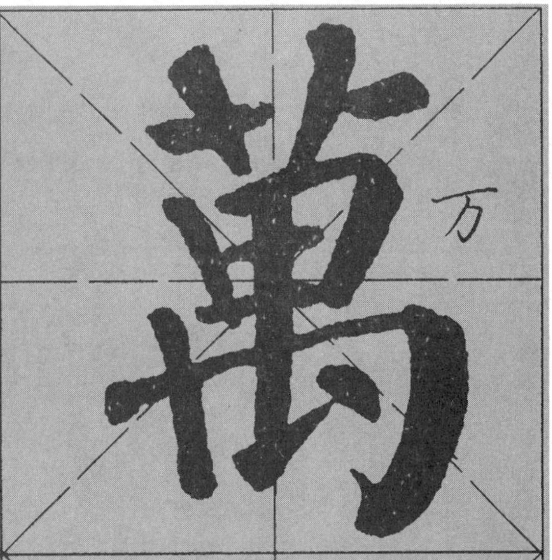

芳
草
苑
莫
英
茂

蒙
藉
苏
萧
节
艺

“竹”部

“竹”字头在字的上中，居中线左右，虽是相同的“个”字，但左右绝不雷同。点画的形态与用笔皆具巧妙的粘连，起收顿挫清晰可辨，顾盼呼应极为自然。

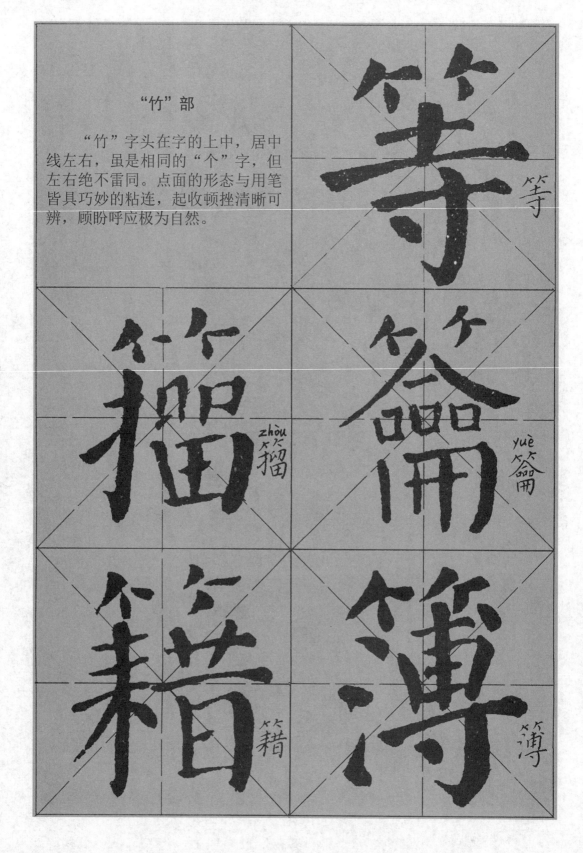

“日”部（上）、“罒”部（上）

“日”字头应写得紧密，但过紧则显得拘束，故日字的造型处理成上宽下窄，而第二笔横折的起笔又往往有意把距离拉开，这样就形成了围棋的所谓“活眼”。“罒”部注意均匀排列和透气的处理。

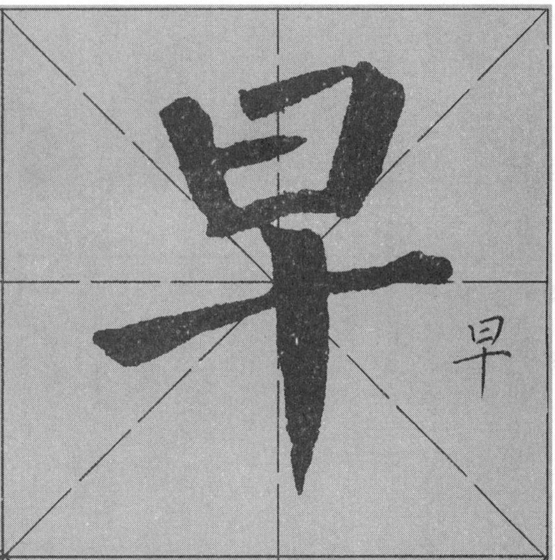

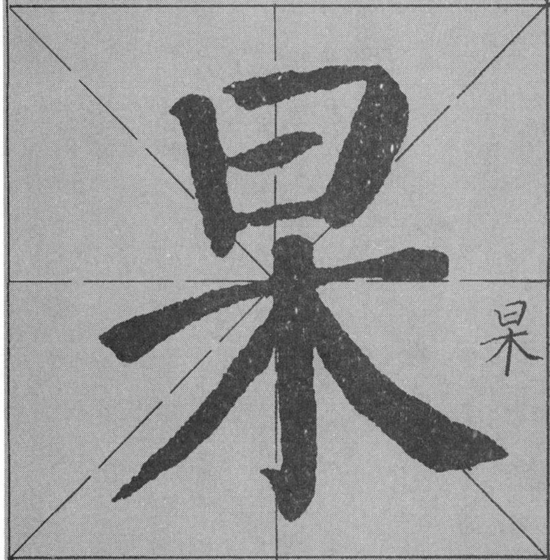

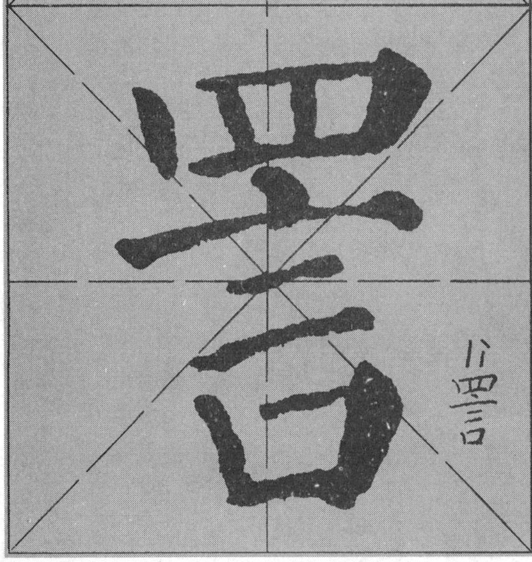

“山”部、“考”部

“山”字头紧凑茂密，窄于下面部分。三竖紧缩为点，形态各不相同。“考”部注意直撇与长横的搭配。

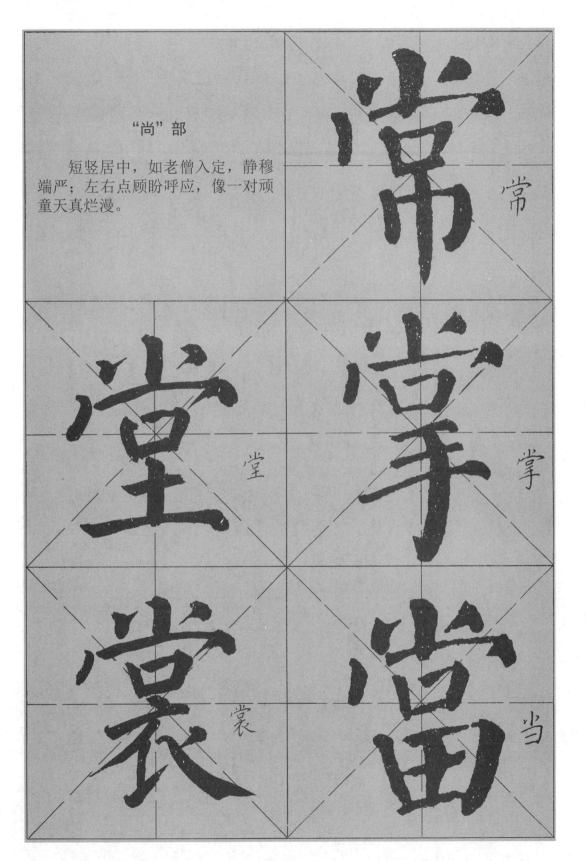

“尚”部

短竖居中，如老僧入定，静穆端严；左右点顾盼呼应，像一对顽童天真烂漫。

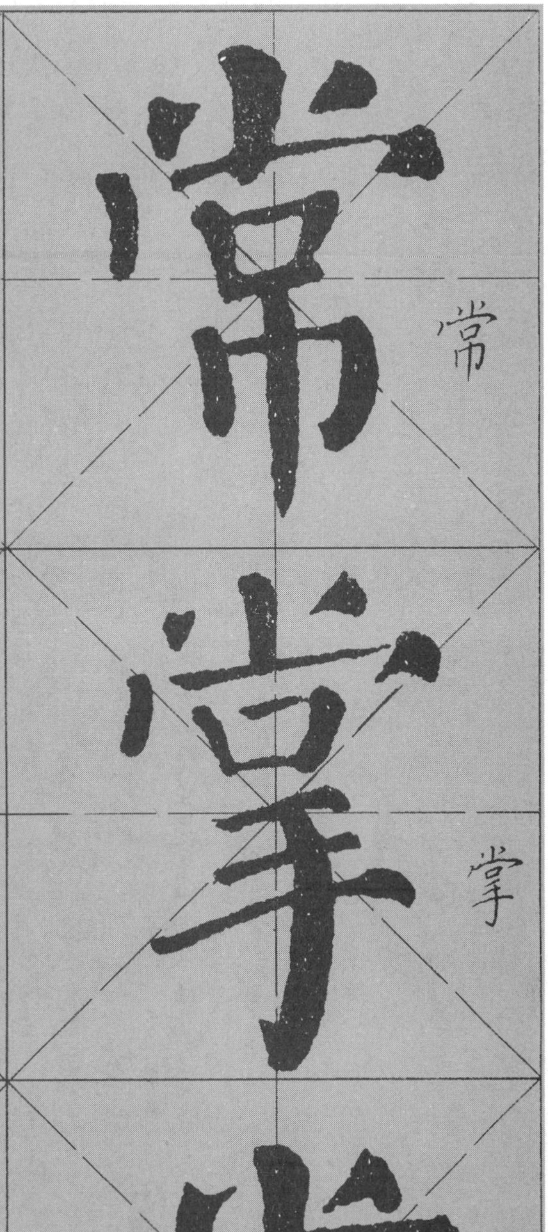

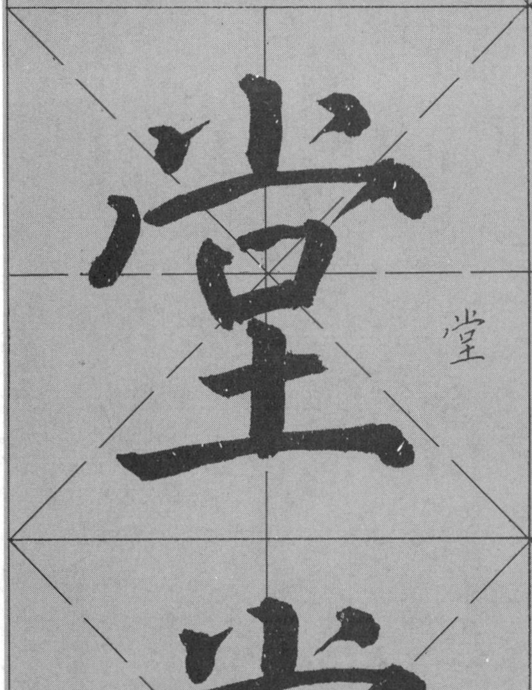

“八”部（下）

“八”作字底应能稳实地支撑上部结构，故左右两点相距较远。加之两点所形成的角度极大，因此绝无头重足轻之虞。左点为短撇，起笔重顿，撇出后向上作收笔，右点接左撇之势顺锋落笔。

兵

與 与

其

典 典

黄

“口”部（下）

同为口字底，结构布势皆大体仿佛，上宽下窄，横折起笔与首笔竖画之间都留有活眼，横折换锋后的短竖也较左竖厚重。

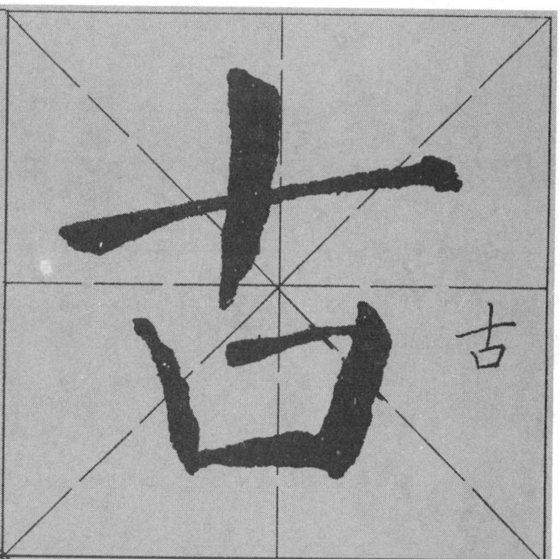

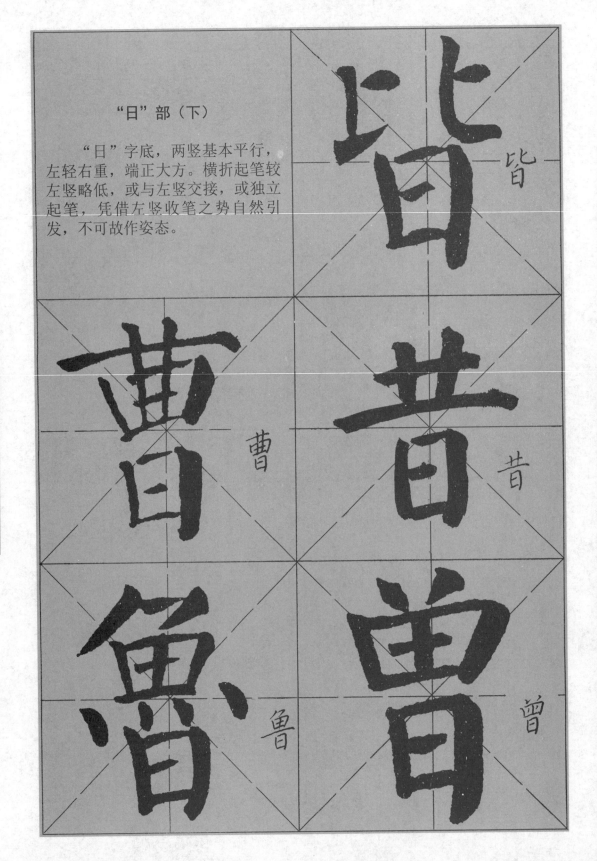

“日”部（下）

“日”字底，两竖基本平行，左轻右重，端正大方。横折起笔较左竖略低，或与左竖交接，或独立起笔，凭借左竖收笔之势自然引发，不可故作姿态。

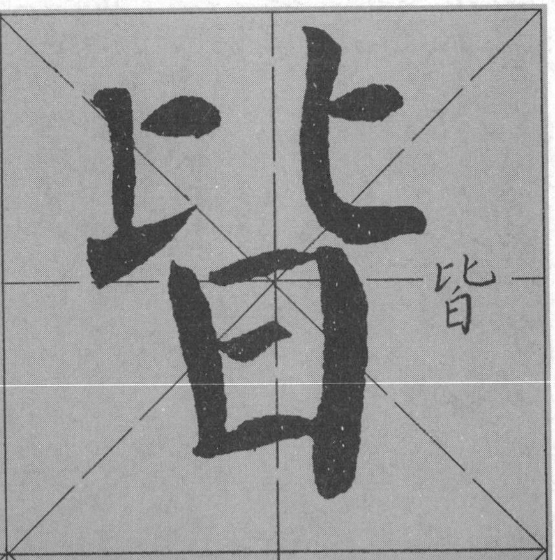

“贝”部

左右两竖略有弧度，呈向外拱向内包的态势，右竖长而凝重，中间两短横缩而为横点，上俯下仰，顾盼生情，底横斜长，右点峻厚含蓄，稳实地托住了上面的重量。

资

贞

员

贤

质

“火”部（四点底）

四点虽互相独立，但承上启下，一气呵成。点的形态各不相同，其间较为疏朗，用笔敏捷灵动，具有很强的节奏感。写“火”字点容易因强调动势而写得薄弱，所以笔在顿下时应稍重略驻，点才能饱满有力。

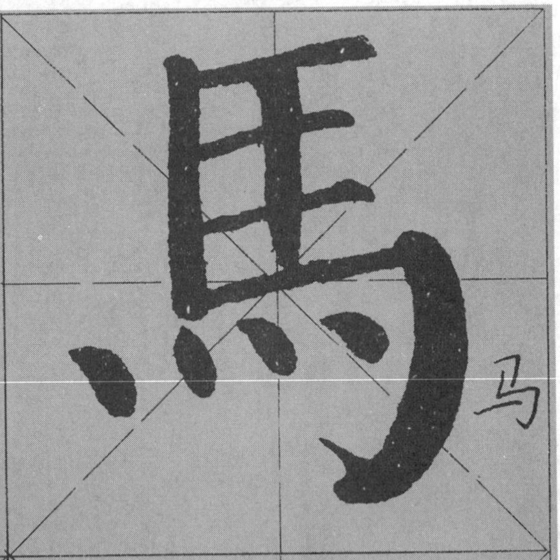

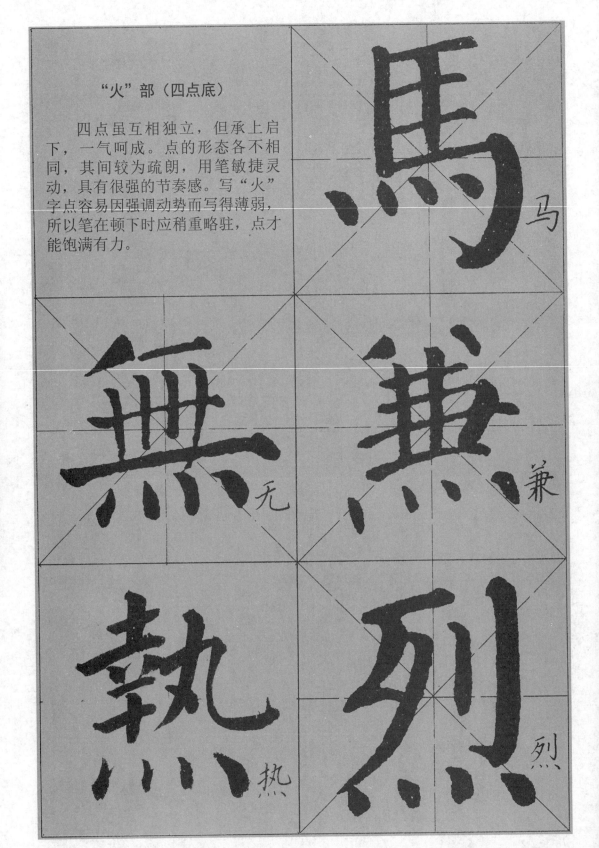

“心”部、“女”字底

“心”作字底较上部宽，点画疏朗，布置匀整，能稳实地托住上部结构，左点长而饱满，收笔顺势作心字钩，心字钩弯环势曲，行笔稳健，写法由轻渐重，至出钩。“女”字底书写时注意宽博，能托起上部结构。

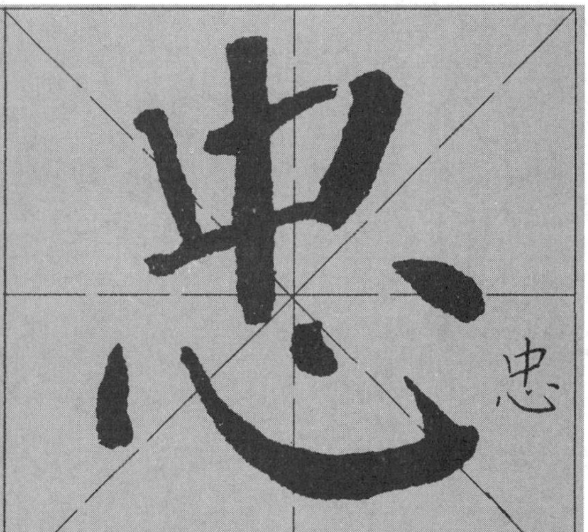

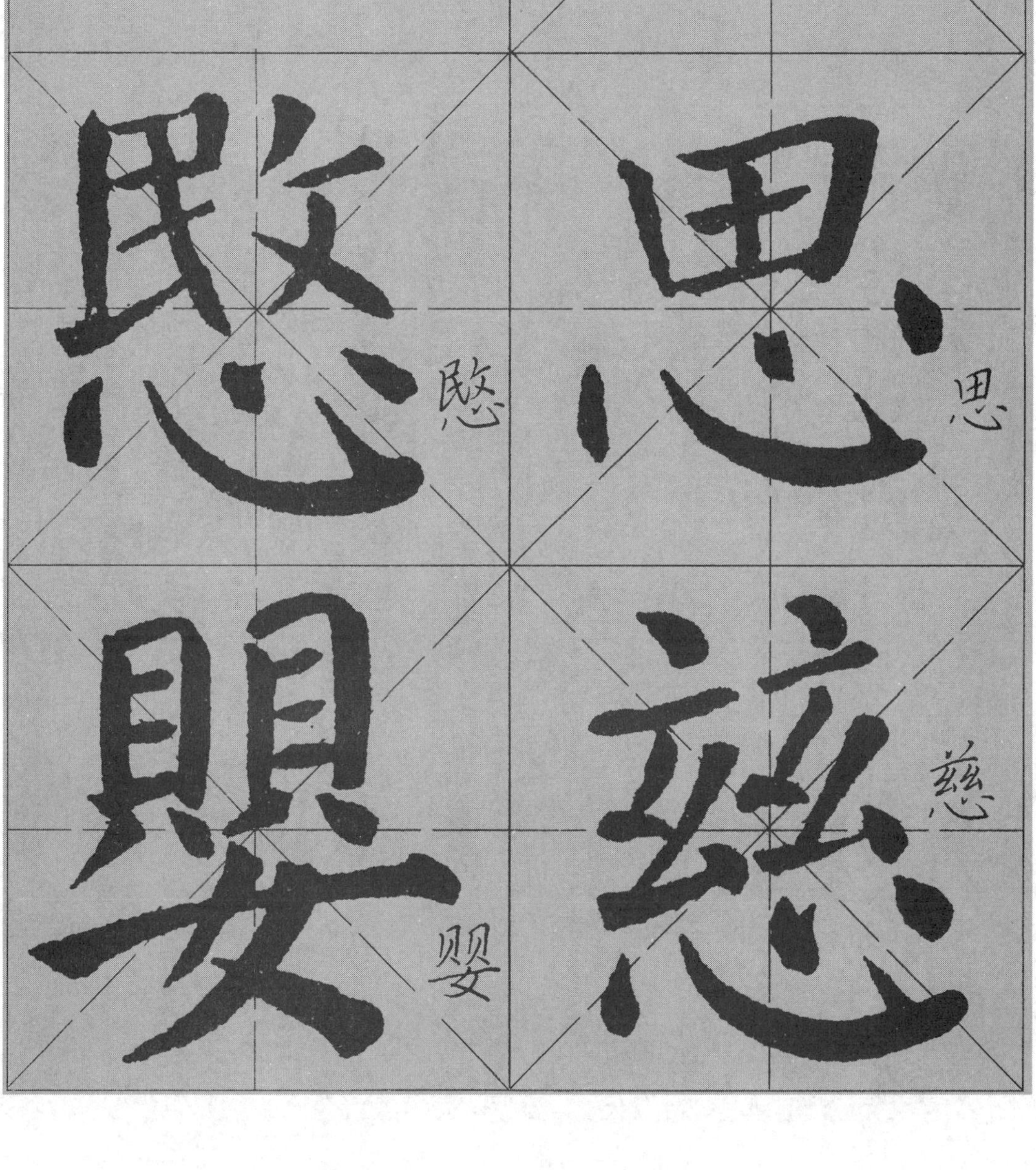

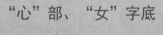

“皿”部

“皿”字底在字中的位置有三种变化，或为主，如“益”字；或为次，如“盐、蛊”字；在“监、盈”字里则平分秋色。因此，“皿”字底的疏密完全视上部结构而变化。

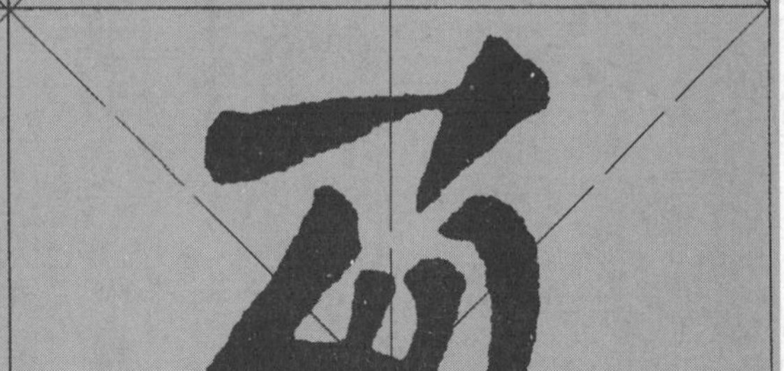

“辶”部

“辶”底是难度较大的字底，它承载上部的重量，从左下形成了对内的两面包围形势，整个字的书写顺序是先写被包围的部分，而被包围的部分又有笔画繁简的不同，有独体字，有上下结构的字。所以写内部结构时既要防止松散，又要避免紧促。

逝

迁

逖

遗

逢

遠 远
逸 逸
連 连
遇 遇
進 进
選 选

述
追
逆
道
过
通

“亻”部

“亻”旁，昂然独立在字的左侧，由于只有简单的两笔，所以须写得厚重有力，在与右边结构相配合时才不致显得单薄。短撇起笔重顿，行笔较快。

伦
侍
倜
使
传
俱

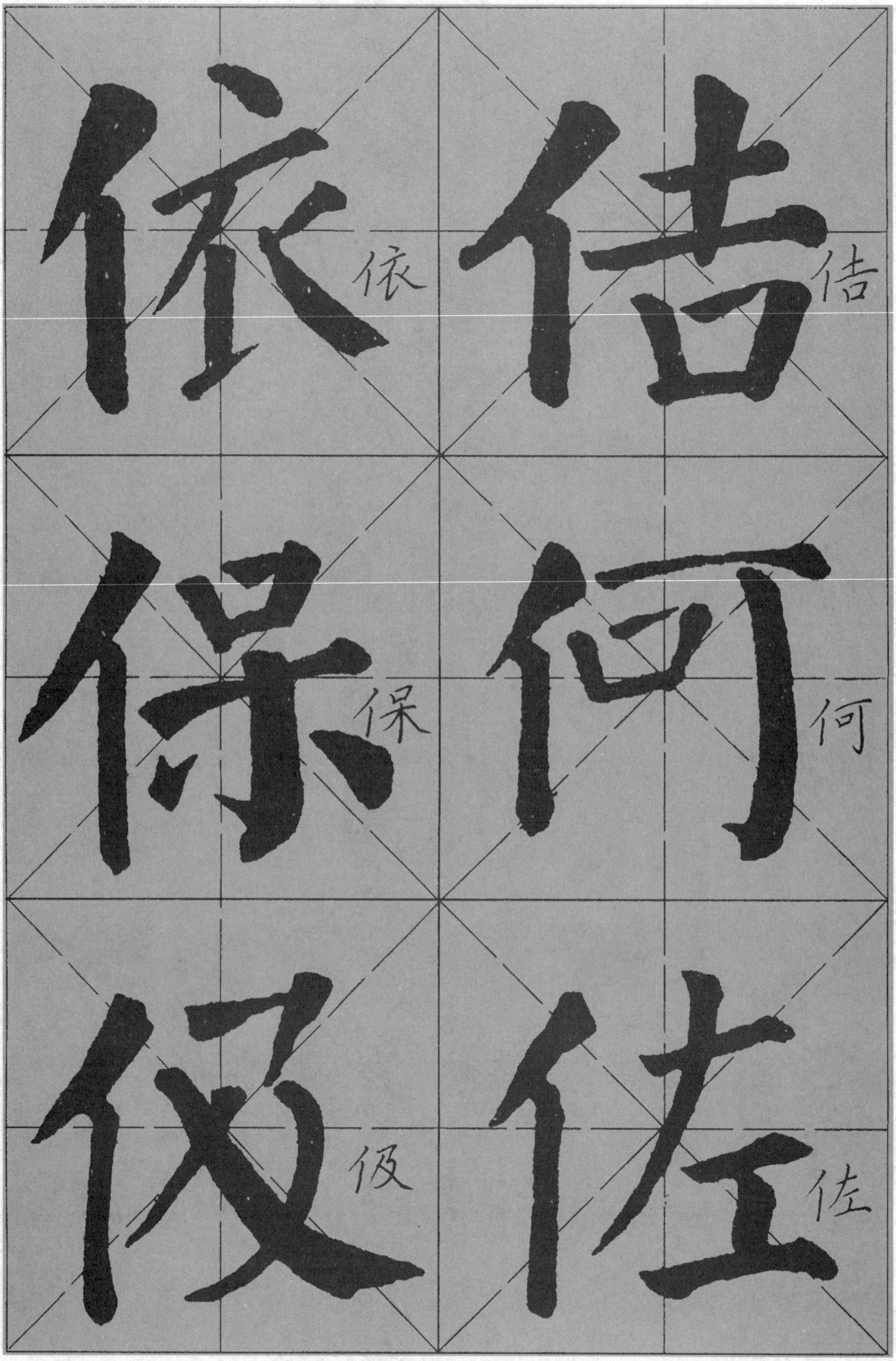
依
佶
保
何
伋
佐

“彳”部

“彳”旁，由相同的两笔短撇斜置于竖画之上，写好双人旁的关键之处在于处理好上面短撇的关系。上撇收缩笔意令其短，下撇开张略长，在上撇的中部起笔，撇出方向稍斜，这样虽是相同的撇画，就产生了轻重、长短、角度的变化。

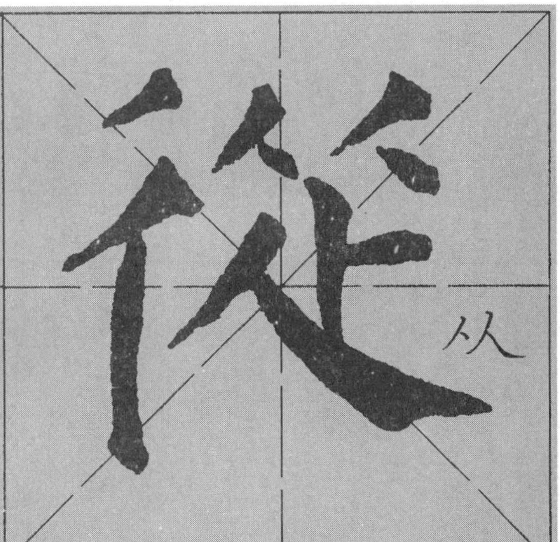

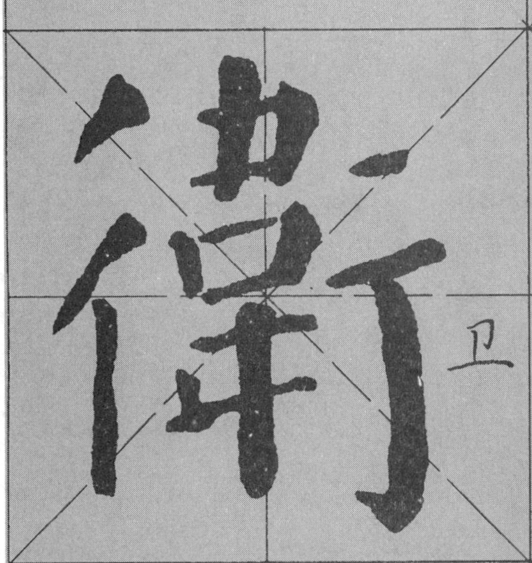

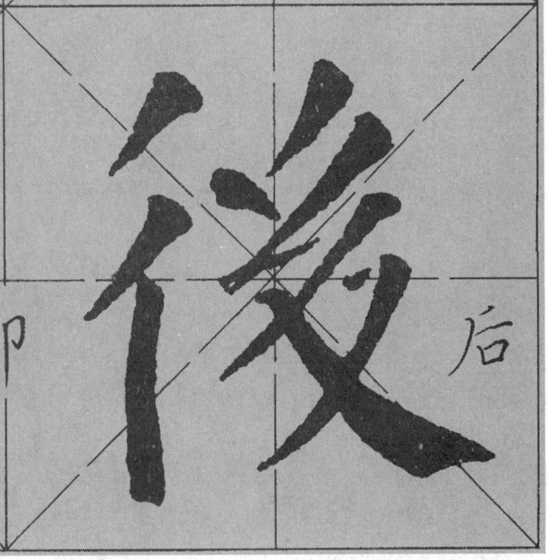

“忄”部

竖心旁居于字左侧，在字中约占1/3，应写得浑厚凝重，不要因其占地少而显得单薄。两点左低右高，左重右轻，既守住了左边的大片孤白，又增加了整个字的灵动。竖画劲健而取其曲势，具有向外拱起向内包围的姿态。

恬

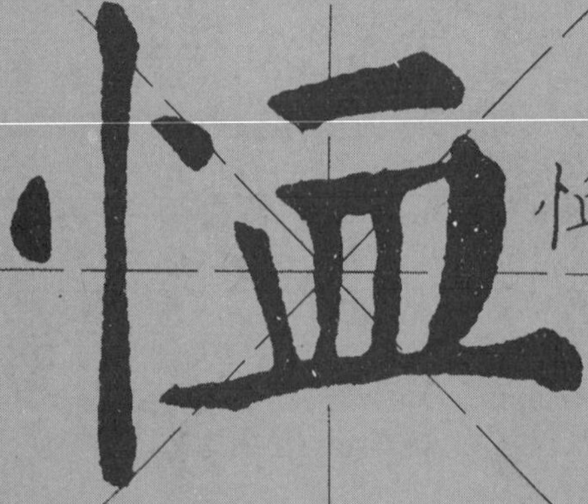

恤

怡

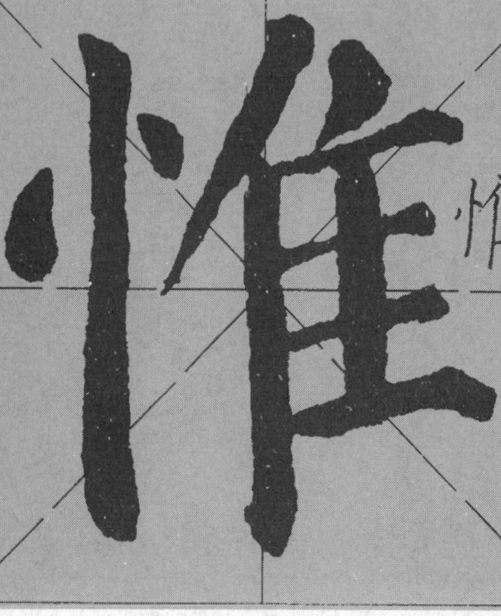

惟

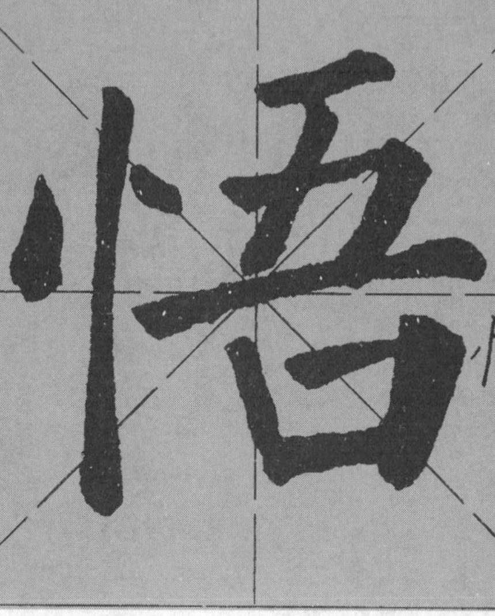

悟

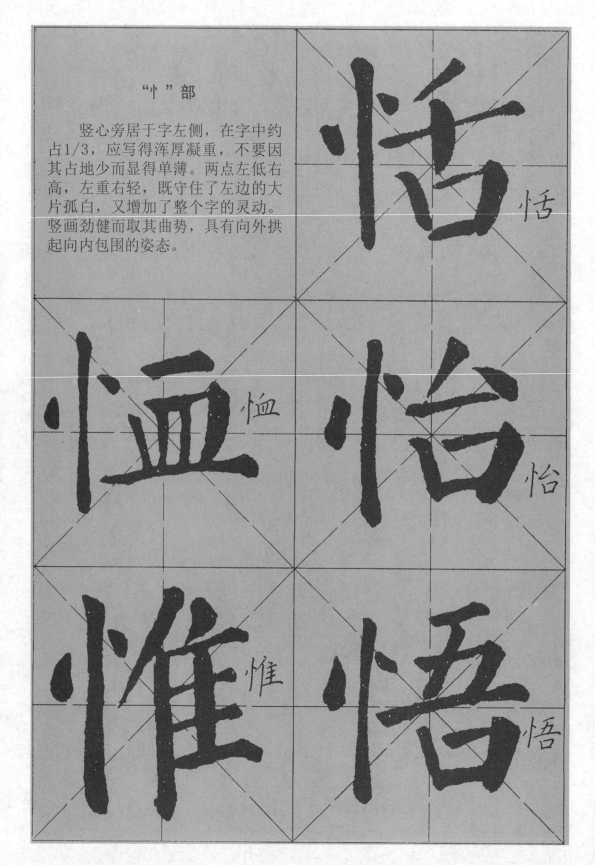

“氵”部

水旁点习惯称三点水，是《颜勤礼碑》中写得最精彩的偏旁部首之一。三点纵向呈左弧状排列。切忌排成直线。三点之间的距离也不同，一般是上点与中点距离较近，皆向下作俯势，下点承上作仰势，三点笔断意连。

河 河

沈 沈

沛 沛

温 温

清 清

海 海

“扌”部

“扌”旁习称挑手旁，在字中约占1/3，应写得饱满挺拔，不要因其占地狭窄而显得窘迫。上面横画短缩，以便让出右边位置；竖钩的长短因字而异，一般是上部与右边平齐或略高，竖画往下行笔时有意微微左斜，也是为了让出右边位置；中间挑画起笔借竖钩钩出之势逆锋直入。

扬

撰

摽

据

擒

挍
拔
推
授
採
损

“木”部

“木”字旁的结构布势与挑手旁相似，但上部的短横相比之下要略长一些；左撇直而稍短，起笔处有偏上或偏下的微妙变化；右点是捺画凝缩而成，目的是为了让出右边位置，其所处位置低于左撇的起笔处，形成参差错落的布势。

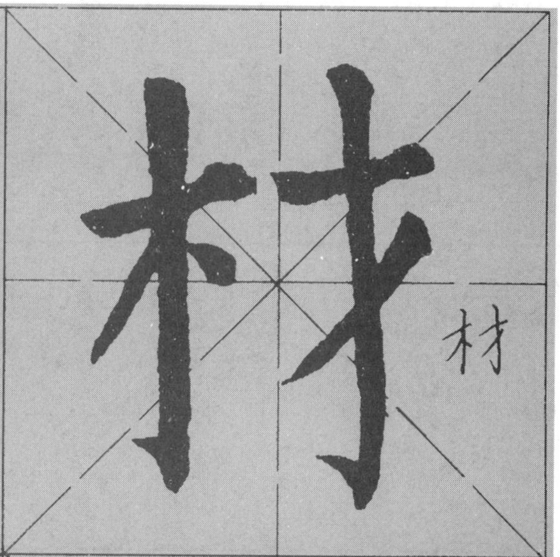

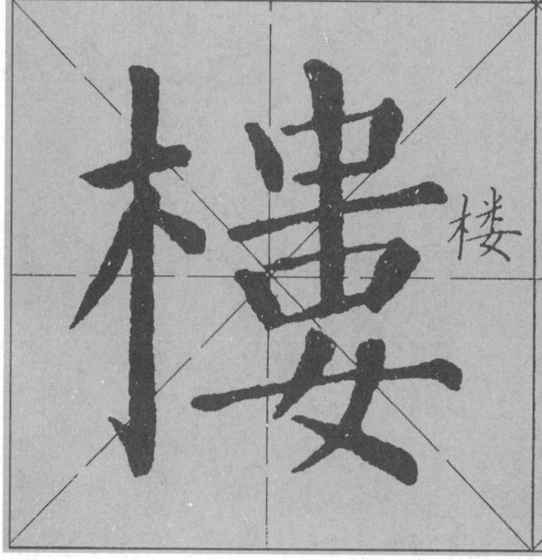

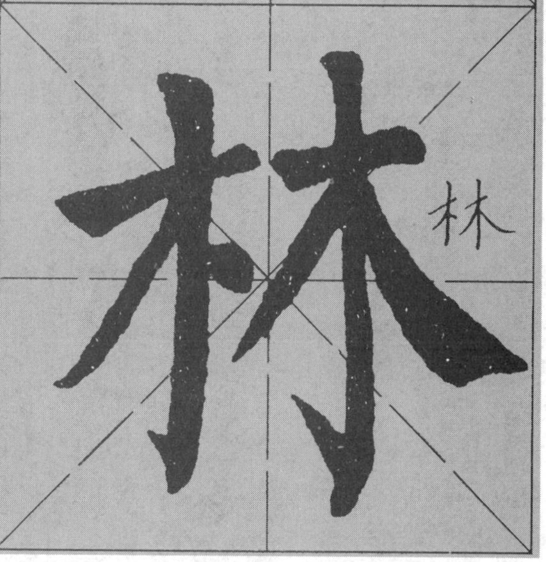

“日”部（左）

“日”字旁狭窄紧凑，视其右部结构。左竖起笔略低。上横多在左竖上方，并在其落笔转折处提笔转写右竖，右竖较长，上下都超过了左竖的长度。中间短横缩而为点，收笔与下面短横挑点起笔相呼应。

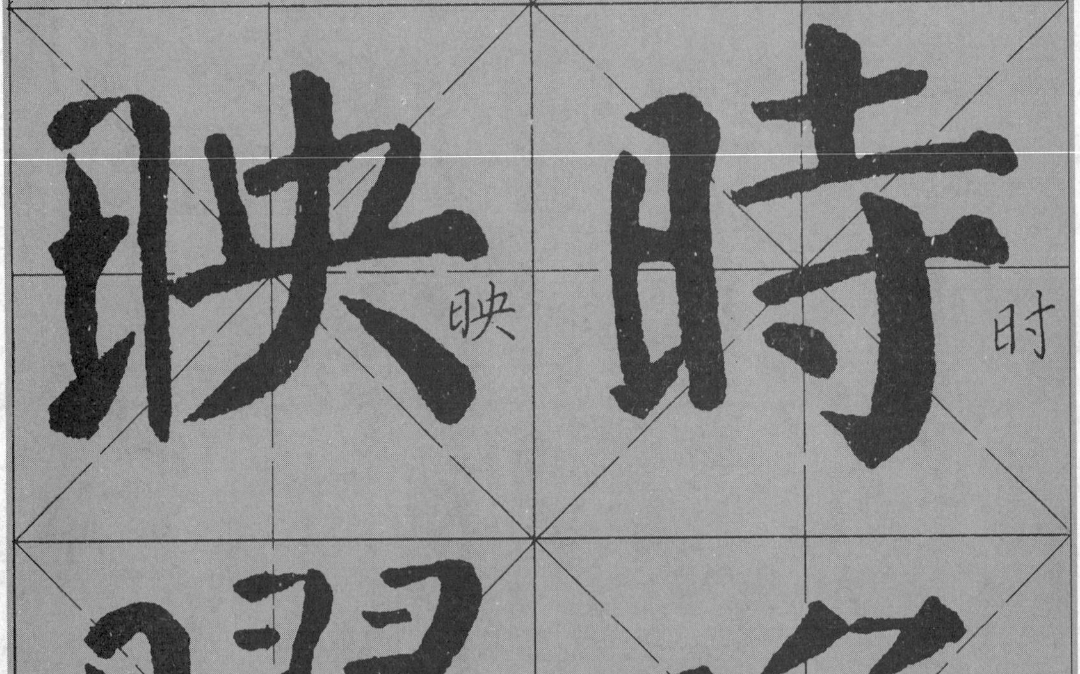

“示”部

“示”字旁斜欹取势，依傍在字的左侧，和右部结构的“正面视人”形成了和谐统一。为此，上点有意靠右，并伸展以作短横，和下横成上俯下仰之势，竖画微斜呈左弧状，垂露向右上回锋收笔，在撇与竖的交接处做紧凑的右点。

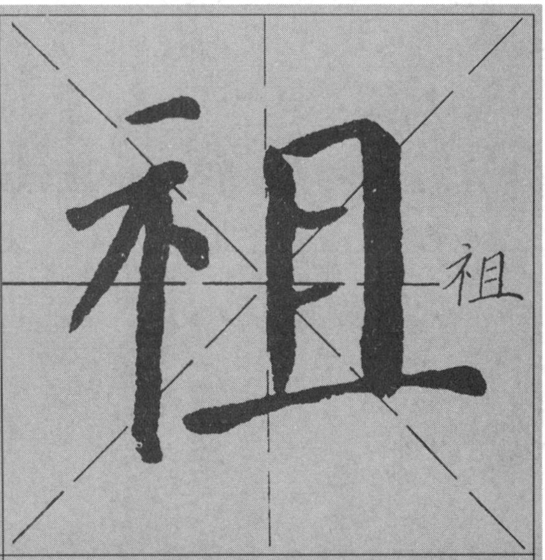

“女”部

“女”字旁有两种写法：一种是撇捺一笔写成，转折处笔不离纸；另一种是撇捺分做两笔写。注意：左撇短而直，右撇长而曲，横画作右向挑，笔锋所指，与右部一气贯通。

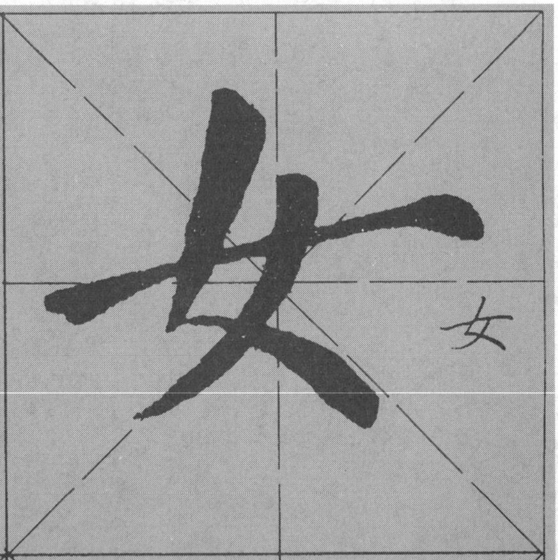

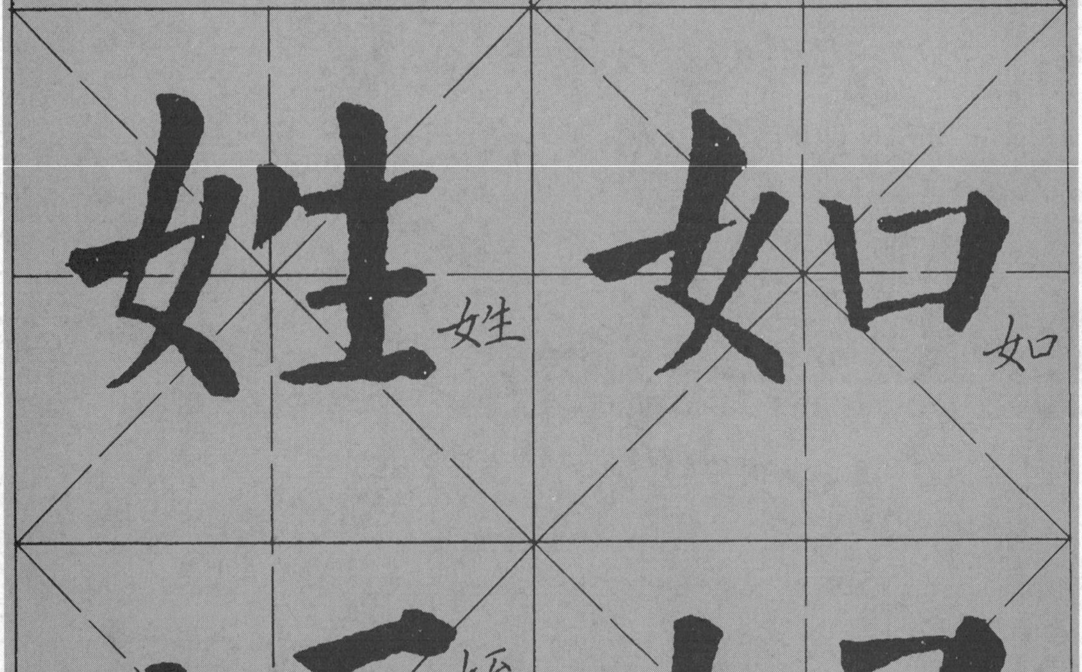

“纟”部

相同的撇折上下重叠，因此要特别注意写出他们的轻重和角度的变化。上下撇和上下挑忌成水平式排列，下三点从左至右依次而作，要写出各点之间的连贯气势，并要使各点的形态和姿势有所不同，右部结构的笔画与之巧妙地穿插。

“食”部、“金”部

“食”部上撇饱满，辅以轻灵的右点组成了人字头，下面良字中短横靠左，打破了框形内的匀势，挑笔右向，收笔出锋后迅速写右下点，一气呵成。

“金”字旁取斜势，上部略高于右侧，上面人字头的写法与食字旁相仿。

“言”部

《颜勤礼碑》里“言”字旁的字较多，姿态极为丰富，总的趋向是匀整而疏朗。上点饱满浑劲，以藏锋落笔，偏于横画右侧，位置一般高出右边部分。三横皆取斜势，左低右高，上横略长于下，两横参差不齐。下面的“口”字上宽下窄。

训

诂

记

说

访

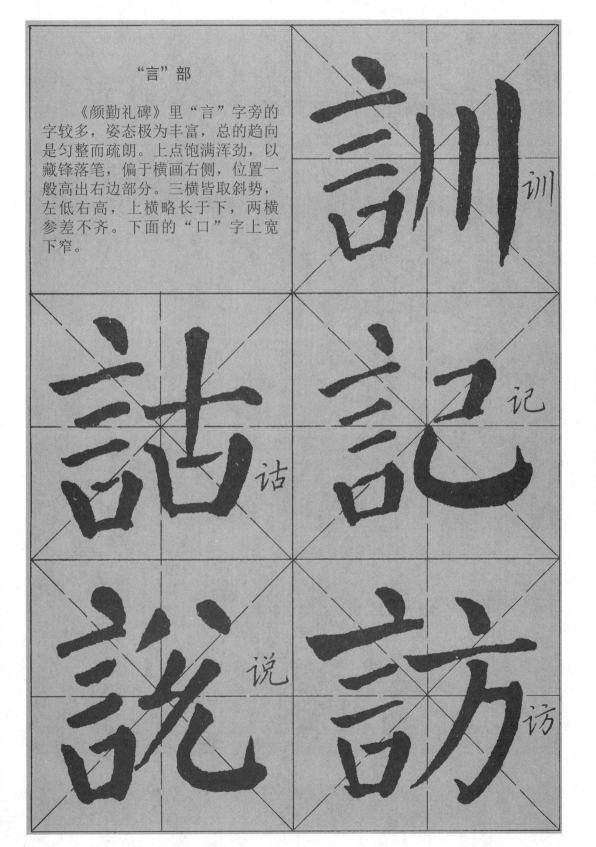

讚
赞
諷
讽
誕
诞
護
护
議
议
讀
读

論
论
詡
诩
謂
谓
諱
讳
譔
撰
謀
谋

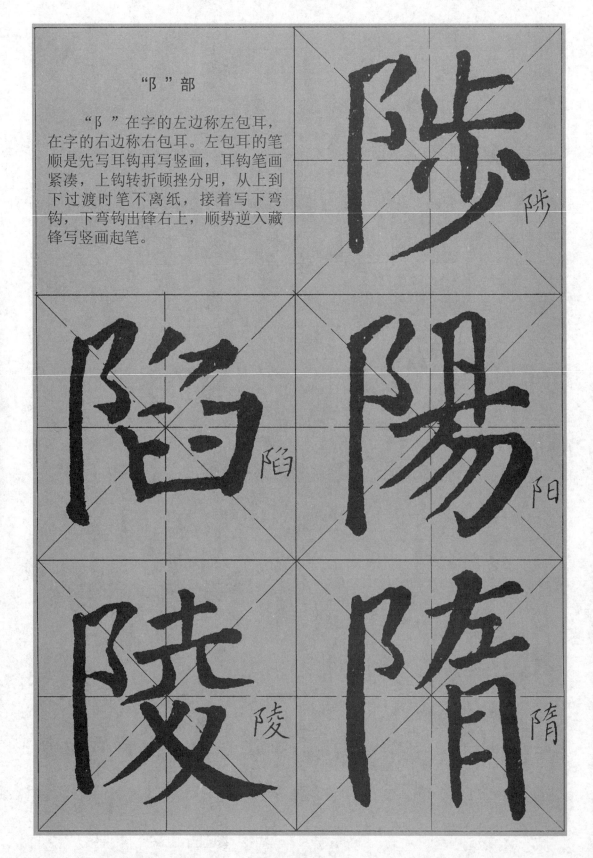

“阝”部

“阝”在字的左边称左包耳，在字的右边称右包耳。左包耳的笔顺是先写耳钩再写竖画，耳钩笔画紧凑，上钩转折顿挫分明，从上到下过渡时笔不离纸，接着写下弯钩，下弯钩出锋右上，顺势逆入藏锋写竖画起笔。

隐
陆
邪
邛
郎
邠

"阝"部

右包耳较左包耳宽博疏朗，在字中的位置低于左边部分。耳钩中间断开作两笔写，但笔断势连，一气呵成，下弯钩尤须饱满凝重，赖以稳住字的右部，不使其空虚。

都

邻

郭

郡

郑

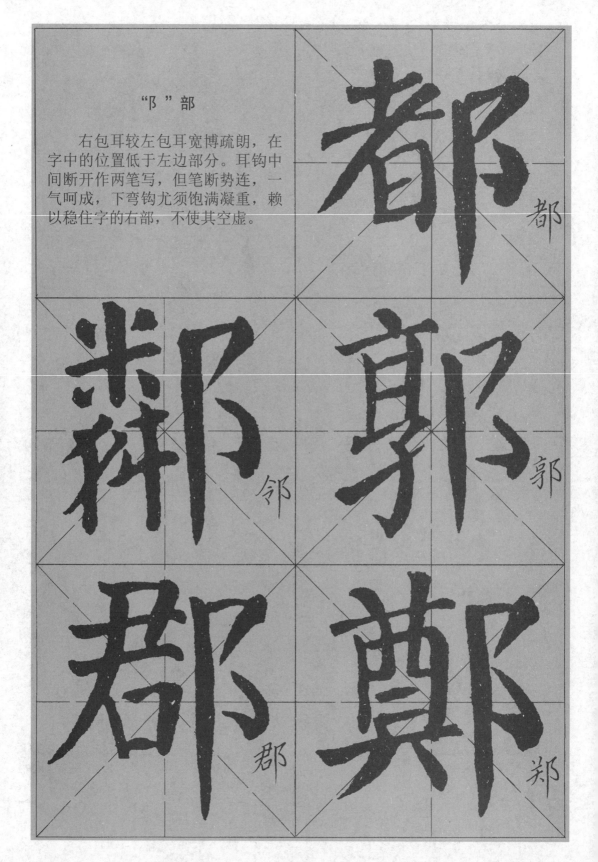

“刂”部

“刂”称立刀，由左短竖和竖钩组成，在字的右部，约占1/3。起笔承右部之势藏锋逆入，行笔略往右斜，收笔往右上回锋，与竖钩起笔笔势相连。

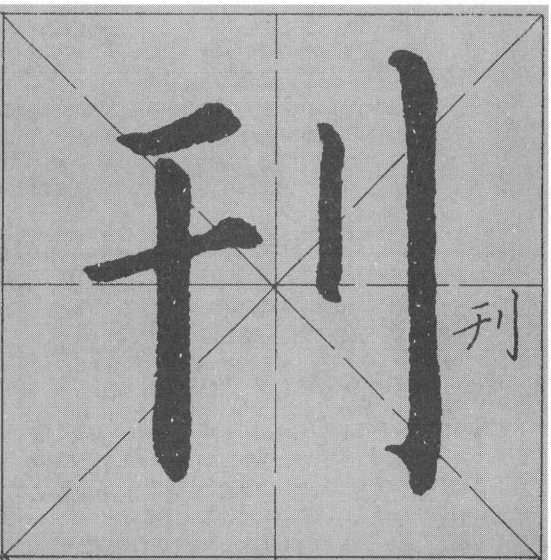

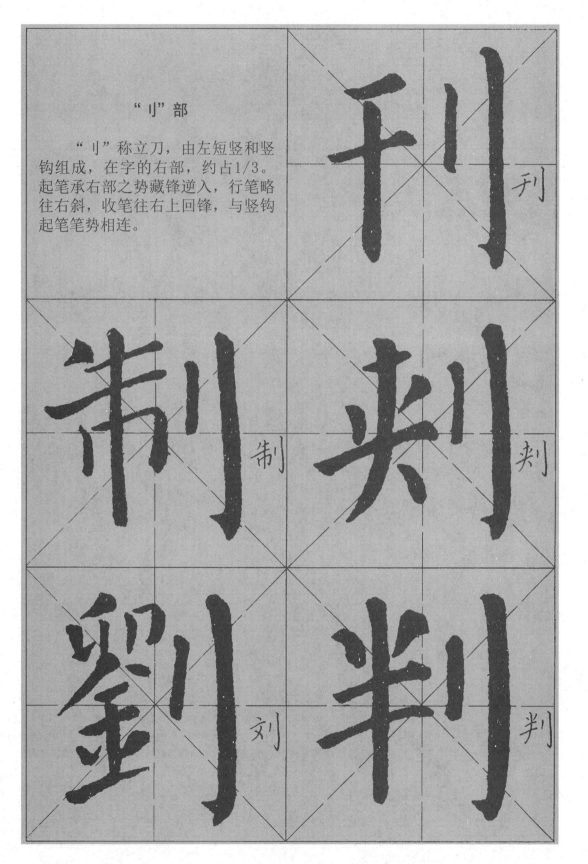

“力”部

“力”部作右偏旁，其位置偏下，这样能使字的重心赖以稳定。横折弯钩一笔写成，转折处呈内方外圆。虽然有些横重视法度，但转折处的笔势仍保持不断，所以也应理解成是一笔写就的。

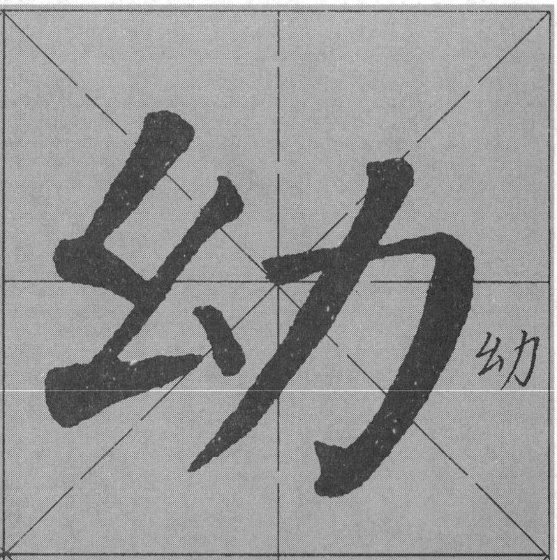

“文”部

“文”部一般与左边部分各占1/2位置，属于左右无势的结体。但从视觉角度来看，它又像是从属于左部，且上撇短，与右捺的起笔靠得很紧，下撇的起笔处又偏向横画的左部。

敬

杀

散

数

敦

“戈”部

这是难度较大的部首之一。难就难在“戈”钩不容易写好。而恰恰“戈”钩又是字中的主笔。横画与“戈”钩组合皆取左低右高的斜势。

“页”部

“页”字旁约占字的1/2位置，以其雍容端正的姿态令人瞩目。《颜勤礼碑》中页字旁的字较多，其结构布势皆取匀整和正面视人的正势。

顺
顶
颀
项
颂
项

“门”部

门字框的外形特征趋于四方形，具有大开大合的气度。门字框的字上平其肩，下满其角，在与其他字组合成一篇作品时，上下左右均宜收拢一些，否则会显得比其他字大。

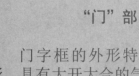

两面包围

“旭”“延”“翘”是左下包上的字，前面学过的“辶”底的字也属于相同类型。这类字的共同要求是包围部分要写得圆满疏朗，形成包围的势态。

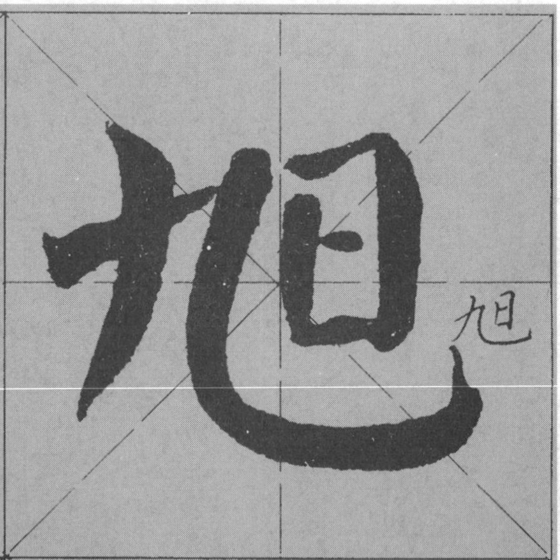

三面包围

这类字要求外围部分舒展大方，便于被包围部分的穿插，被包围部分向上靠拢，使其内外相宜。另外，还须注意四角势满，不使其虚空。

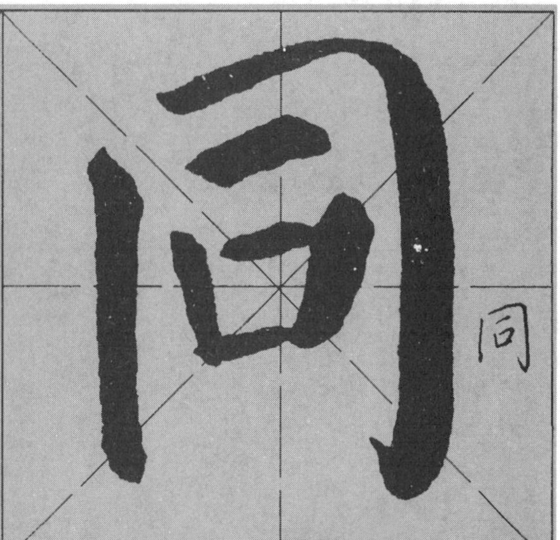

四面包围

外框平正疏朗，略向右上取势。笔画之间留有“气口”，于茂密中透出空阔，竖脚左缩右伸，右竖钩饱满圆浑，与左竖形成合抱之势。

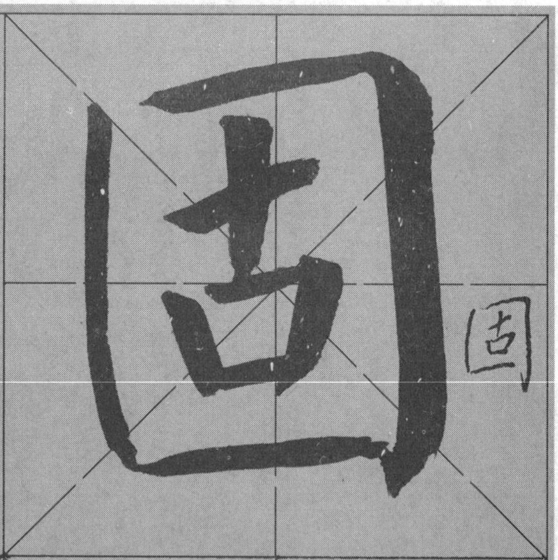

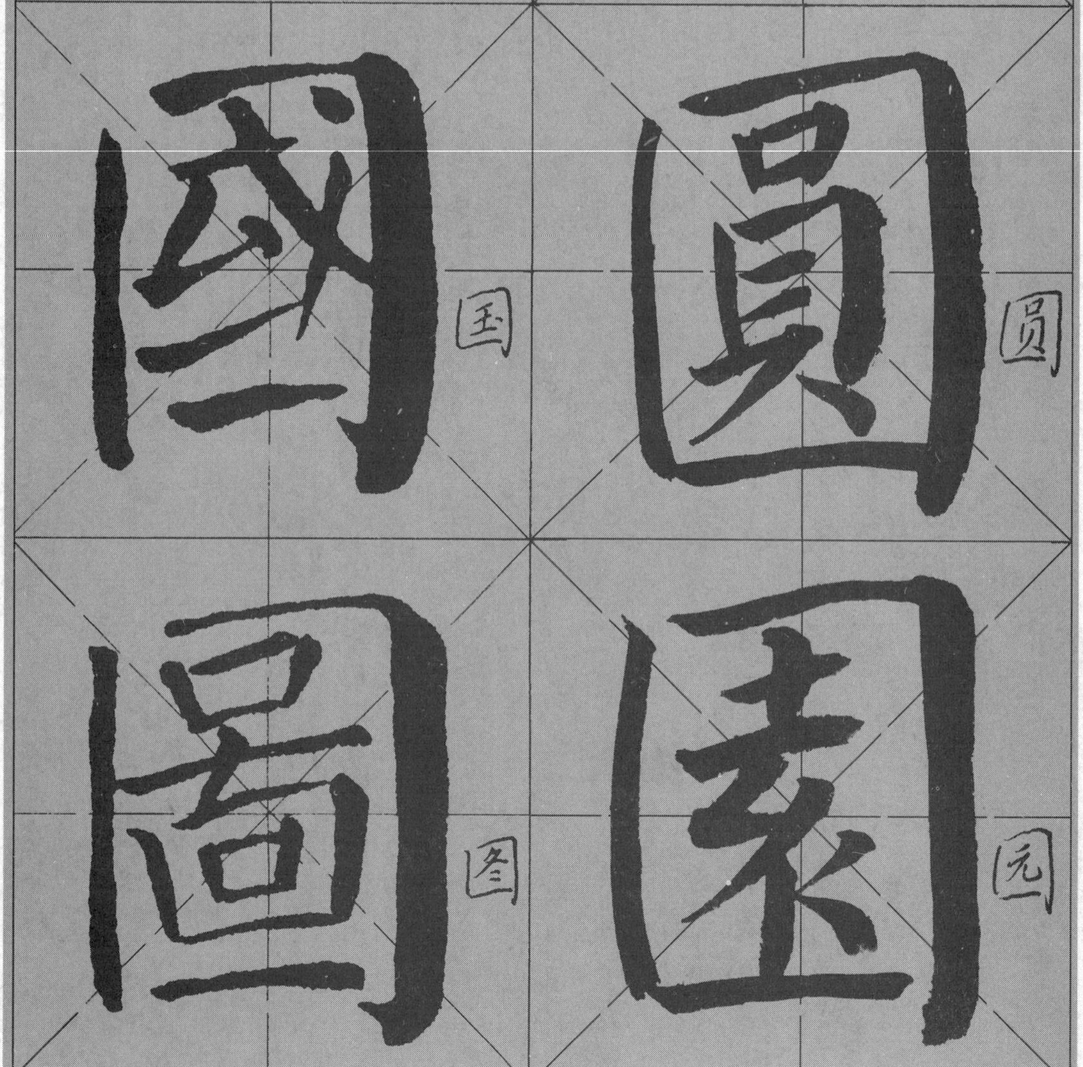

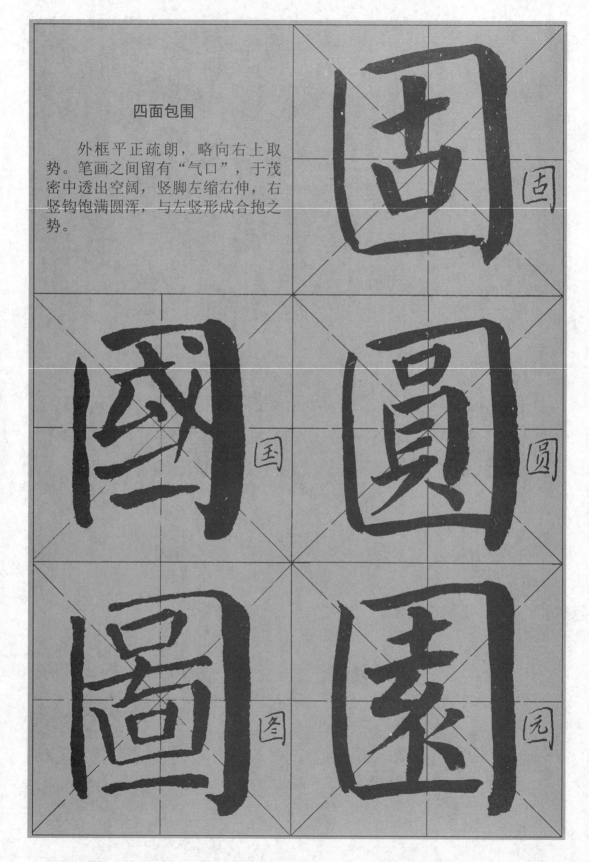

下占地步

字的下部结构占主要位置称下占地步，这些字有的上窄下宽，有的上低下高。当上下结构进行搭配组合时要注意它们之间的轻重关系，即大小比例。

專 专
南 南
毒 毒
長 长
食 食
泉 泉

直
省
画
丞
忝
恭

上下均势

字的上下部分高度相近或是宽度相近，称为上下均势。在人们的视觉里，凡上下差别不明显的也可以称为上下均势。写好这些字的关键之处在于上下均匀，彼此照应，好比谦谦君子，互相礼让，雍容大度，绝不拥挤。

左占地步

左边笔画较多，占地较宽，占整个字的2/3，这类字称左占地步。一般来说，字的左边部分应写得紧凑茂密，笔画相应轻一些，右边部分宜厚重饱满，使之不显得单薄。

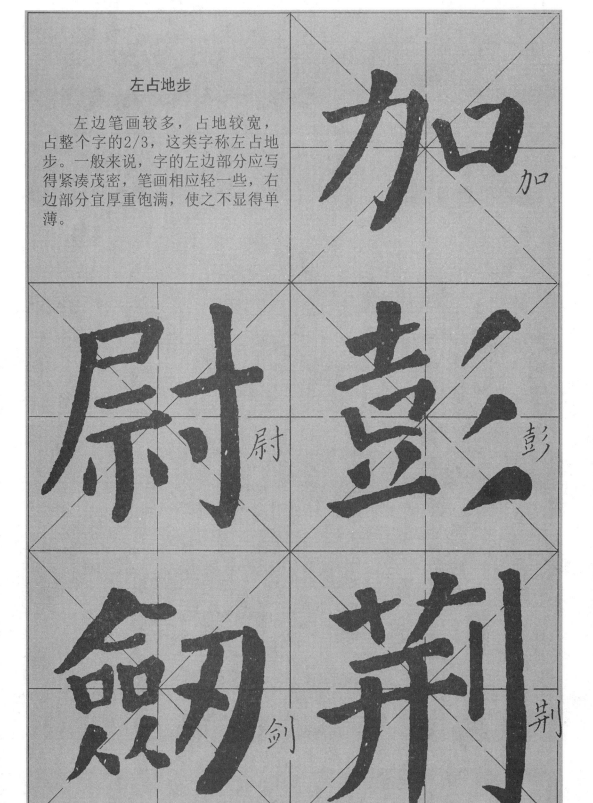

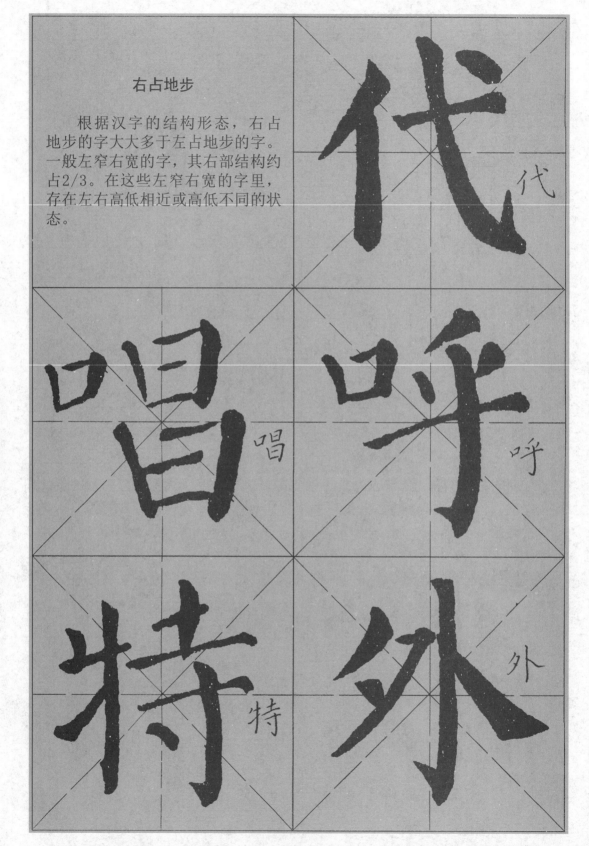

右占地步

根据汉字的结构形态，右占地步的字大大多于左占地步的字。一般左窄右宽的字，其右部结构约占2/3。在这些左窄右宽的字里，存在左右高低相近或高低不同的状态。

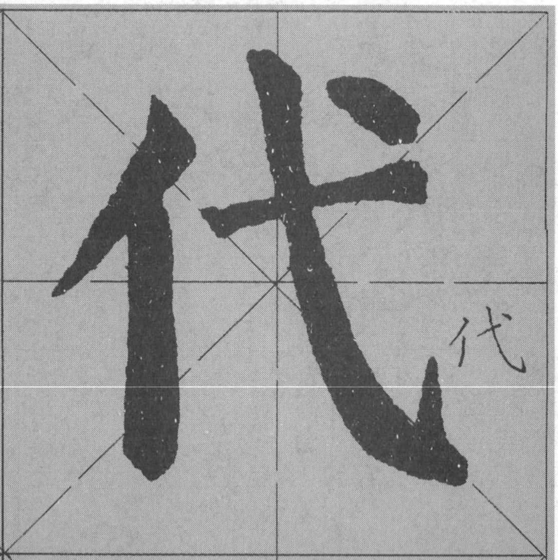

甥
辟
亲
既
孩
孙

拜 拜

師 师

服 服

略 略

精 精

勝 胜

短
将
博
碑
岷
城

琅
理
秋
和
积
稚

弘
初
强
裕
张
补

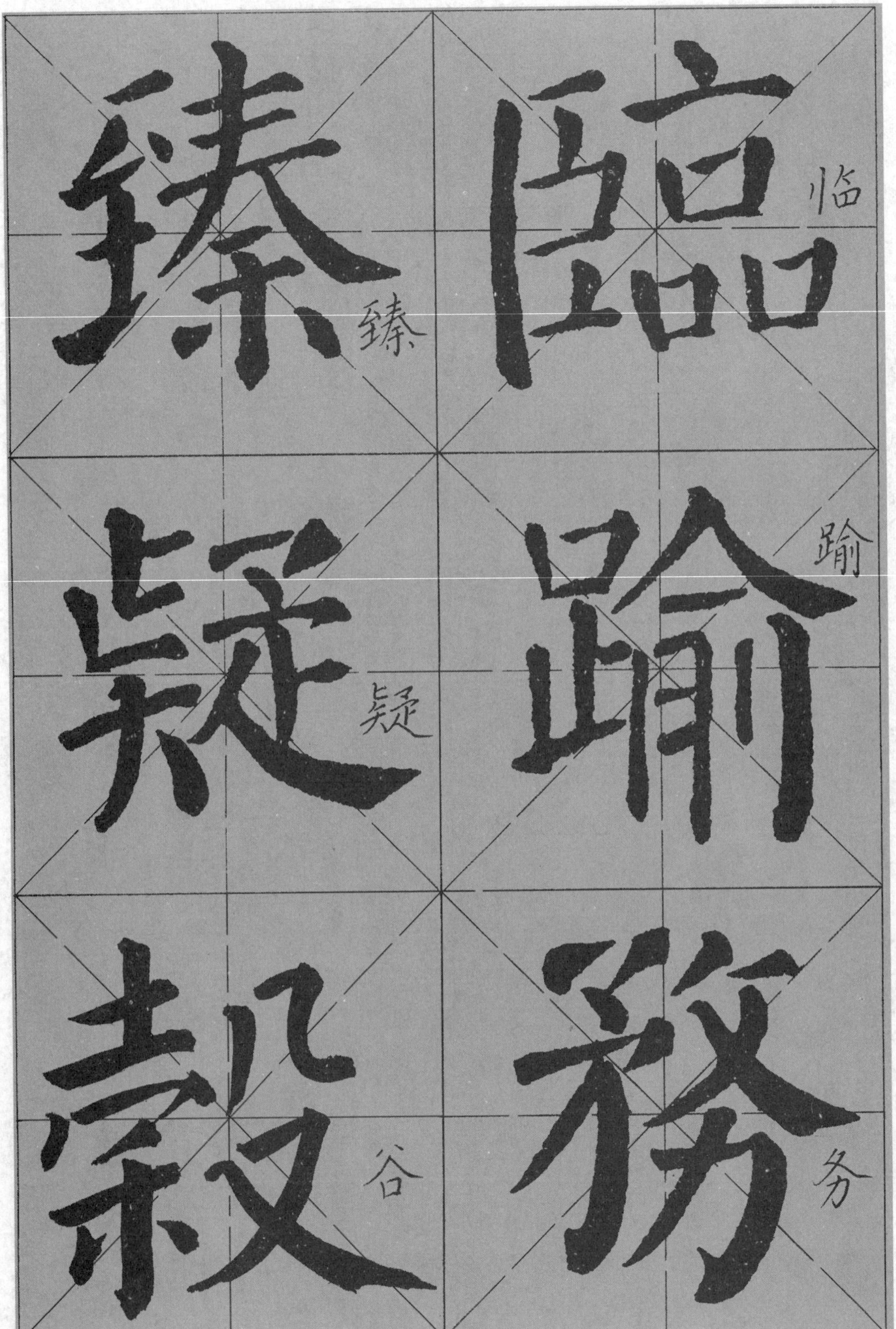
临
踰
务
臻
疑
谷

左右均势

本页所列是左右均势的范字，左右宽窄大致相似，形状如两人并肩而立，既不排挤，也不疏远，融洽地在一起和睦相处。因此，写好这类字的要点是左右匀称，轻重平衡，但要防止出现左右分家和僵化呆滞的情况，要善于把各自独立的结构体有机地结合在一起，左右须让就。

并

于

以

耿

舒

颜
颖
颢
靓
观
觌

韶
能
雅
驰
殿
般

左中右结构

三个部分成横向排列的字形称左中右结构。这类字稍不注意就会写得太宽，所以每个部分应写得狭窄一些，其所占位置根据本身的自然形态随字而异，存在明显的差别。各部分之间要伸缩迎让，避实就虚，各自相安，互不排挤。

上中下结构

上中下结构由三部分或多部分纵向排叠而成。因其笔画繁复，容易写得太瘦太空，所以首要的问题是各部分要写紧密，笔画相应瘦一些，各部分所占比例没有一定的规律可循，要根据具体的字形和笔画的多少灵活处理。

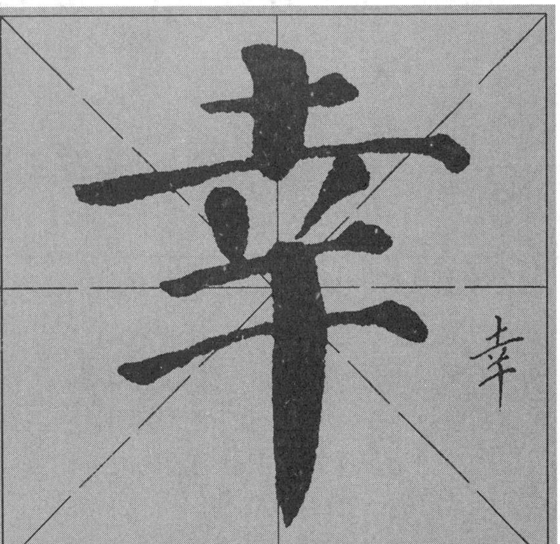

第三章　褚遂良楷书训练

第一节　褚遂良与《雁塔圣教序》

楷书产生于汉末魏初，因其从隶书蜕变而来，故早期楷书形态古拙，常有波磔，带有隶书笔意，经过六朝到初唐将近四百年的演变，渐趋成熟。唐代是我国楷书的鼎盛时期，书家辈出，流派纷呈，可谓是熔南北于一炉，主要表现在字形已臻完美，法度亦趋严格。初唐三家中，虞世南的圆润蕴藉，欧阳询的方厉劲挺，褚遂良的遒劲清腴，虽风神各异，但总体上都受到了王羲之的影响，风貌表现都是以瘦硬为美，成为初唐书风的时代特色。唐人尚法，为后世立则，历代书家多有得益于此三家者。马宗霍《书林藻鉴》谓："初唐犹有晋宋余风，学晋宜从唐入者，盖谓此也"。三家之中尤以欧、褚两家影响更大，流传更广。欧以骨力见胜，褚以流动见长，学欧不当易流入刻板，若以褚法弥补，放之便是行书，世传褚书犹如教化主，其影响大而深远，直至近代许多书家如沈尹默、潘伯鹰、白蕉、徐无闻等，都得益于褚法。

褚遂良（596～658），字登善，钱塘（今浙江杭州）人，博涉文史，尤工楷法。褚遂良书早年学虞世南，曾浸淫于《龙藏寺碑》《朱君山墓志》，后则瓣香王羲之，楷书自成家法，人称"褚体"。其书法点画遒劲瘦铄，结字清远萧散，微杂隶意，古雅绝俗，有"美人婵娟，似不任乎罗绮"（《书断》）之态，说的是褚书用笔婉逸清雅之格调。《唐人书评》云："褚遂良书字里金生，行间玉润，法则温雅，美丽多方"。其传世楷书并非千篇一律，而是各见风貌，如46岁时书写的《伊阙佛龛》宽博端严，47岁时的《孟法师碑》清劲古雅，书于晚年的《房梁公碑》则疏瘦劲练。另外传为褚书的《倪宽赞》与《大字阴符经》楷书墨迹虽疑伪作，然对于学书者从中探讨褚字笔法也还是多有益处的。本册范本《雁塔圣教序》是褚遂良晚年59岁时所书，是其楷书的代表作。碑文共21行，每行42字，由唐皇李世民撰文，万文韶刻字，永徽四年（653年）立石于西安南郊慈恩寺大雁塔前，故名《雁塔圣教序》。该碑用笔瘦劲，雅逸生动，笔法灵活，气韵流畅，最能体现褚字风神。特别是其点画，看似柔弱，其实刚劲，貌似细瘦，其实丰腴。初学者如学之不当，容易滑入佻靡浮薄一路，正如明王世贞所说："评书者谓河南如瑶台婵娟，不胜罗绮，第状其美丽之态耳，不知其一钩一捺有千钧之力，虽外拓取姿，而中擫有法"，实为中肯之言。

第二节　褚遂良楷书的书写技法

楷书又称"正书""真书""正楷"。"楷"含楷模、规矩之意，是汉字的一种主要书体。初学写字最好先学楷书，以奠定笔画规范、结构较、字形端正、法度严谨的书写基础。

初学楷书首先要练好楷书的基本笔画，其基本笔画主要有点、横、竖、撇、捺、钩、挑、折等八种，古人认为这八种笔画包含在一个“永”字之中，以“永”来研究这些笔画形态和写法叫作“永字八法”。

一、褚体基本笔画训练

褚字楷书的基本点画特点表现为“清”“劲”“腴”。清，是指其点画粗细要比同时代其他书体如欧、虞两家更为纤细，且起止干净，笔笔到位；劲，是指其点画虽然比较细，但却纤而不弱，富有韧性，就像钢丝一样；腴，是指其点画虽瘦，但却有血有肉，即腴而不臃肿，瘦而不枯槁。

（一）点

1．瓜子点

写法：露锋落笔；转笔右下；顿笔回收

2．长点

写法：露锋落笔；转笔右下；拖长顿笔；回锋收笔

3．撇点

写法：顺锋切入；转笔右下；顿笔出锋

4．挑点

写法：顺锋右下；顿笔回转；右上出锋

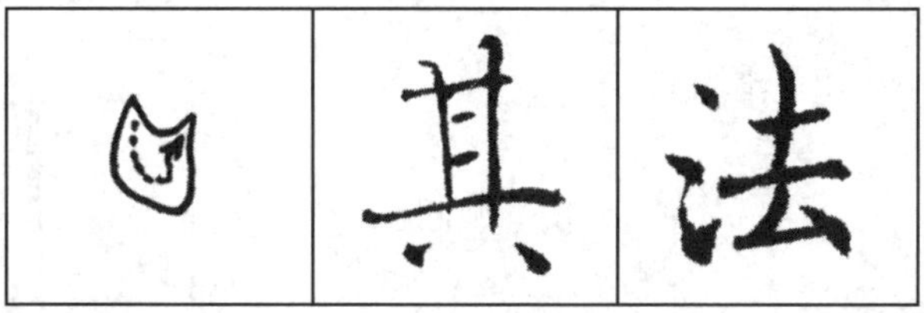

5．垂点

写法：顺锋切入；转锋右下；顿笔转中；回锋左上

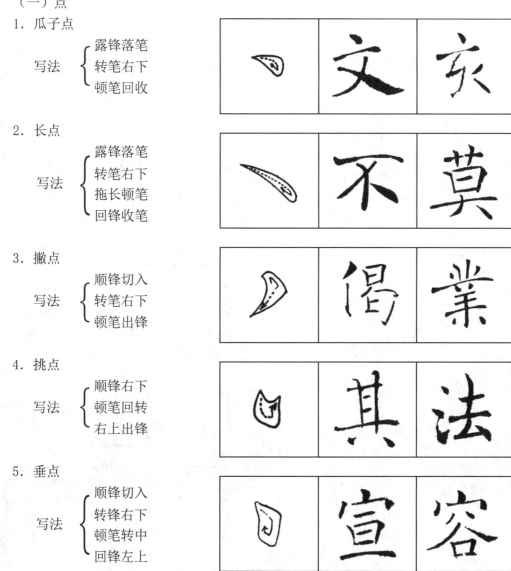

6. 上尖点

写法：露锋左下；转笔右下；回笔向上

（二）横

1. 长横

写法：顺锋切入；折笔右向；提笔中行；顿笔回收

2. 左尖横

写法：顺锋向右；由提到按；顿笔回锋

3. 右尖横

写法：顺锋切入；折笔向右；由按渐提

（三）竖

1. 悬针竖

写法：顺锋切入；转锋右下；顿笔转中；慢行渐收

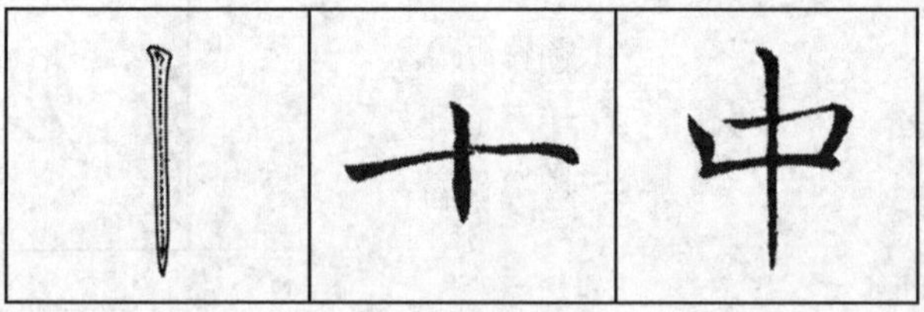

2. 垂露竖

写法：同于悬针；收笔顿回

（四）撇

1. 竖撇

写法：同于悬针；带弧弯收

2. 斜撇

写法 {同于竖撇
弯度有别

3. 直撇

写法 {同于悬针
变正为斜

4. 短撇

写法 {同于直撇
变长为短

（五）捺

褚体捺画多环形，多波折，多厚重。

1. 斜捺

写法 {顺锋切入
转锋向右
行笔渐按
稍驻后提

2. 平捺

写法 {同于斜捺
斜度变小

3. 反捺

写法 {同于瓜点
路径变长

（六）钩

钩画外圆内方，出锋短，宜厚重。

1. 横钩

写法 {同于横画
末端提笔
转笔作顿
回锋左出

2．竖钩

写法：
- 同于竖画
- 下端弯提
- 回笔蓄势
- 微而出钩

3．斜钩

写法：
- 顺锋稍按
- 中锋右下
- 回笔上钩

4．竖弯钩

写法：
- 顺锋切入
- 中锋右斜
- 横腕向右
- 回笔上钩

（七）折

1．横折

写法：
- 横末稍提
- 折处另起
- 按笔而下
- 提笔回收

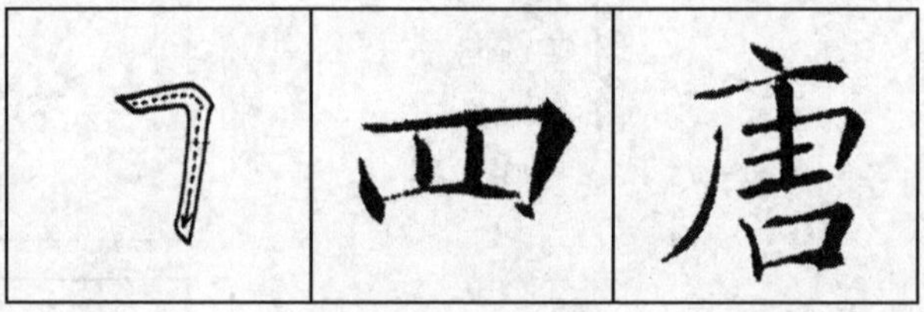

2．撇折

写法：
- 短撇带弧
- 提笔右转
- 长点带弧

（八）挑

写法：
- 顺锋切入
- 右下顿笔
- 转锋出挑

第三节　偏旁部首及结构训练

“人”部

撇捺舒展，左低右高，有覆盖之势。

“八”部（上）

由挑点和撇点组成，左低右略高，上开上合，两点呈相向之势。

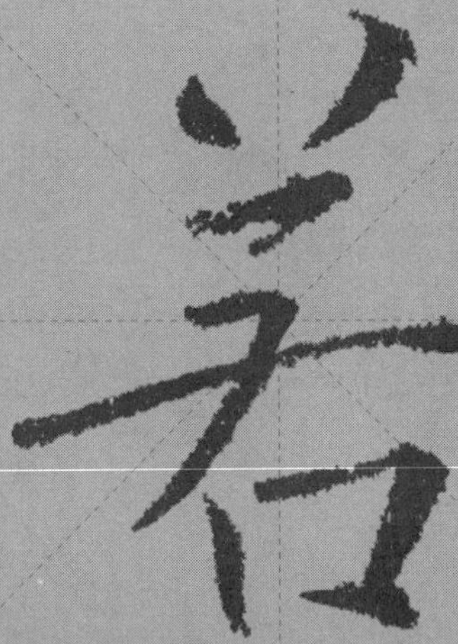

若

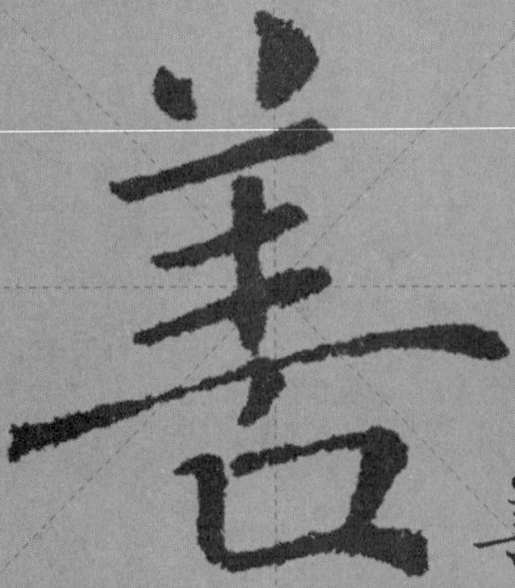

善

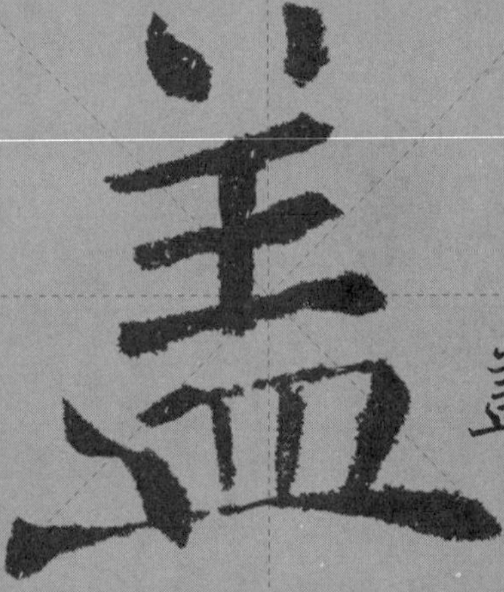

盖

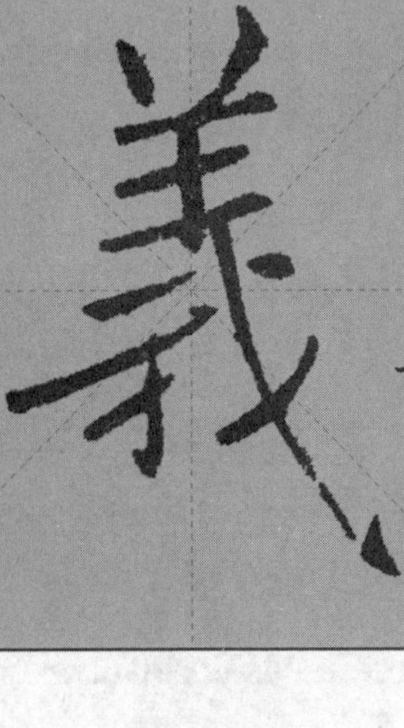

義

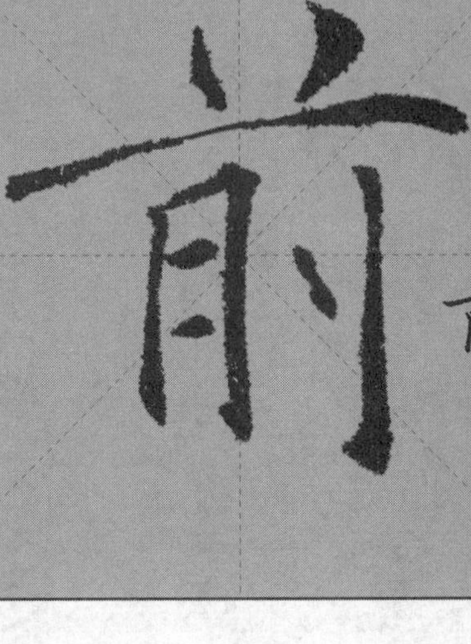

前

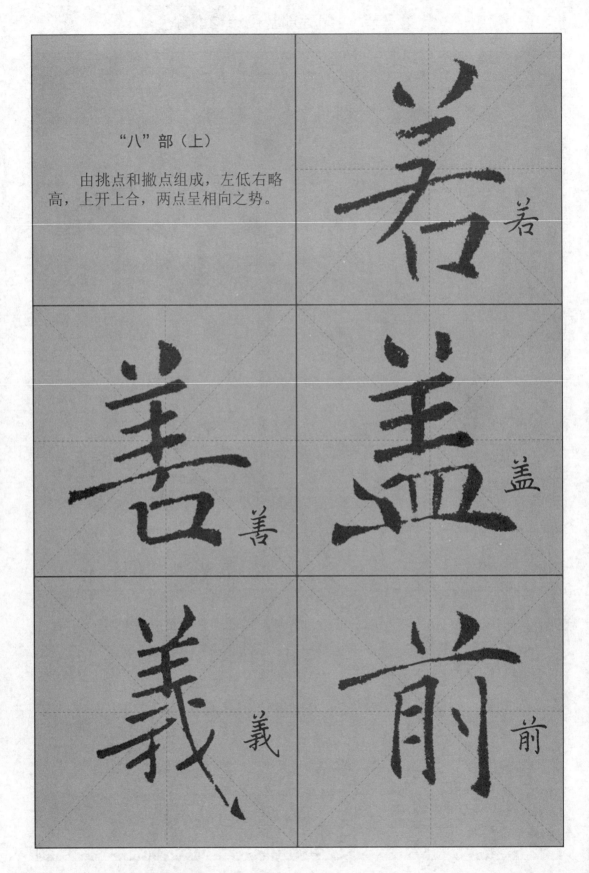

“亠”部

在居中或中偏右的位置写右点，横画左低右高，横的长短因字而异。

玄

方

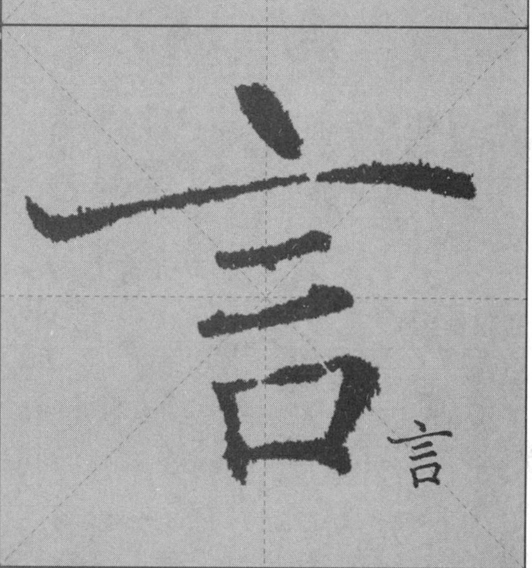

言

豪

六

帝
高
音
帝
音
夜

“广”部

撇画多作兰叶撇，是褚体特色，撇画起笔偏内使结构紧密。

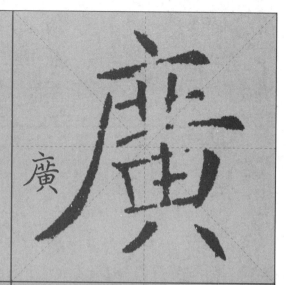

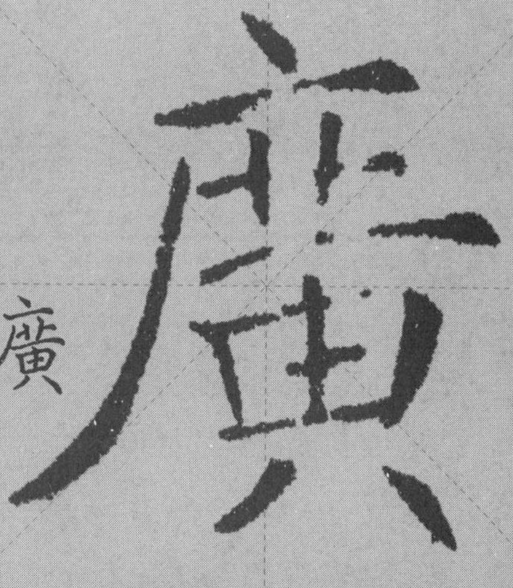

廣

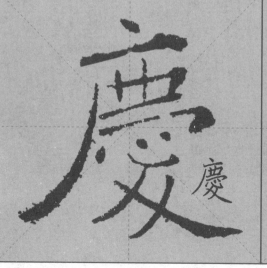

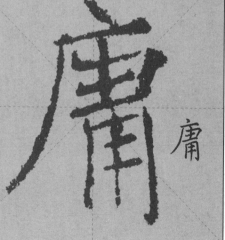

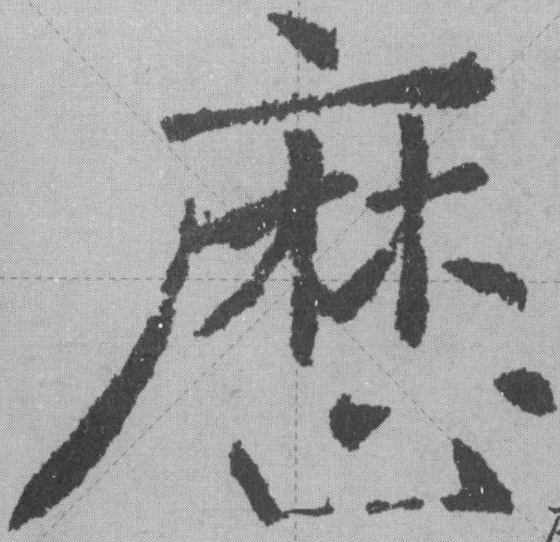

歷

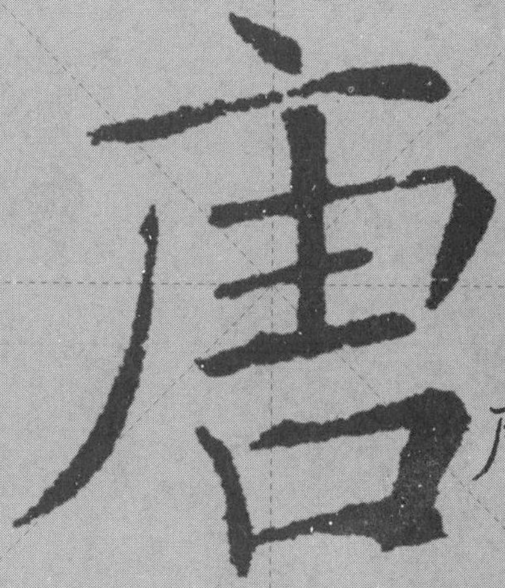

唐

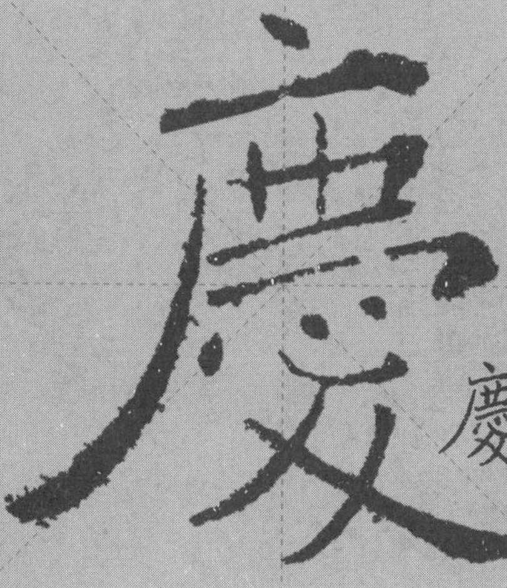

慶

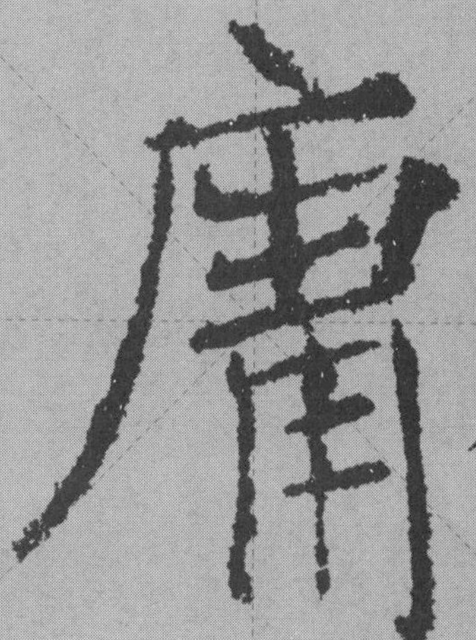

庸

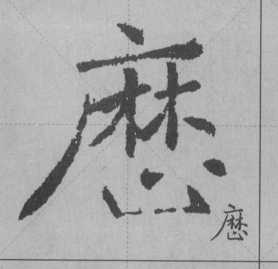

“宀”部

先写右点或竖点，宜扁宽一些，有覆盖之势，左点成短竖并向左倾斜。

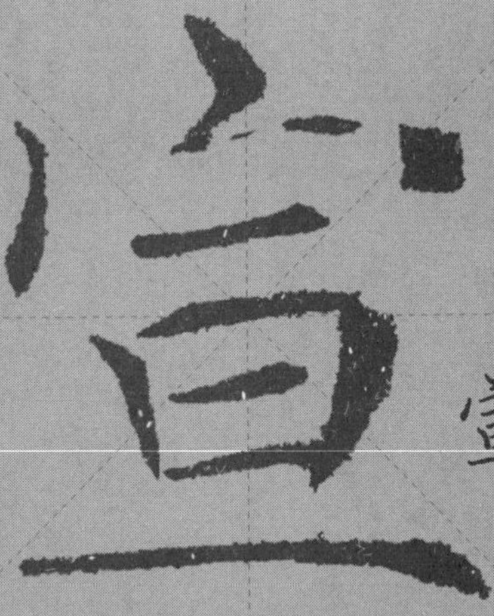

宣

宙

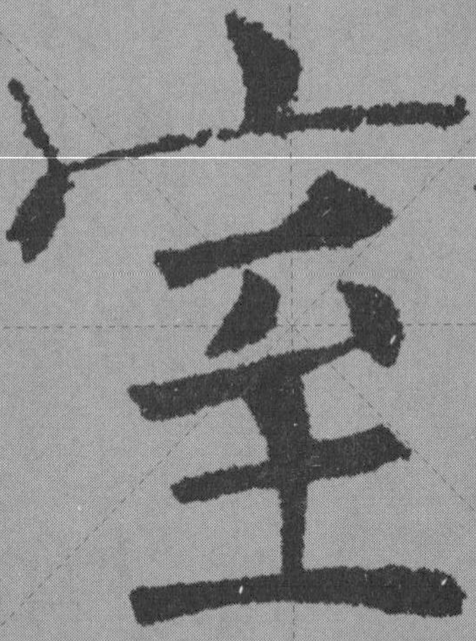

室

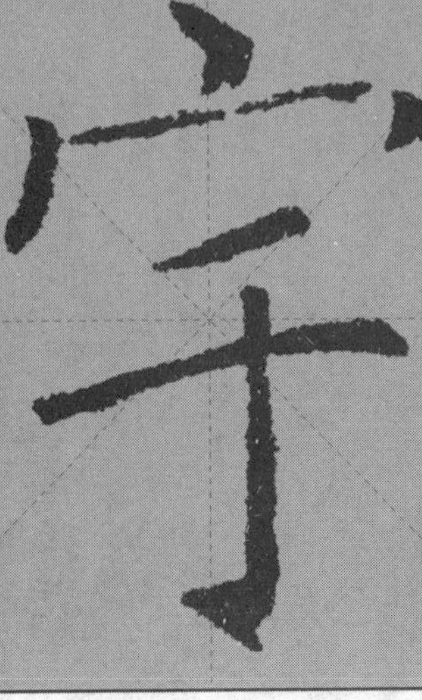

宇

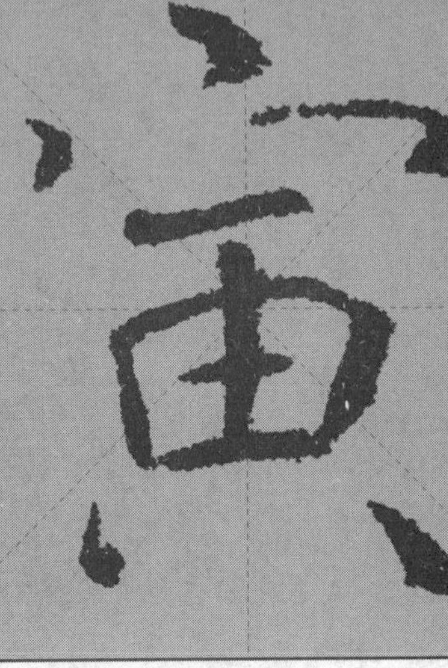

寅

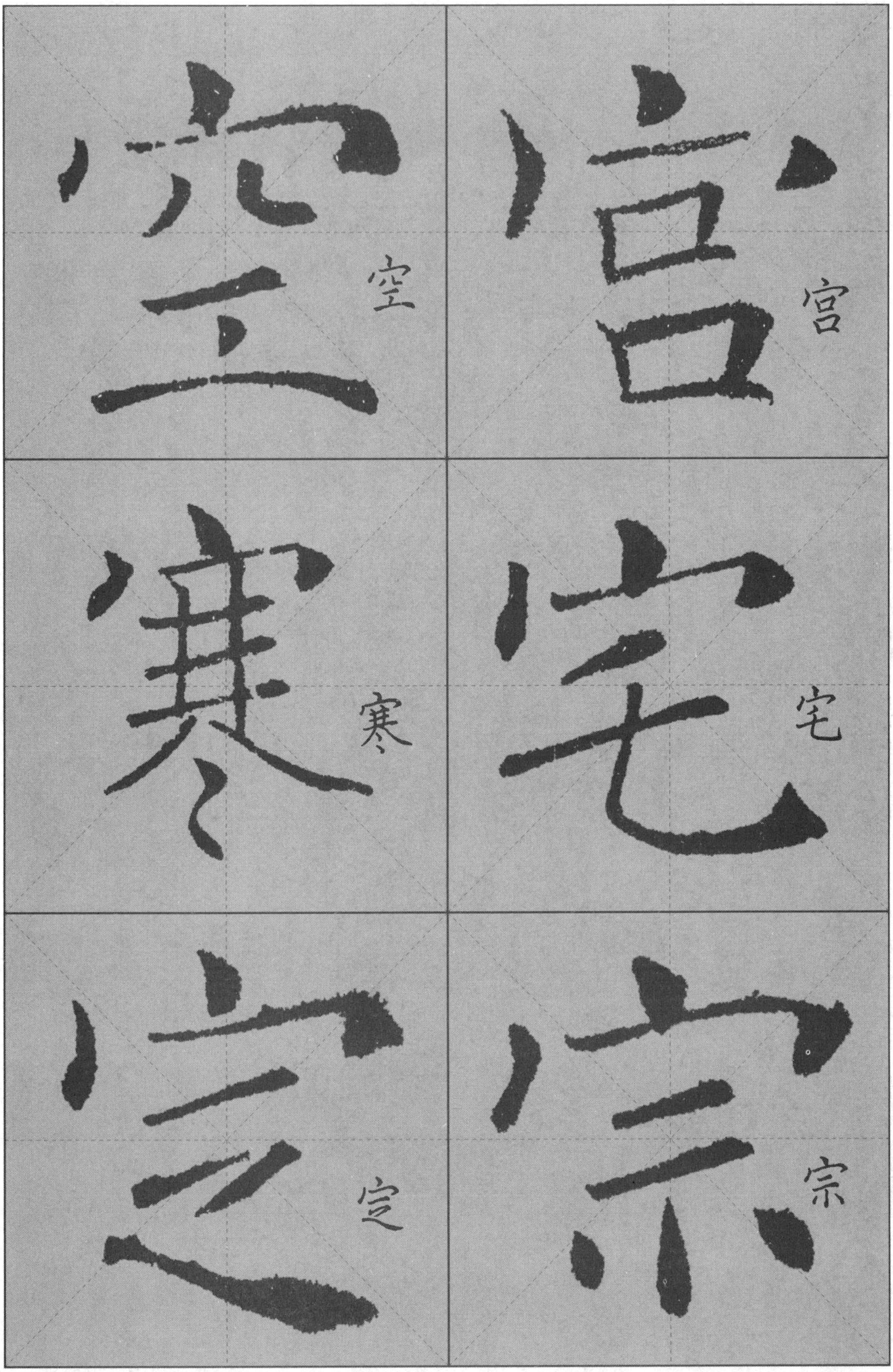
宫
宅
宗
空
寒
宣

“火”部

火字旁居左上，正所谓左小居上，形短靠上，先写两相向点，然后写竖撇和右点。

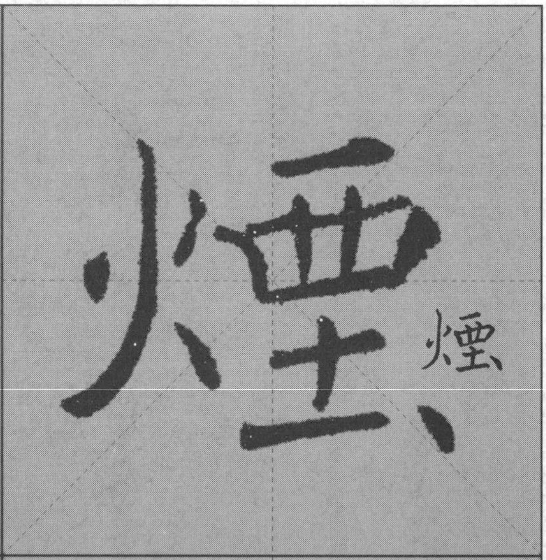

煙

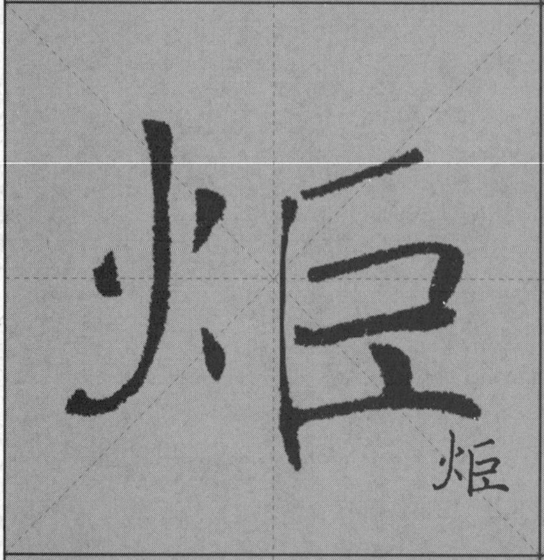

炬

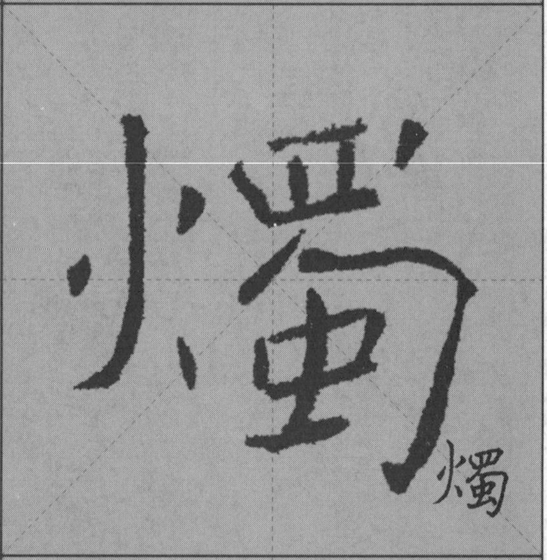

燭

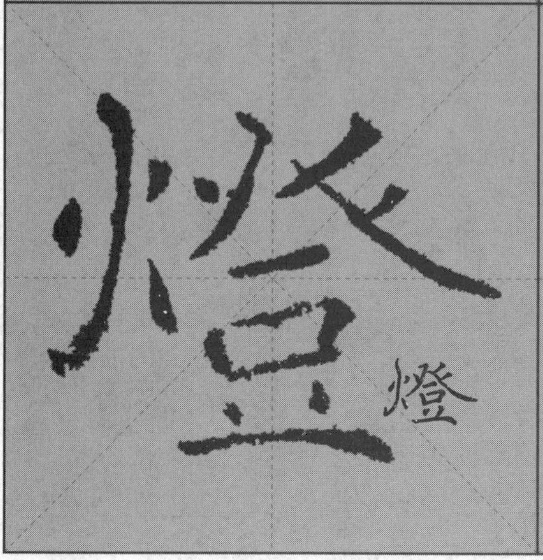

燈

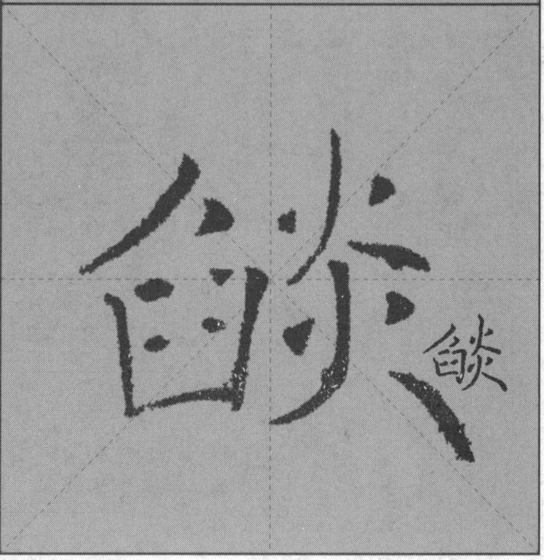

餤

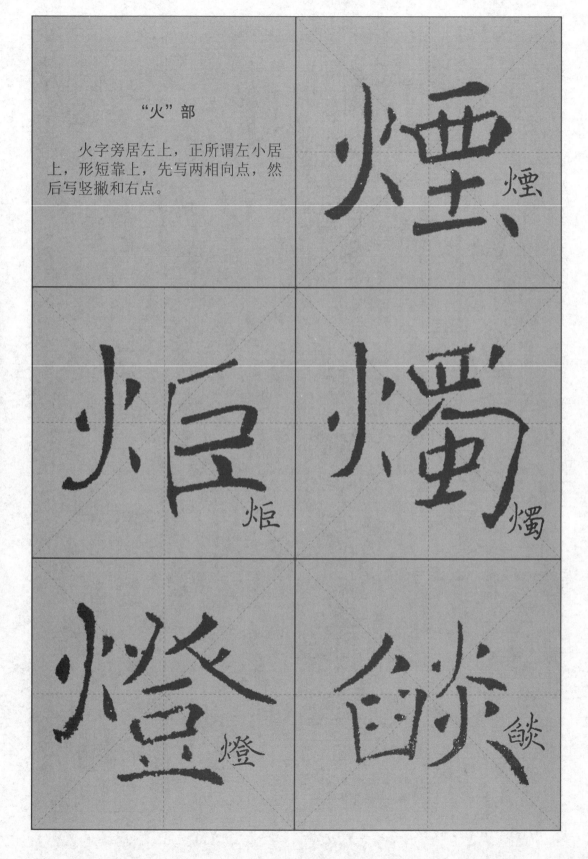

“艹”部

左为右尖横，右为左尖横，两短竖均上粗，两竖呈相向之势，右边略高于左边。笔顺上先左竖，再左横到右横，再右竖，两部分不能分得太开。

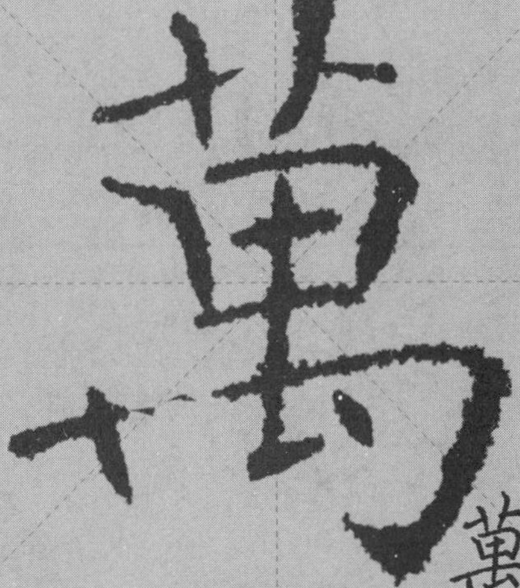

萬

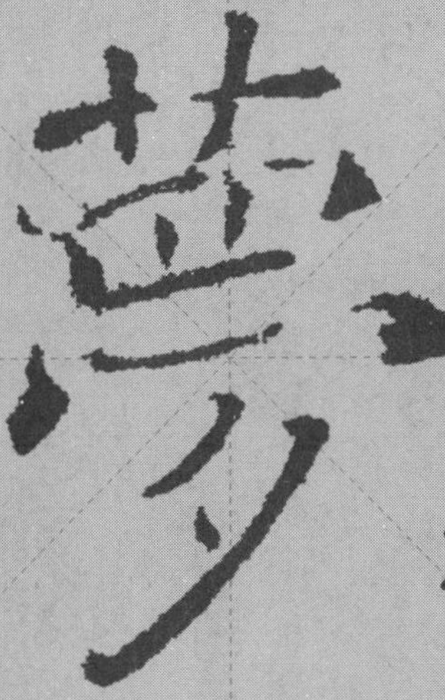

夢

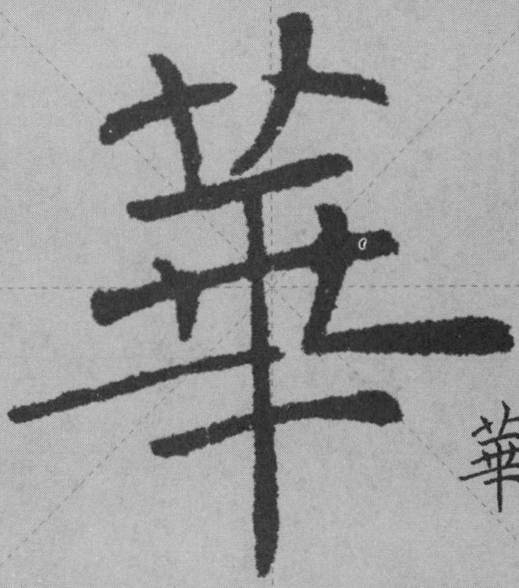

華

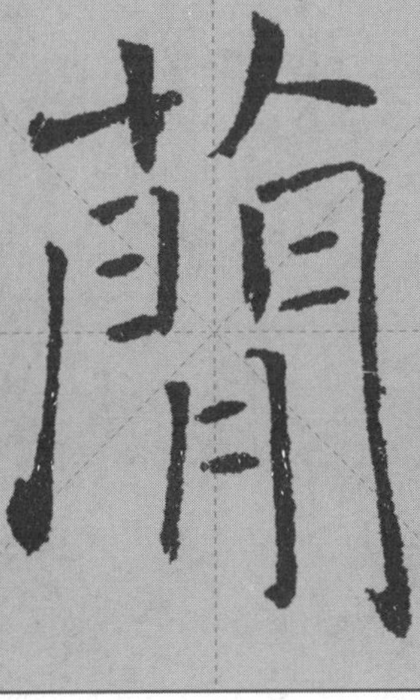

蘭

荣

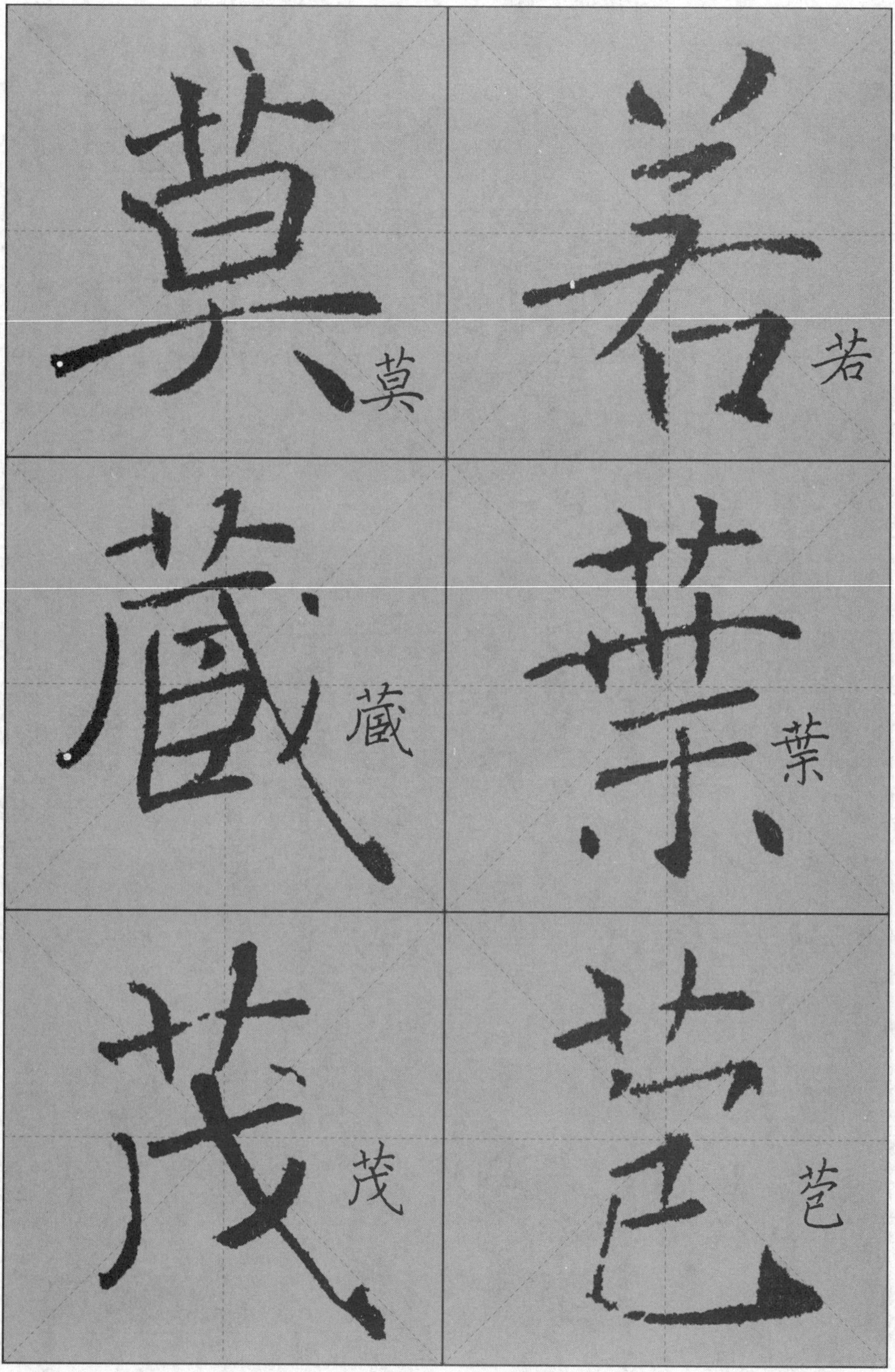
若
葉
苞
莫
藏
茂

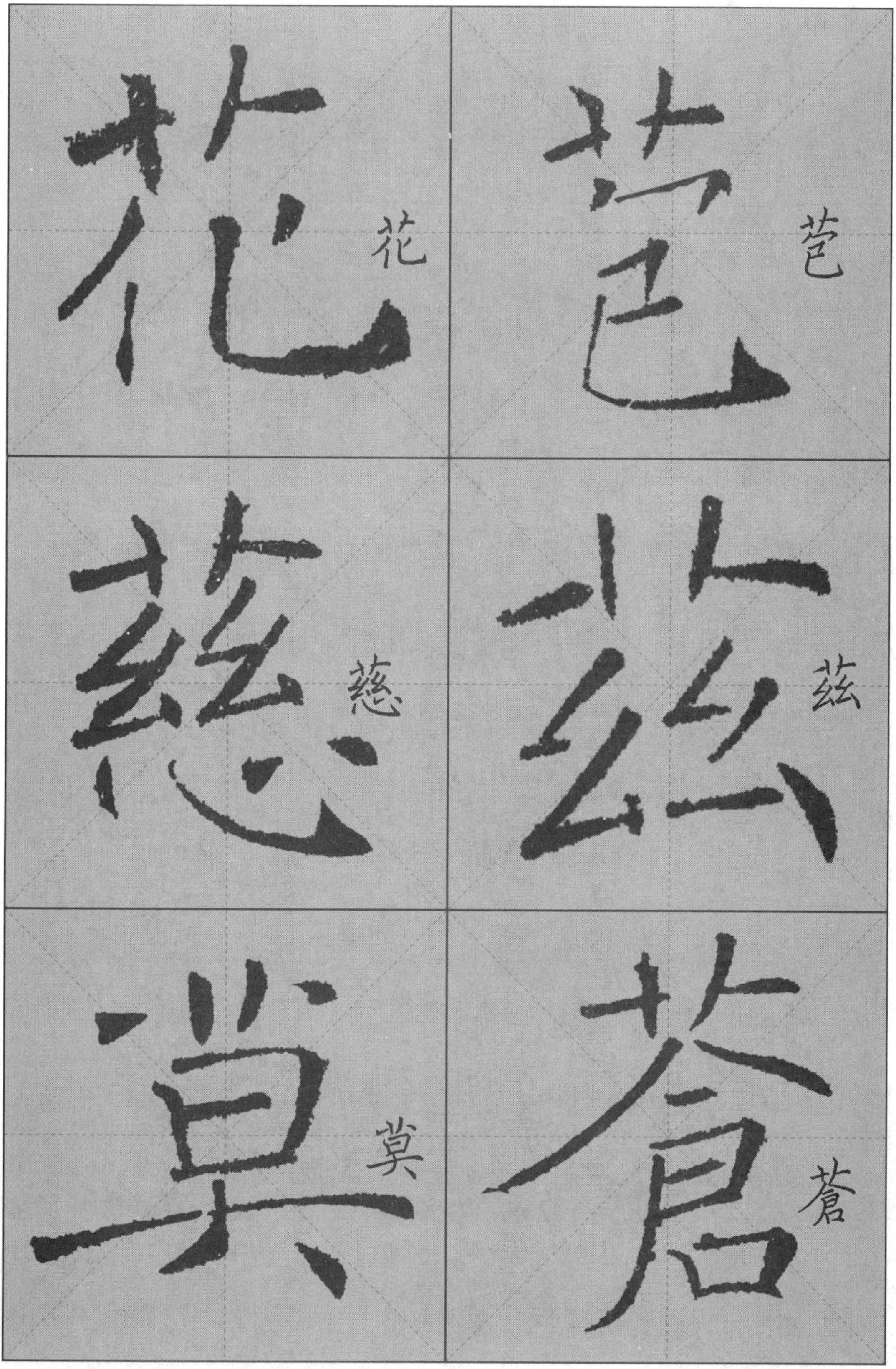
花
苞
慈
兹
莫
蒼

“竹”部

左短撇长于右短撇，右短横长于左短横，呈左低右高之势。

“反犬”部

两撇方向一致，角度有异，出锋有力，弯钩上部弧度较大，整体形状窄长。

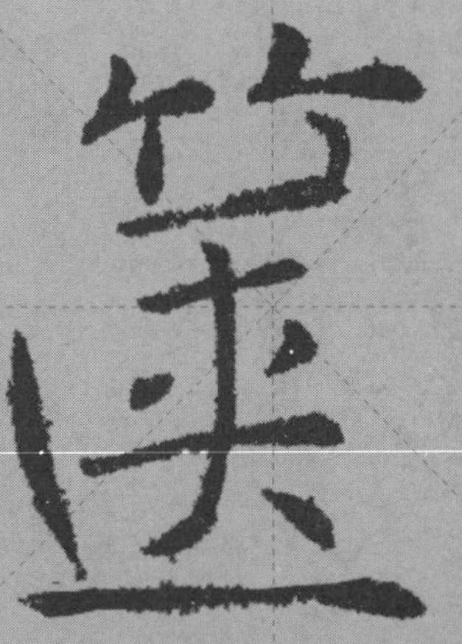

篌

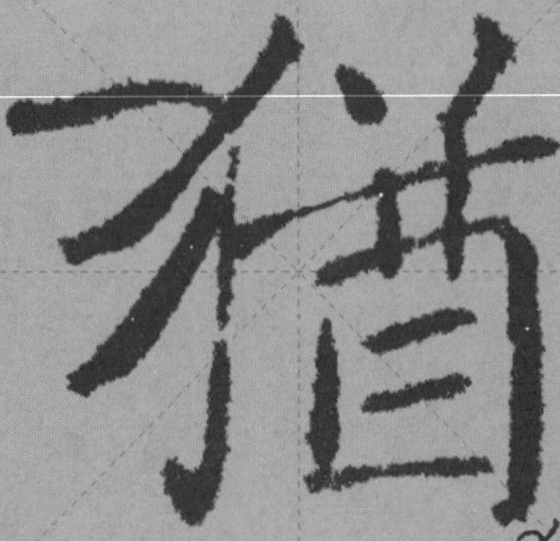

猶

猶

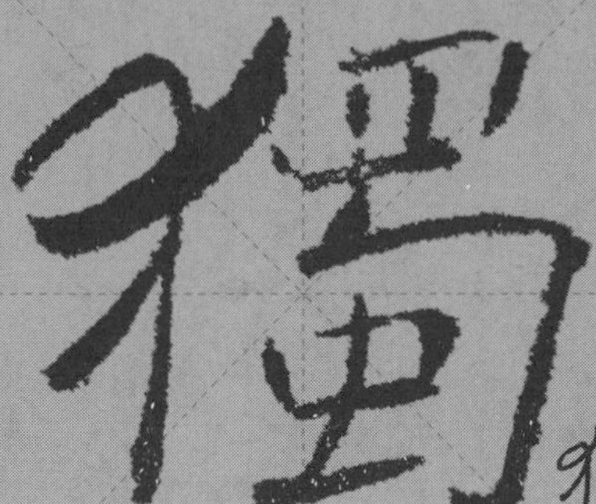

獨

嶽

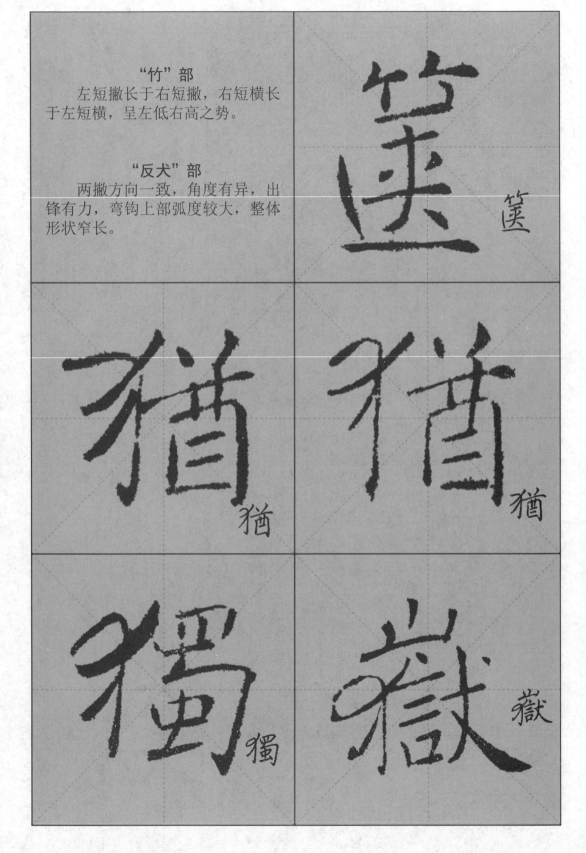

"日"部（上）、"罒"部（上）

不宜太宽，稍取斜势，左竖变化丰富。

早

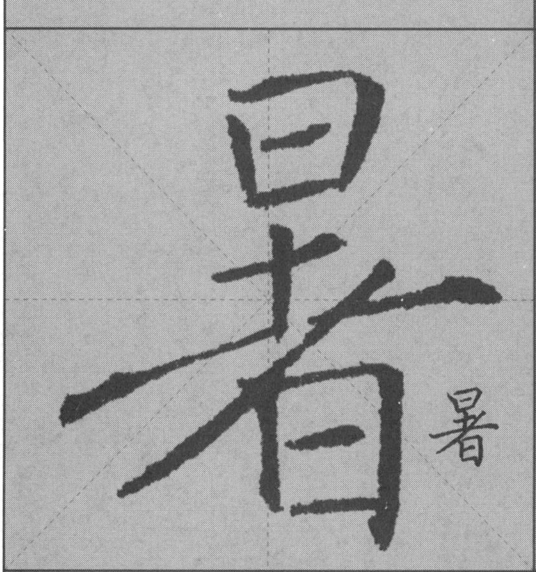

暑

晨

是

罪

“山”部

“山”字头紧凑茂密，窄于下边部分，三竖形状粗细高低变化丰富。

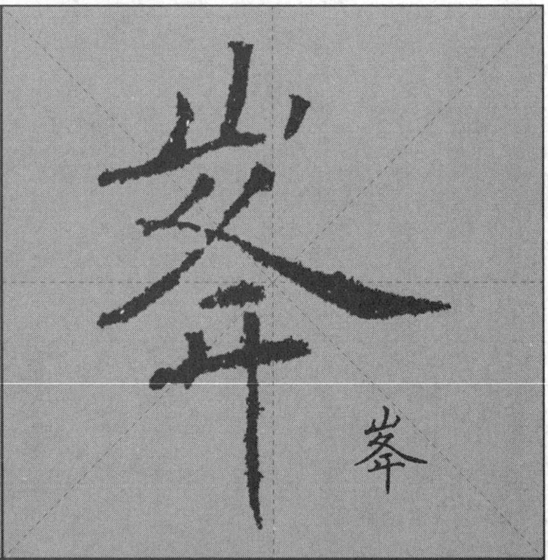

峯

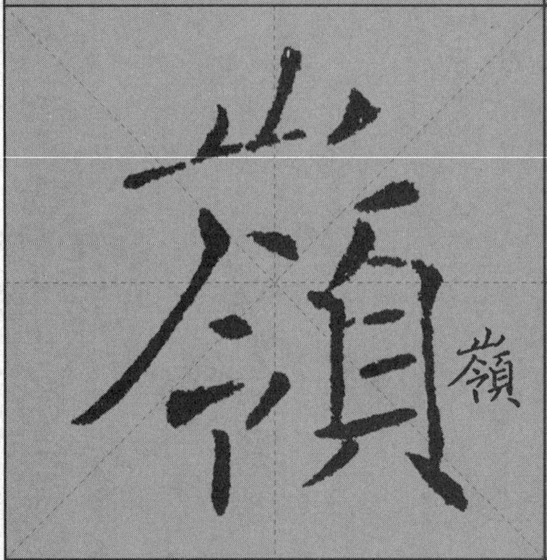

嶺

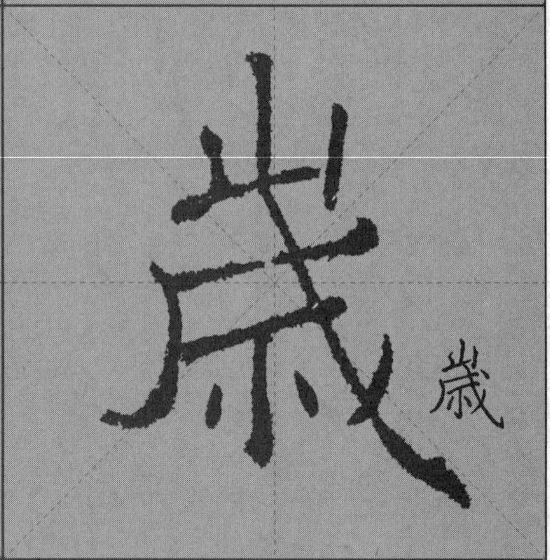

嵗

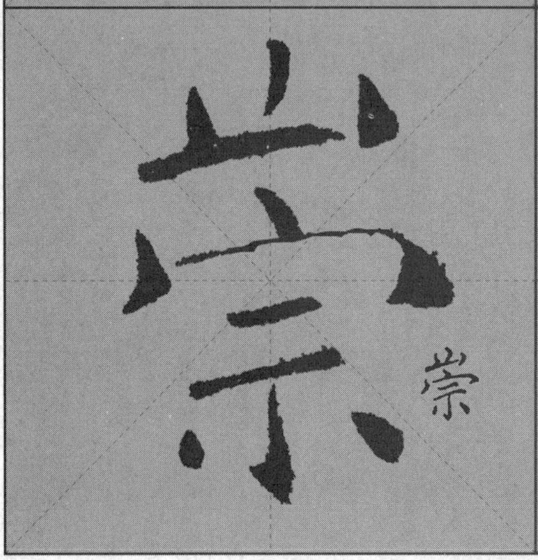

崇

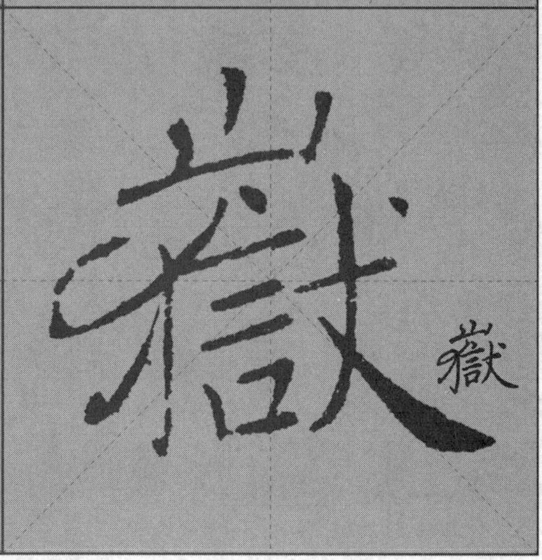

嶽

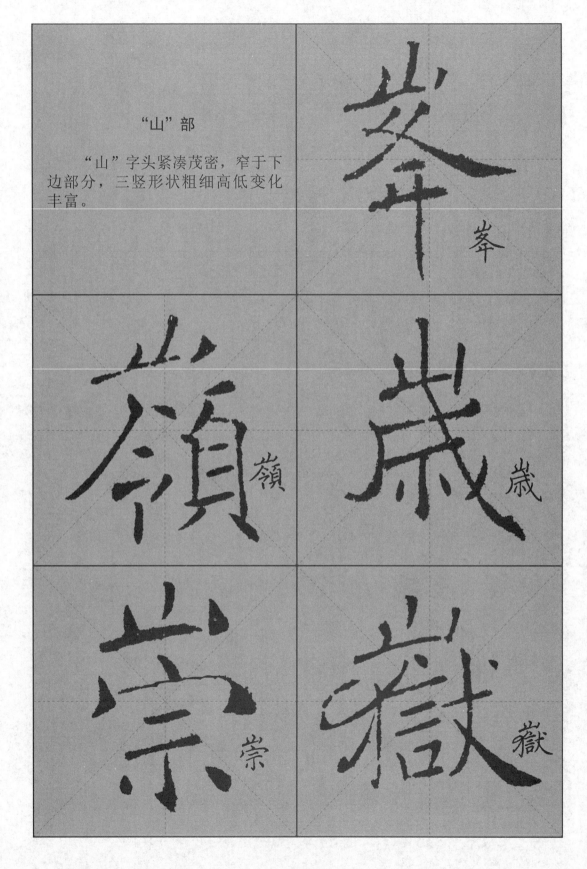

“考”部

先写土字头，再从右上部逆锋穿过土字下横中部或偏右写直撇，形较大。

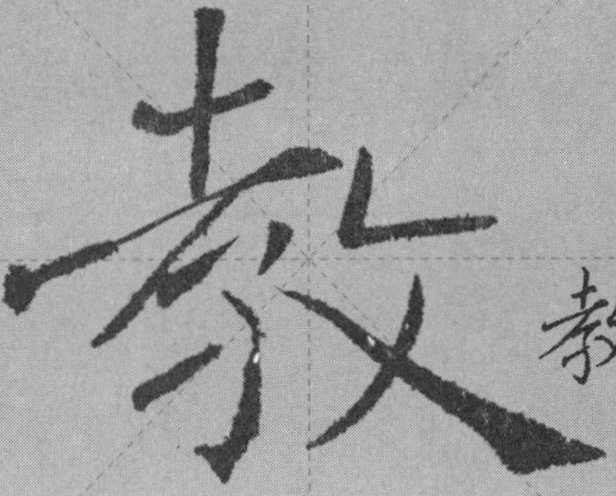

教

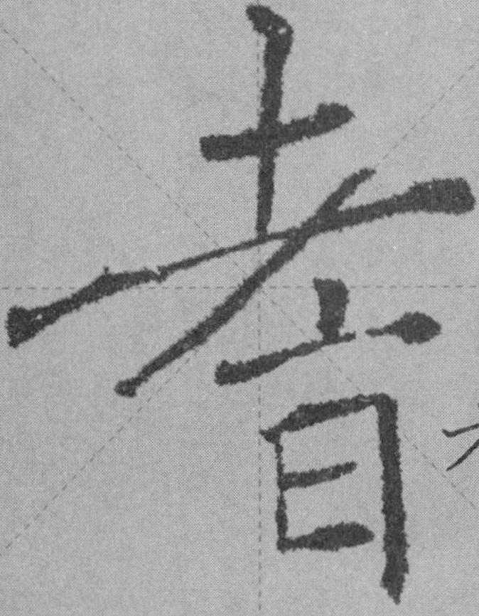

者

者

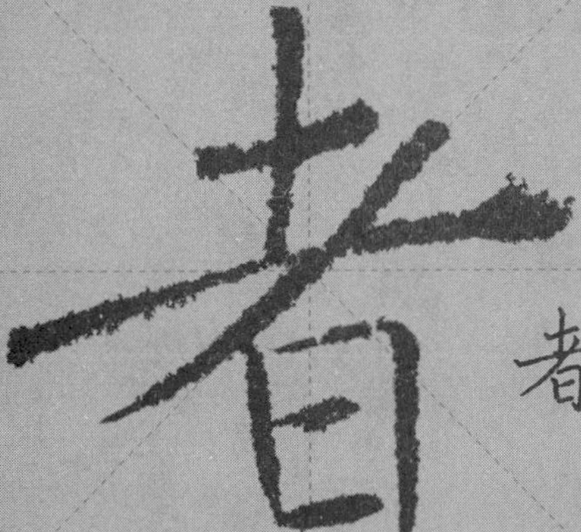

者

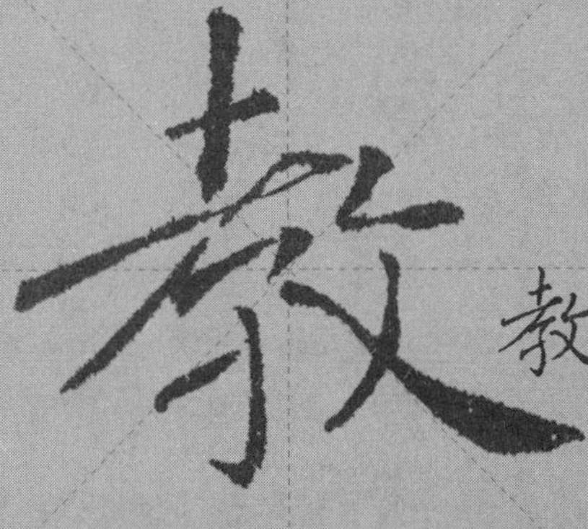

教

“尚”部

宜宽有覆盖之势，左缩右伸，左右点有呼应关系。

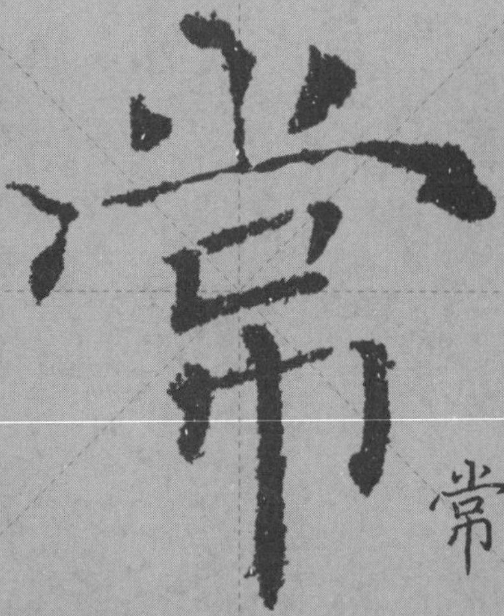

常

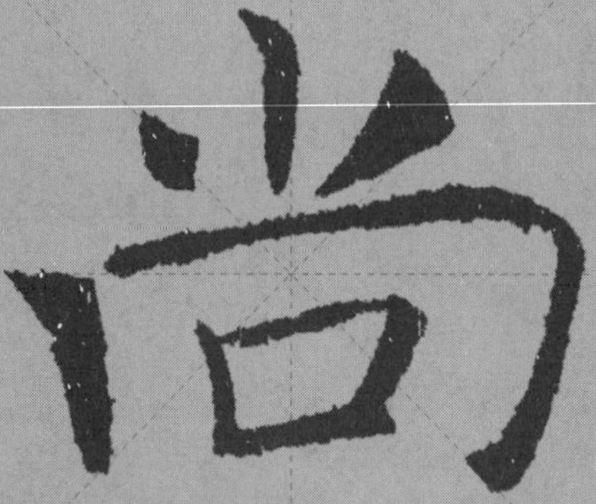

尚

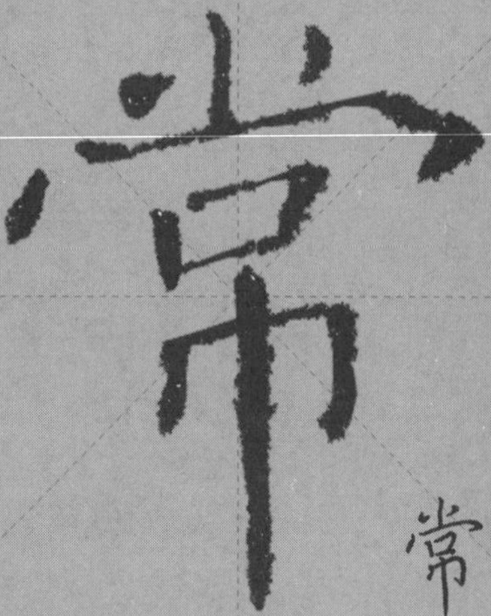

常

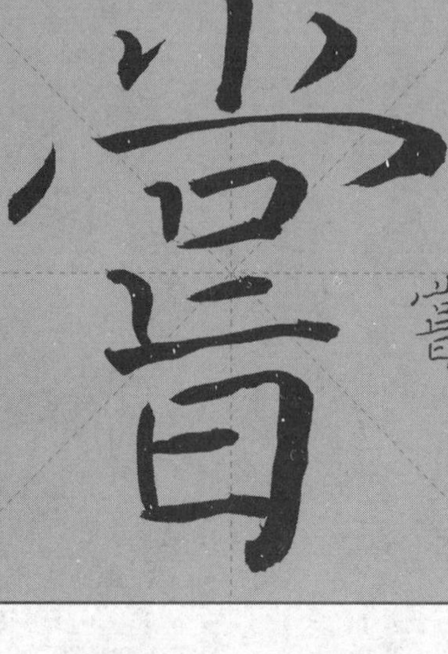

嘗

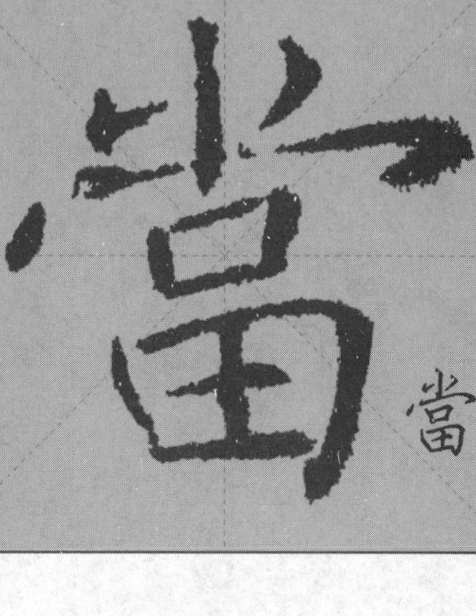

當

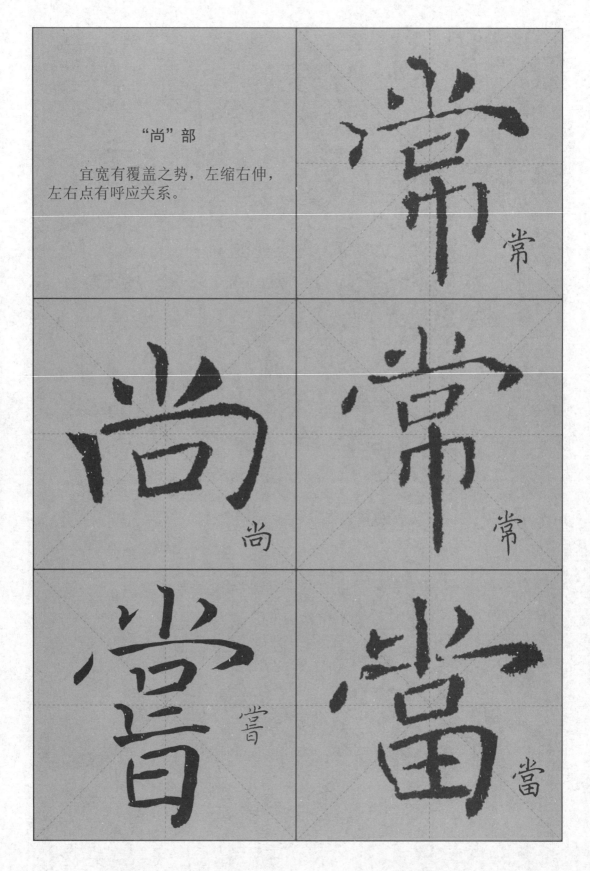

“八”部（下）

写法同八字，形体较宽，位居字中。

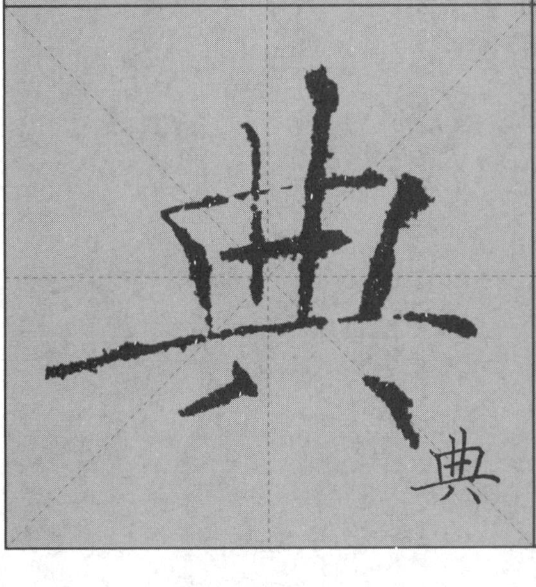

"口"部（下）

左为短竖，然后写横折和横，口形上宽下窄，折角内收。

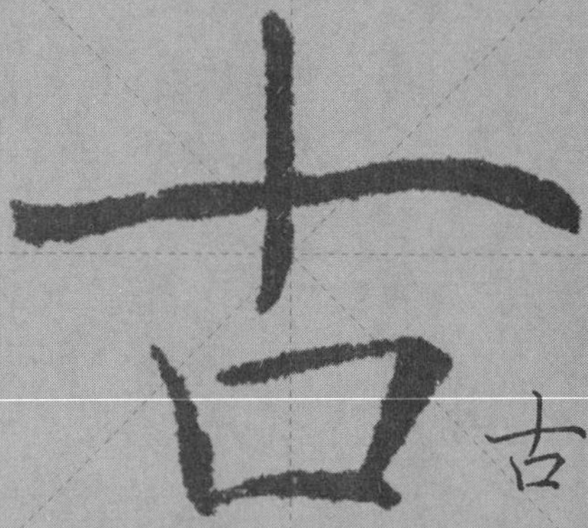

古

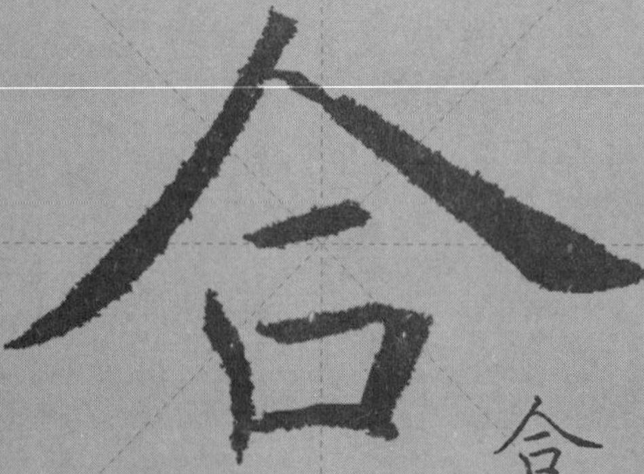

合

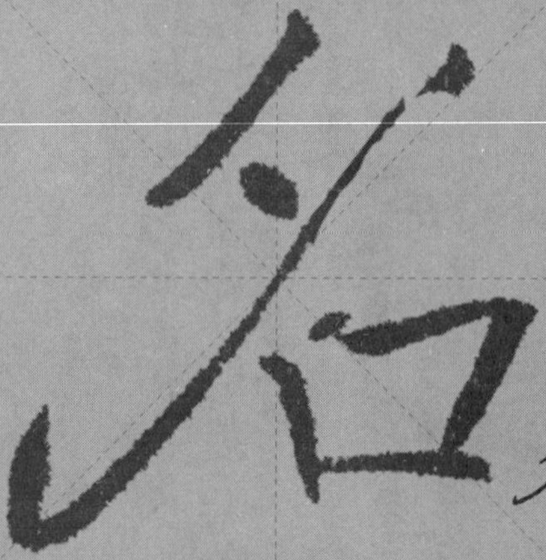

名

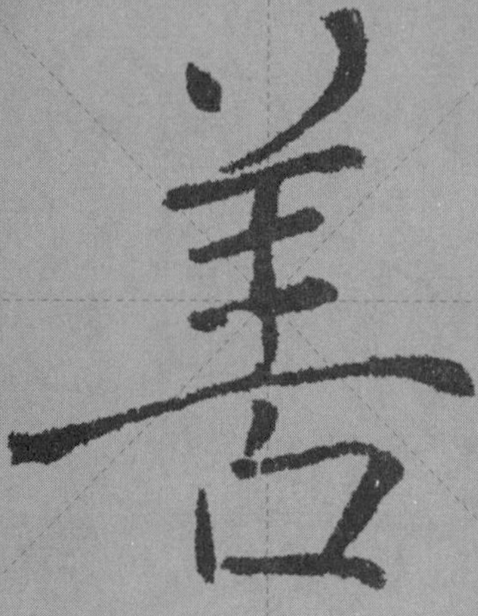

善

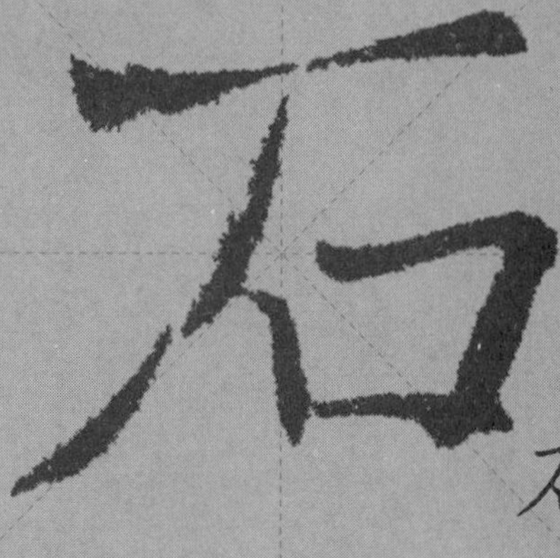

石

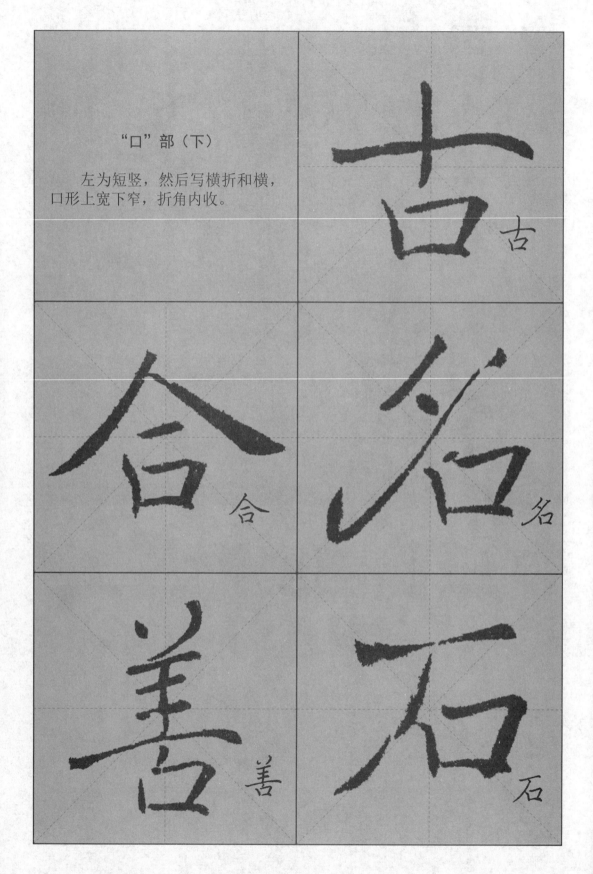

“日”部（下）

日字不宜太宽，两竖形态与长短有变化，最后一横稍平。

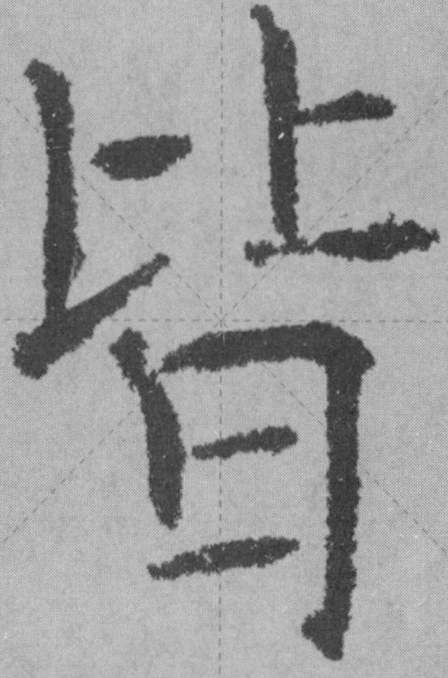

皆

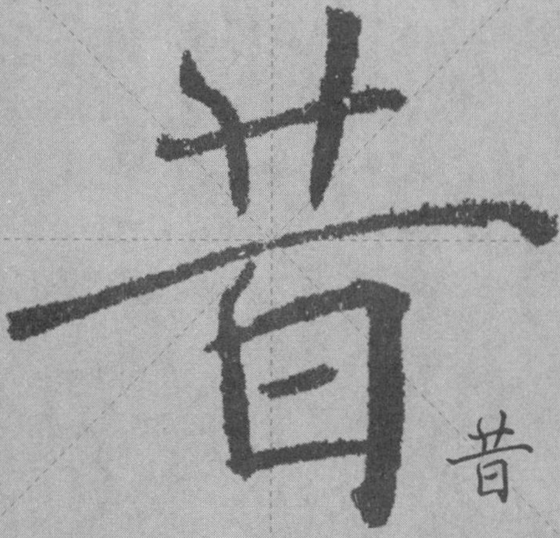

昔

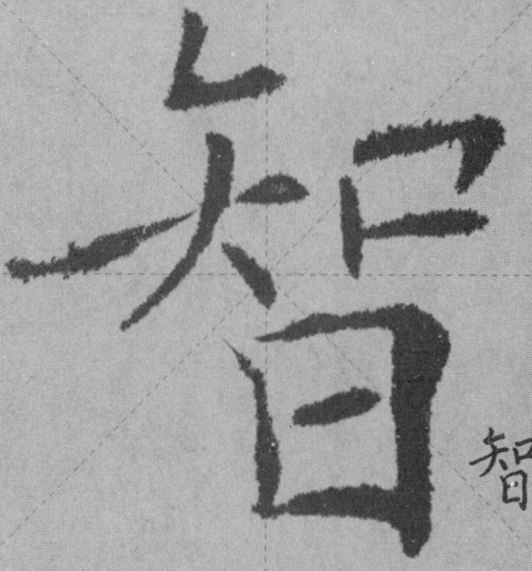

智

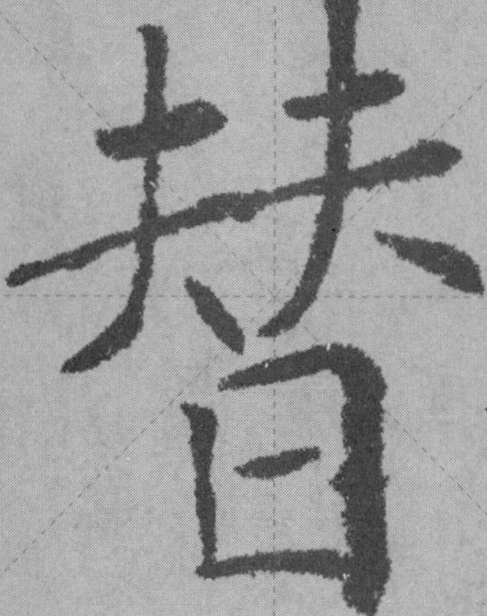

替

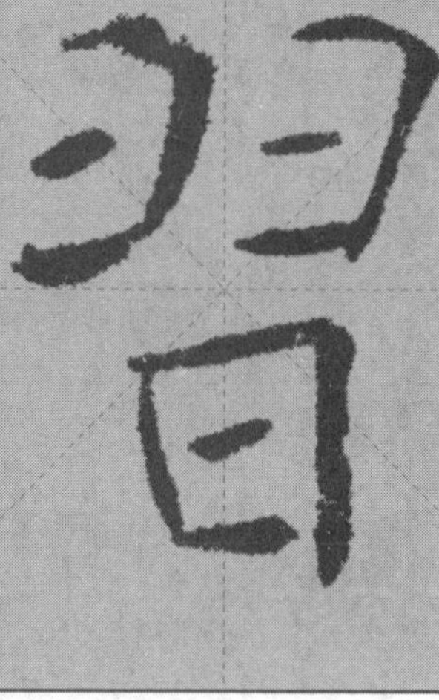

習

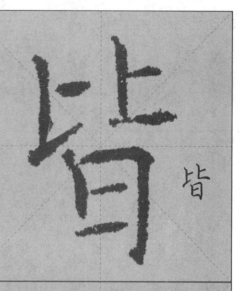

“贝”部

不宜写得太宽，底部撇、点左高右低，要注意保持重心平稳。

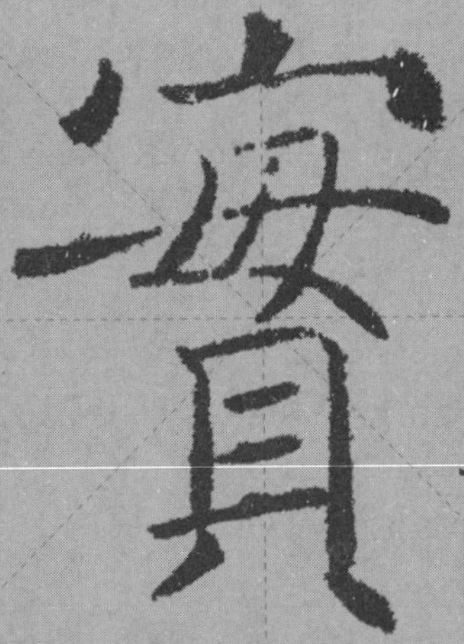

賓

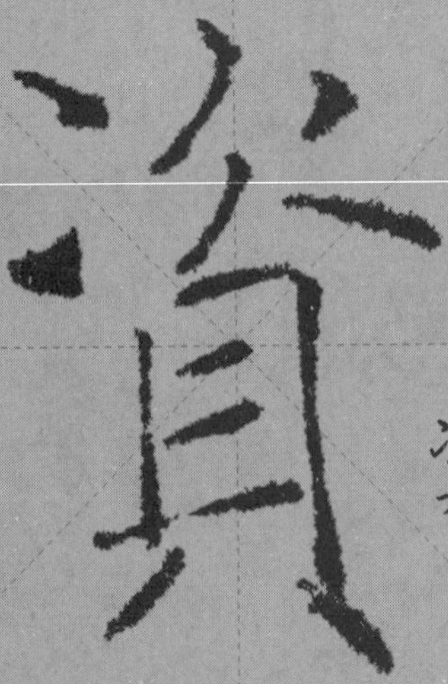

資

寶

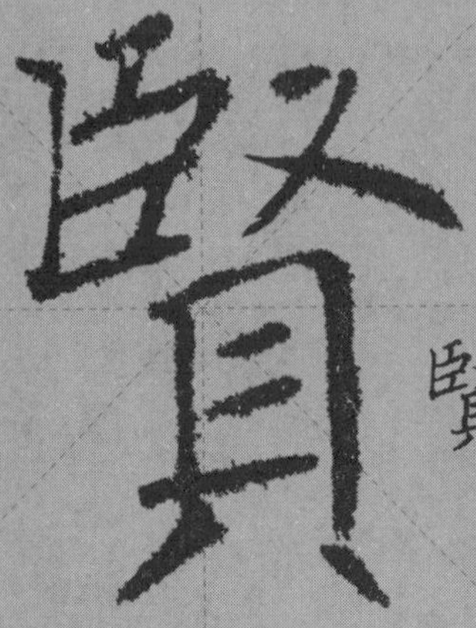

賢

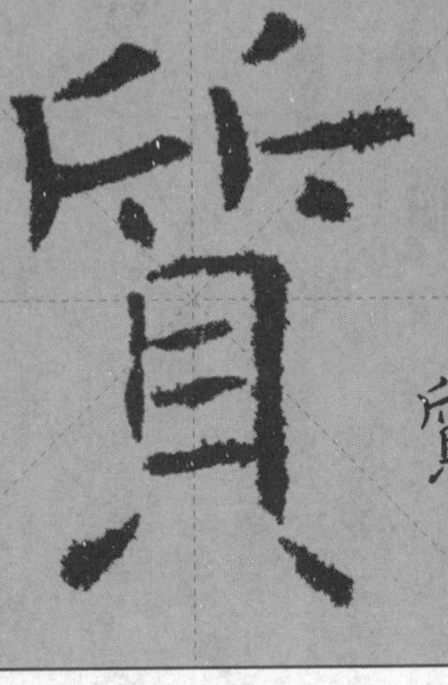

質

“火”部（四点底）

四点位置水平，呼应有致，笔势连贯。

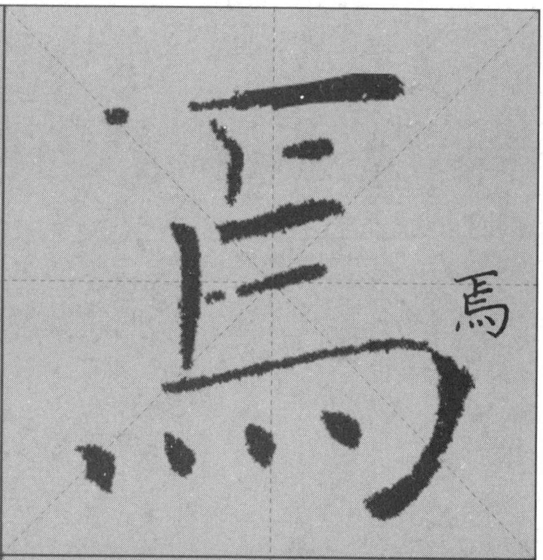

焉

無

然

然

照

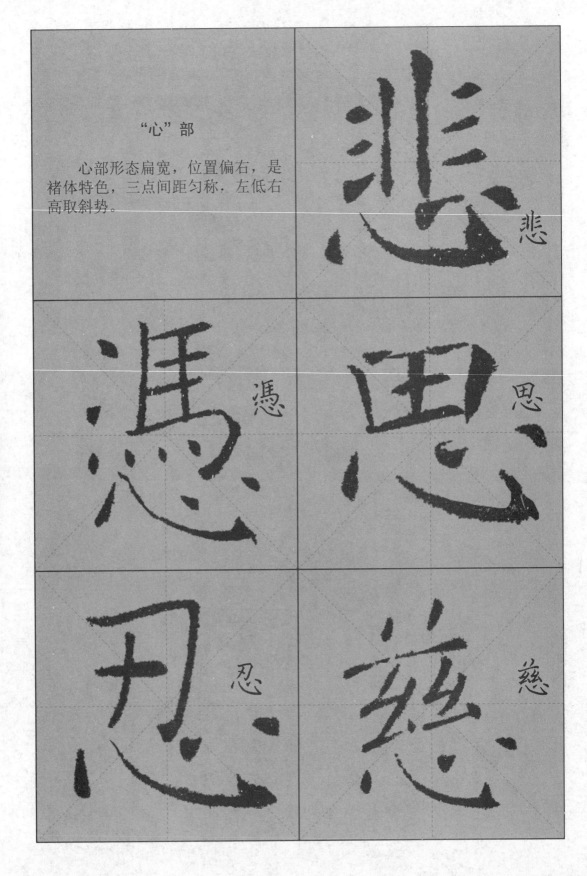

“心”部

心部形态扁宽，位置偏右，是褚体特色，三点间距匀称，左低右高取斜势。

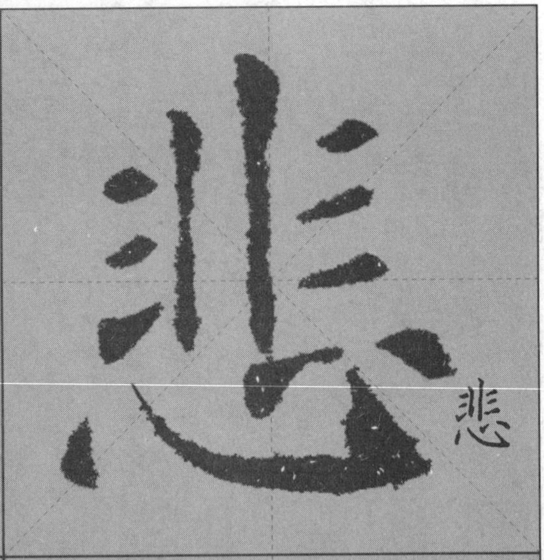

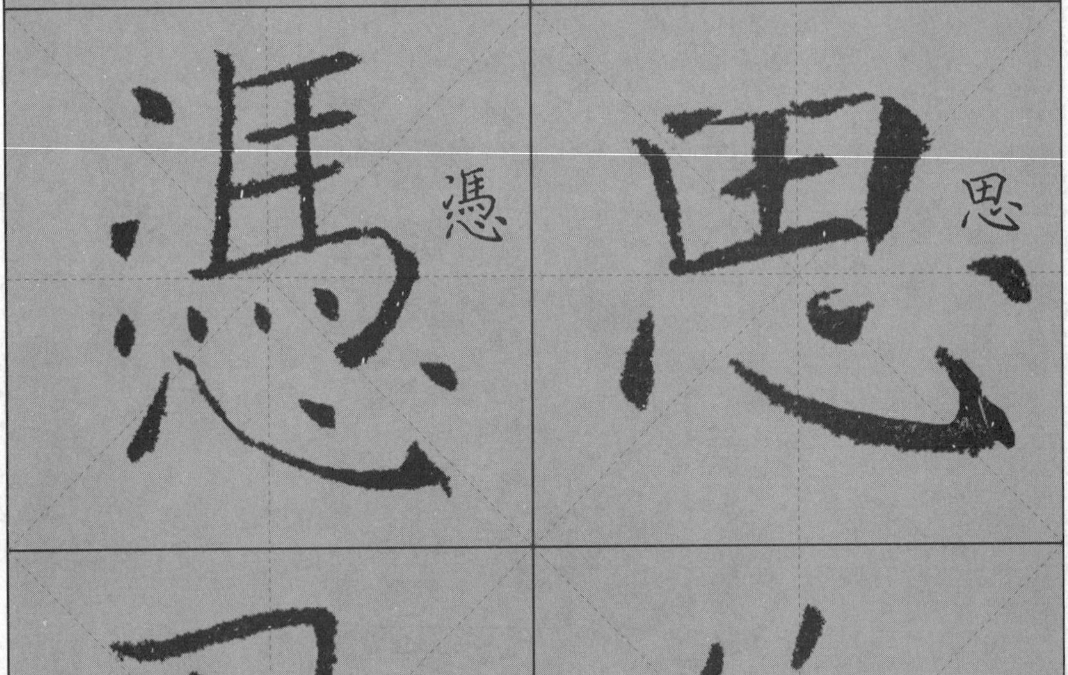

“皿”部

四短竖呈上开下合之势，且分布均匀，框廓上大下小，长横末端顿笔回收，形扁宽。

盖

盖

盖

孟

盧

“辶”部

横折折钩向里收，平捺舒展要写足，能承载上面部分，要注意平撇的斜度。

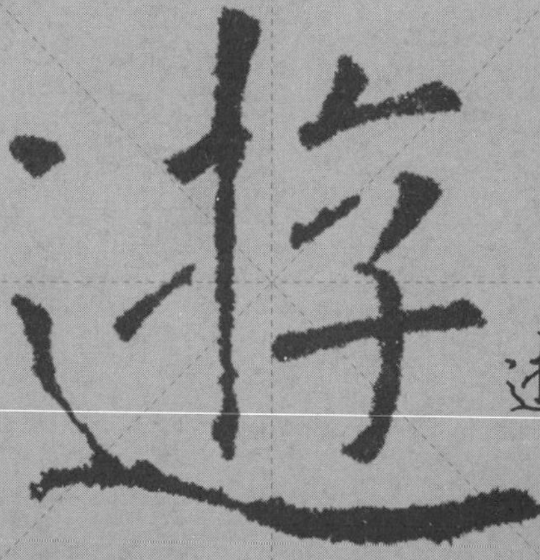

遊

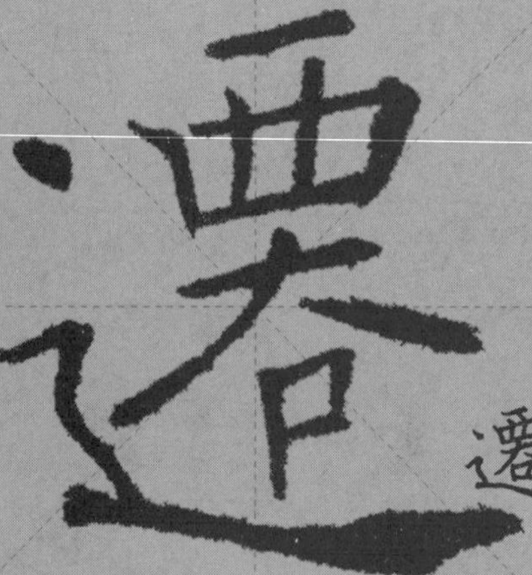

遷

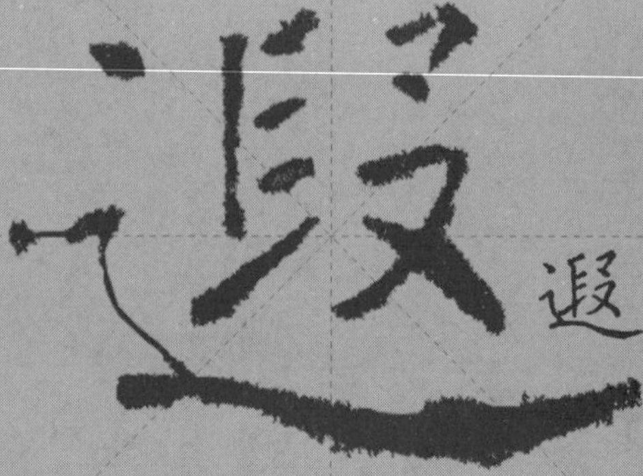

遐

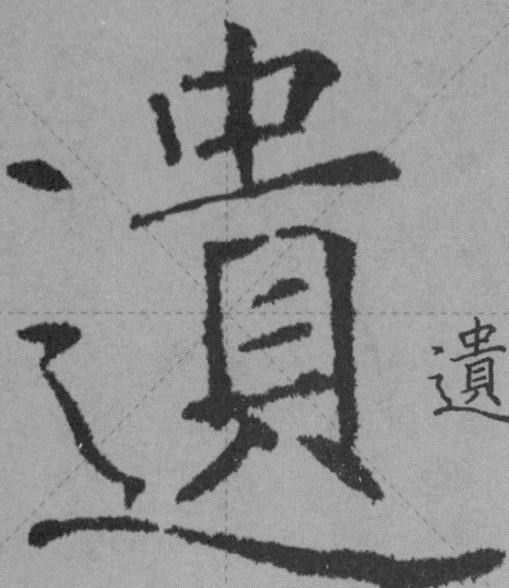

遺

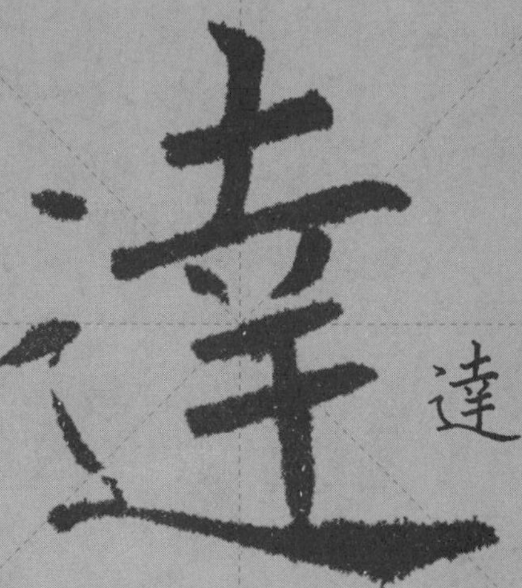

達

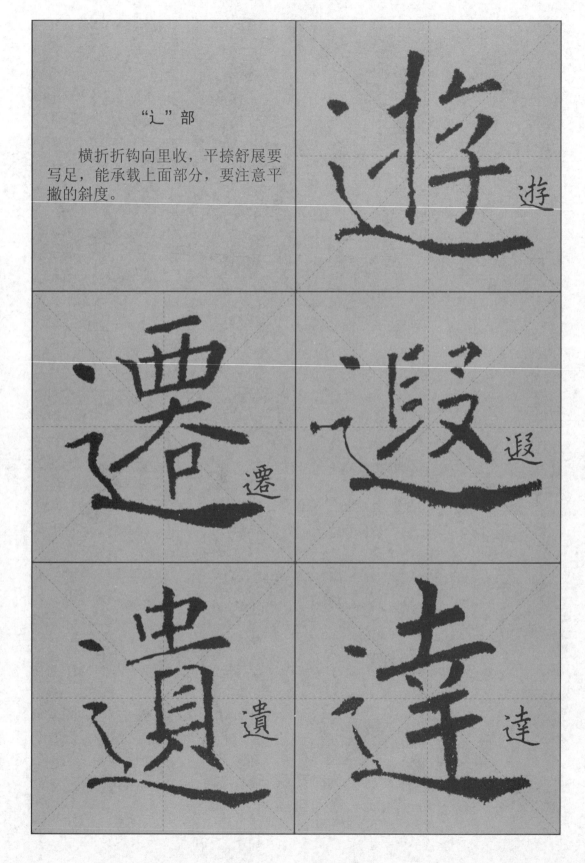

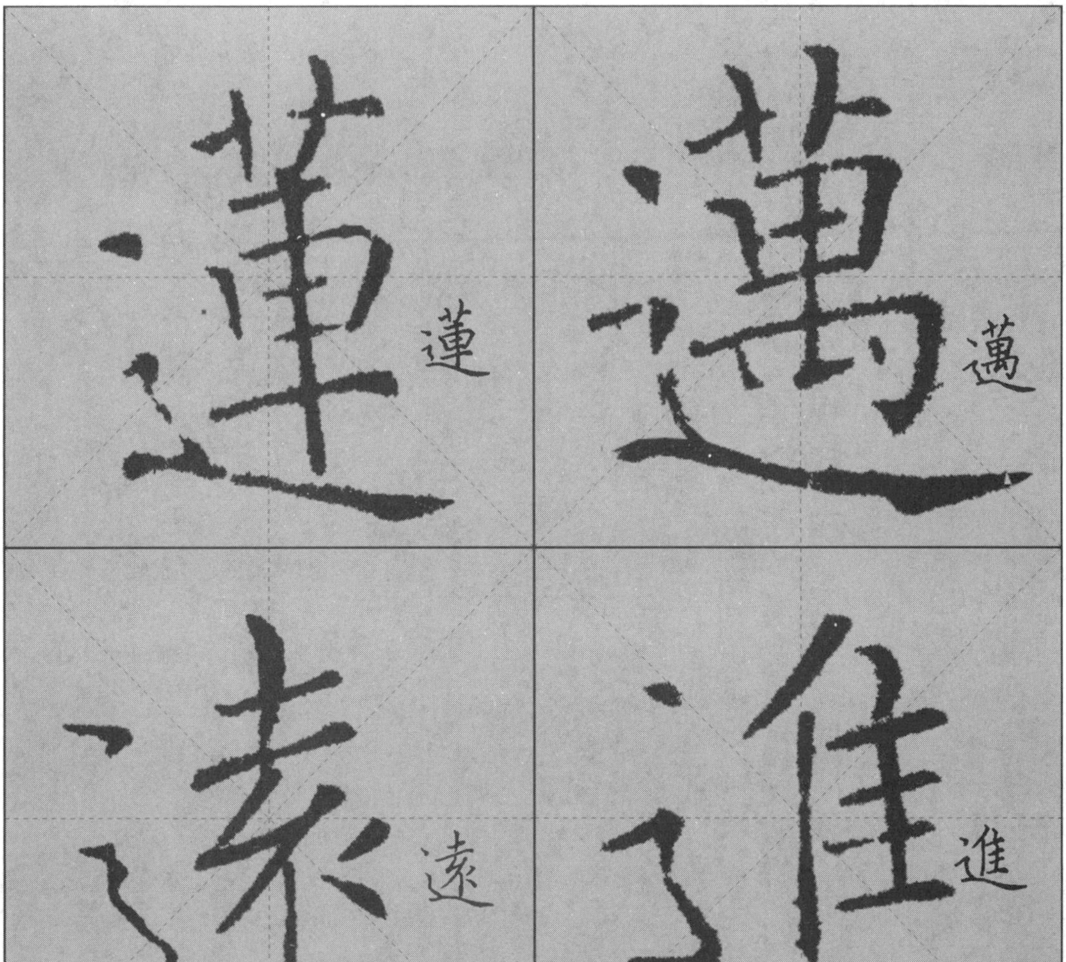

蓮
邁
遠
進
迷
還

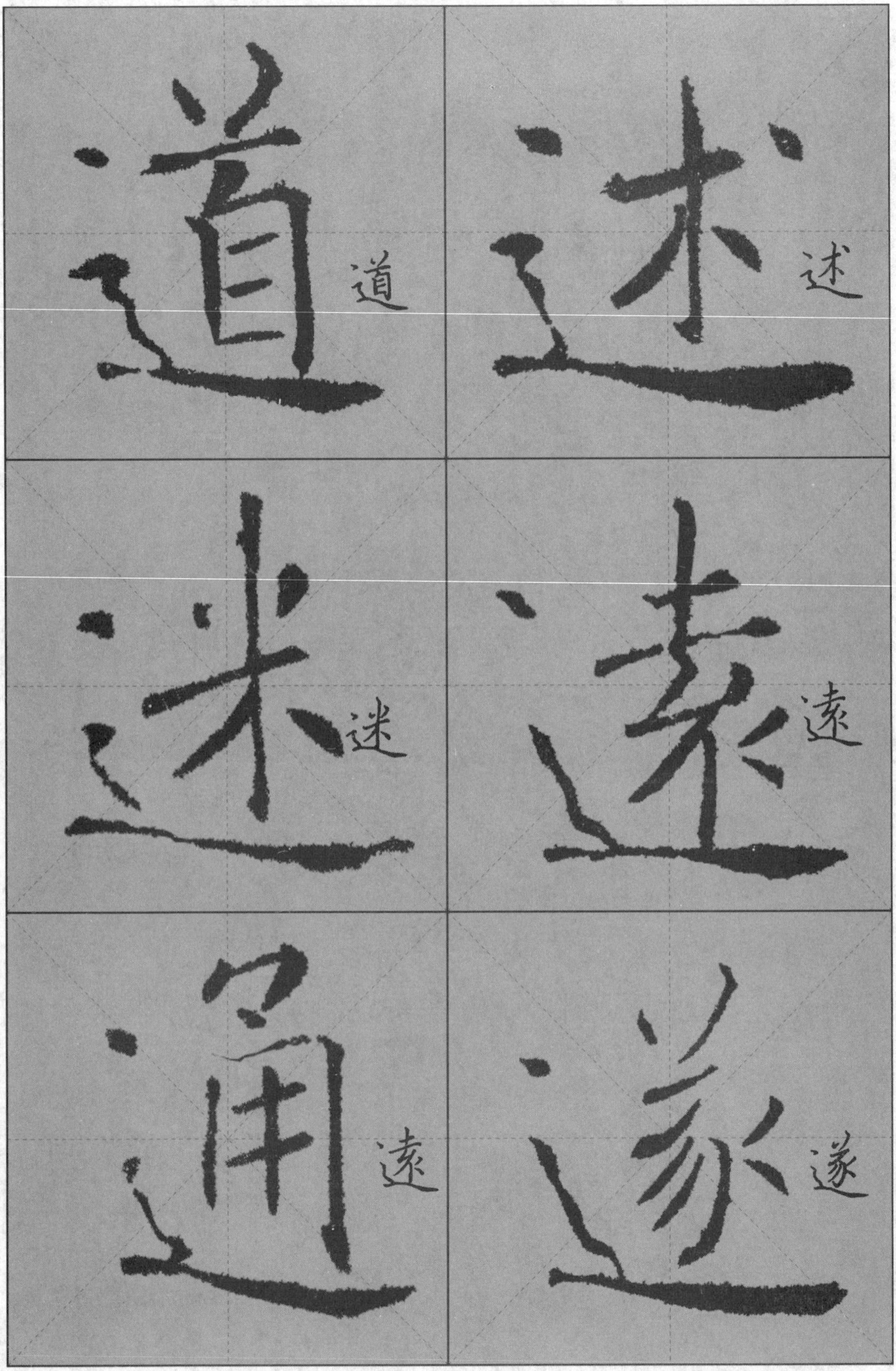
道
述
迷
遠
遠
遂

“亻”部

先写短撇，撇中下部起笔写垂露竖，竖应上轻下重。

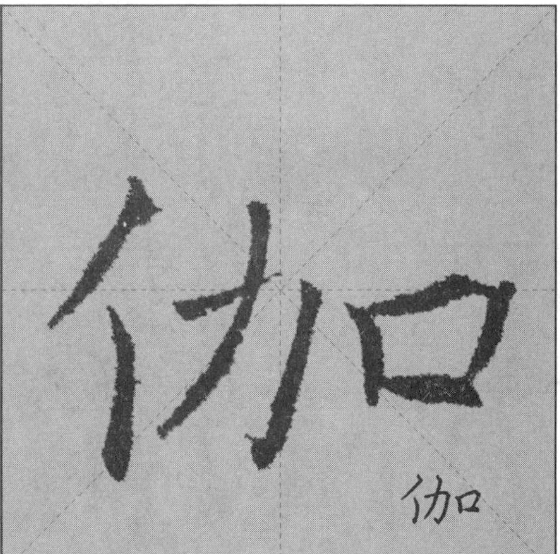

伽

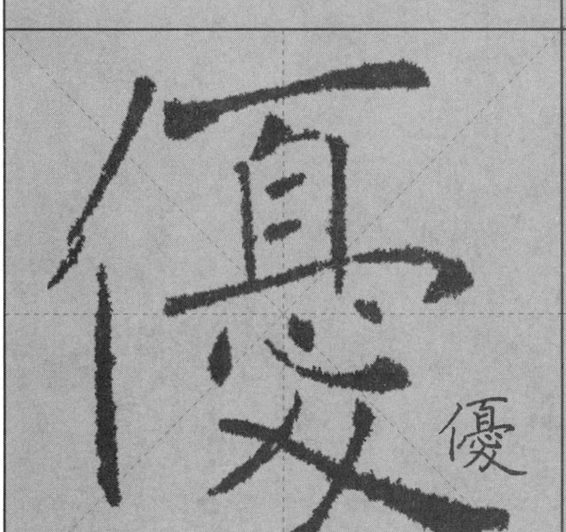

傻

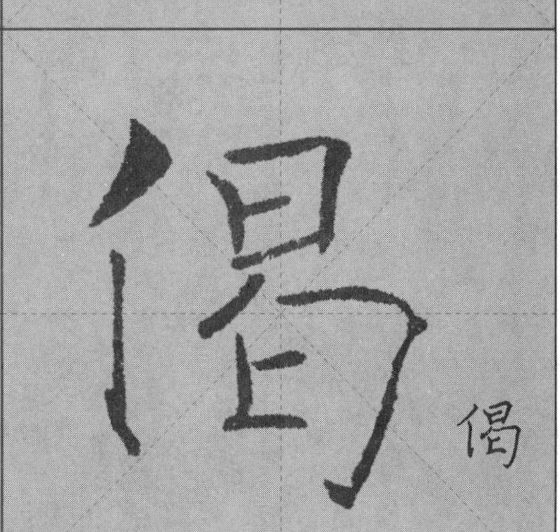

倡

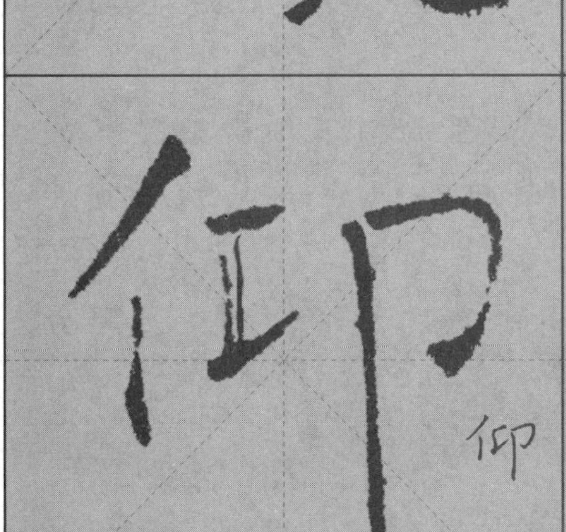

仰

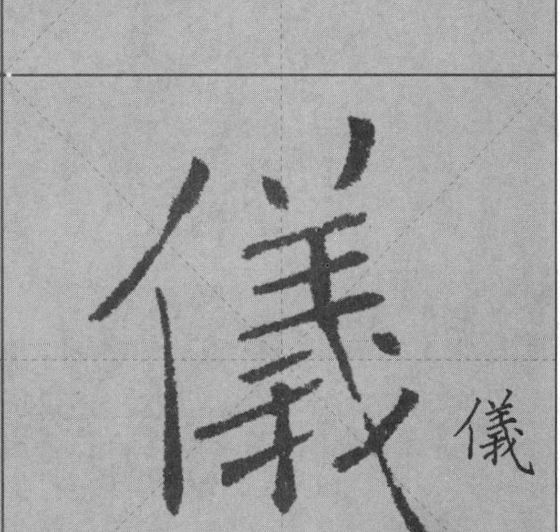

儀

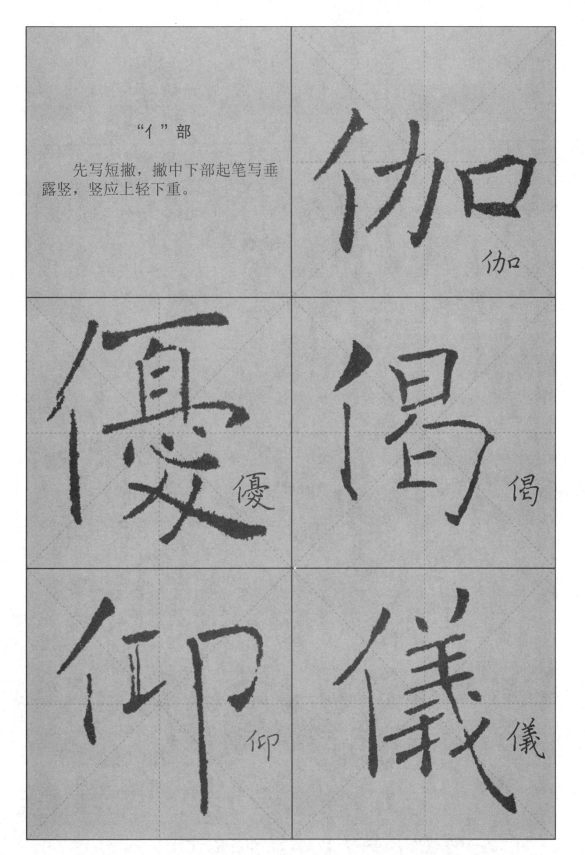

使
倫
傅
佛
住
化

仰
俗
伏
何
條
仙

“彳”部

先写短撇，在第二个撇画的中上部起笔写垂露竖，竖应上轻下重。

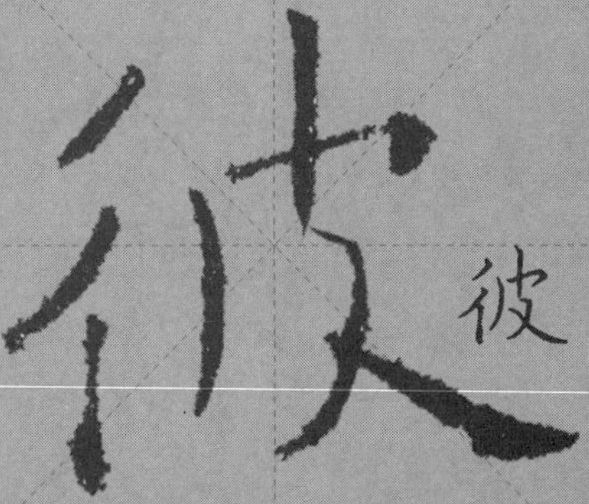

彼

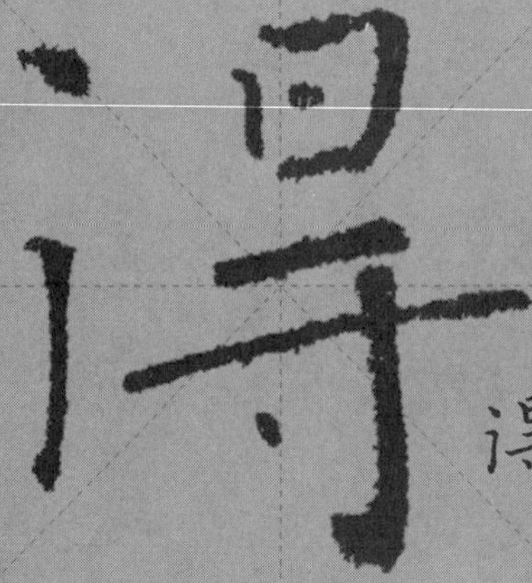

得

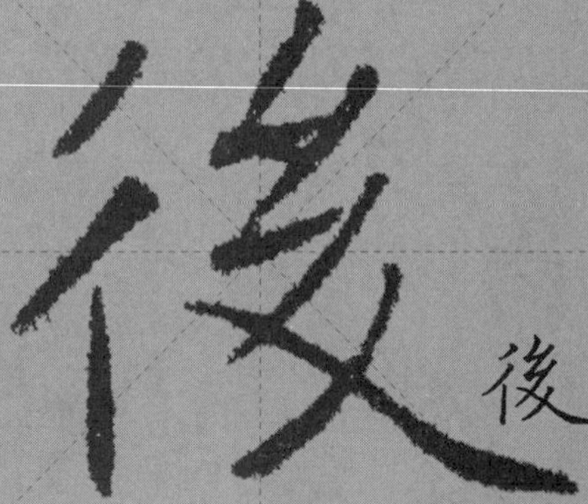

後

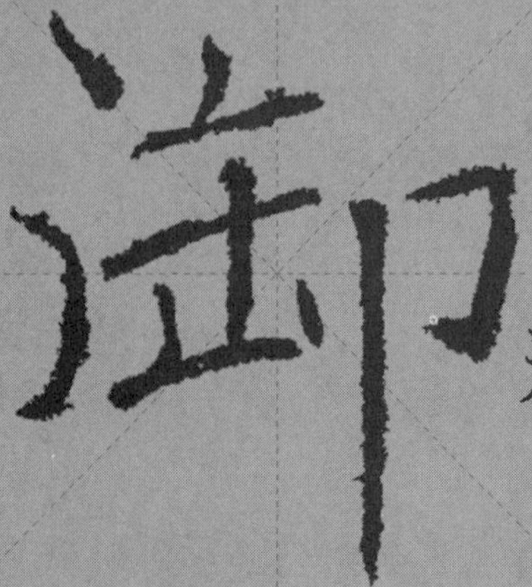

御

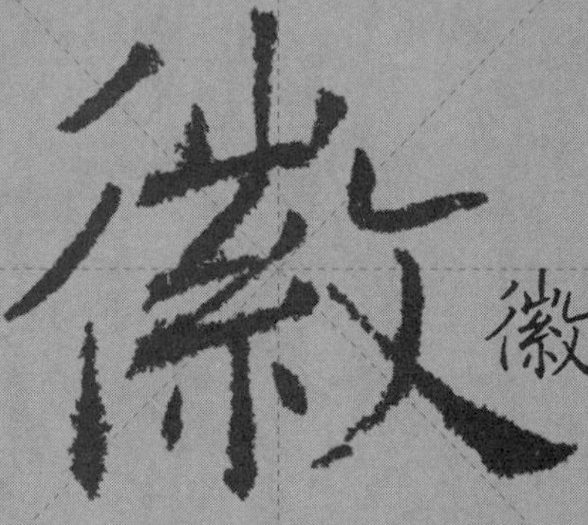

徽

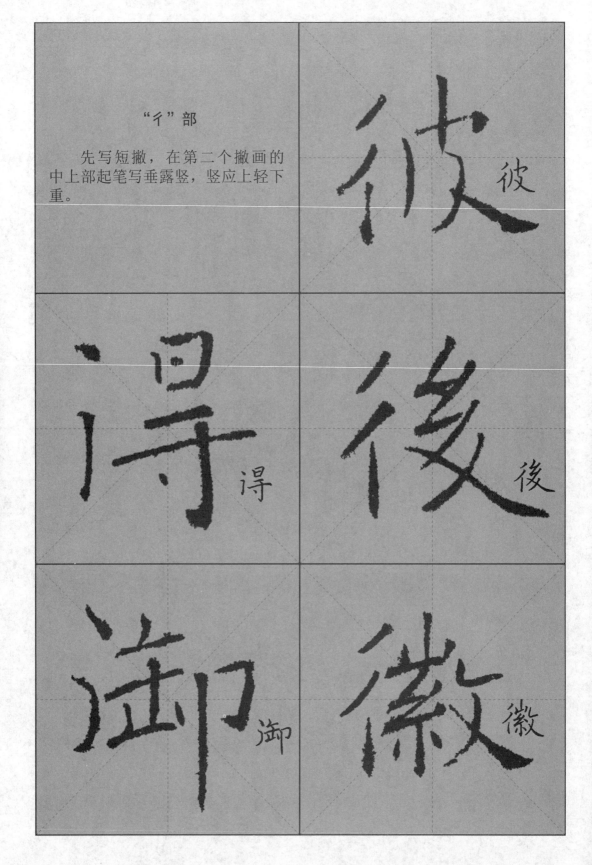

"忄"部

竖画瘦长，先写左点或仰点，再写右点或撇点，最后写垂露竖。

情

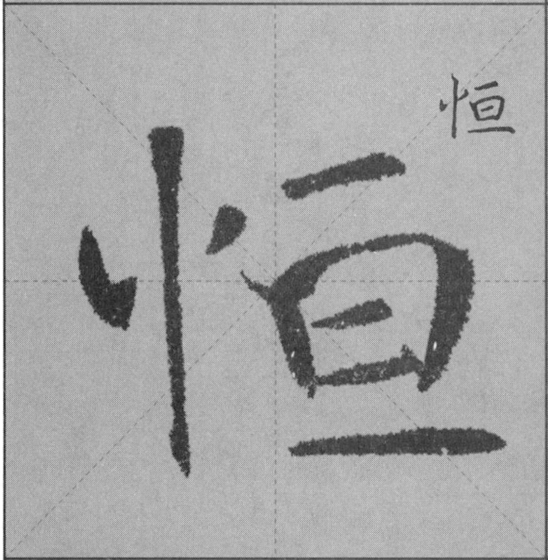

恒

懷

惟

悟

“氵”部

两撇长短不一，写成放射状，下撇顶住上撇，在第二撇中部起笔。

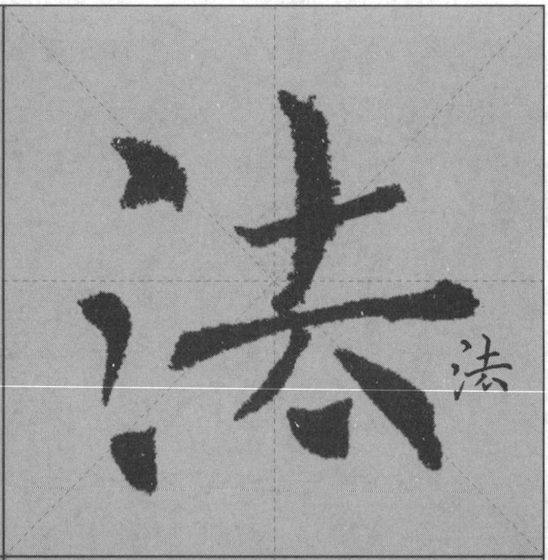
法

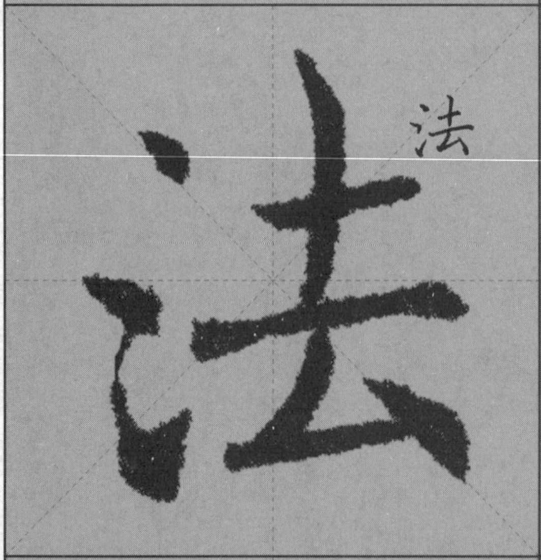
法

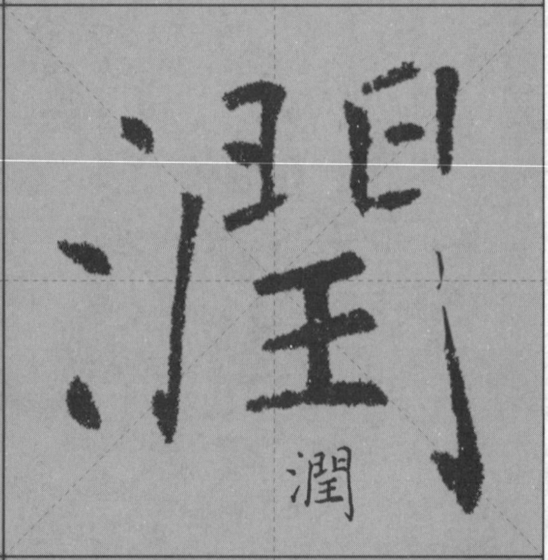
潤

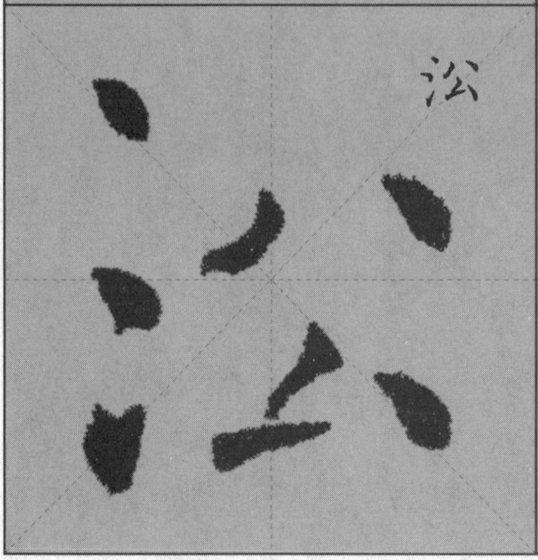
淞

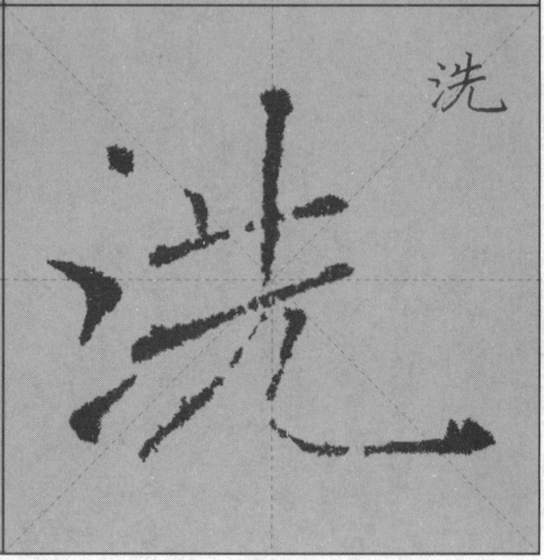
洗

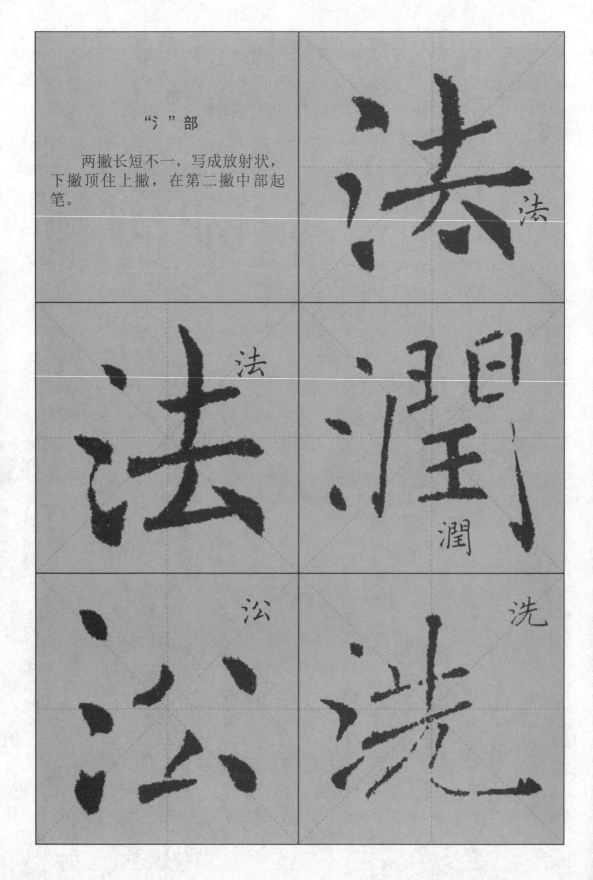

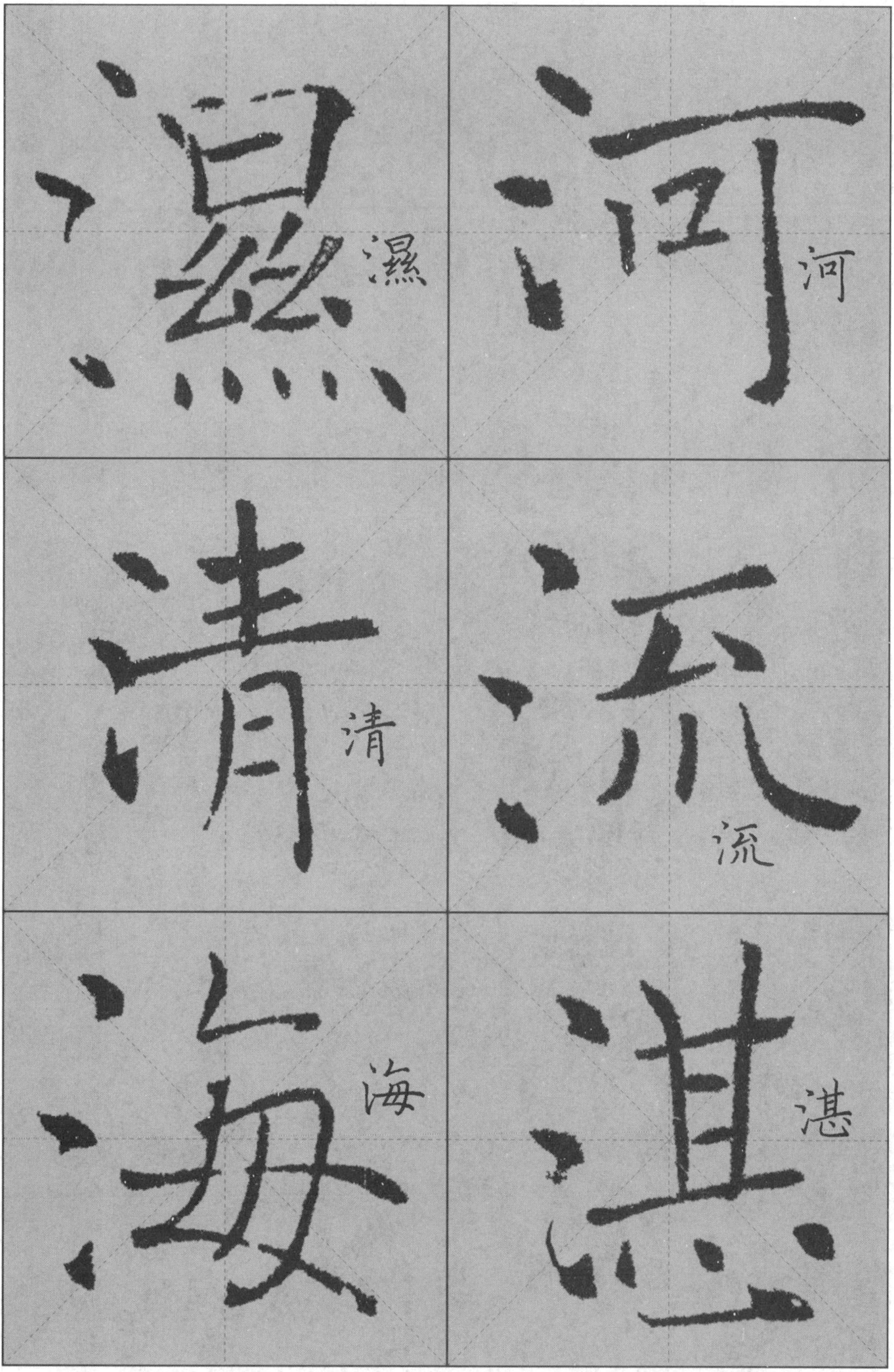
河
流
湛
濕
清
海

“扌”部

短横收缩，提画起笔偏左，收放明显。

揚

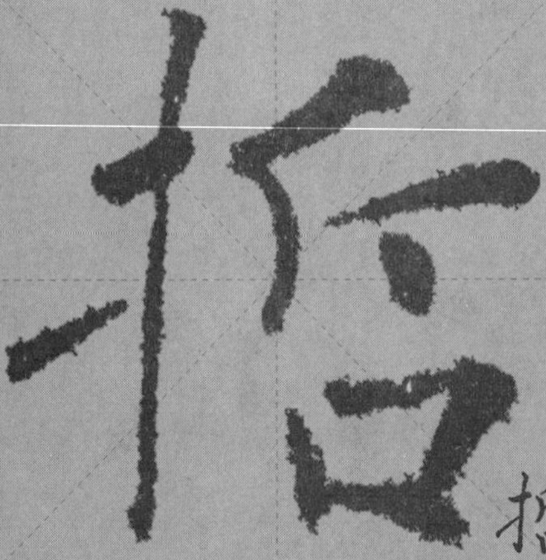
指

指

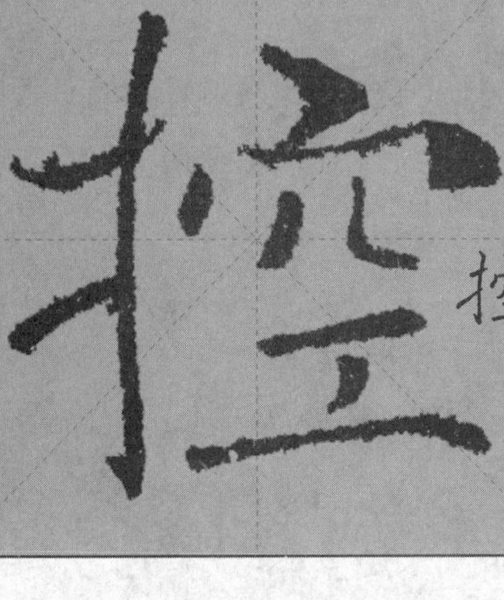
控

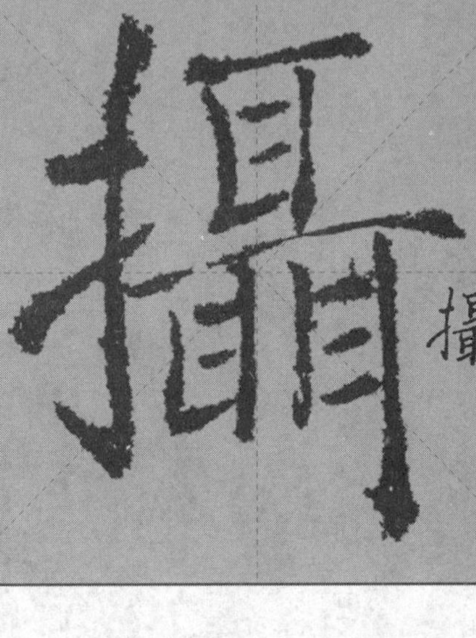
攝

挍
拔
揔
挹
拯
抑

“木”部

左放右收，横放长，撇缩短，竖略斜。

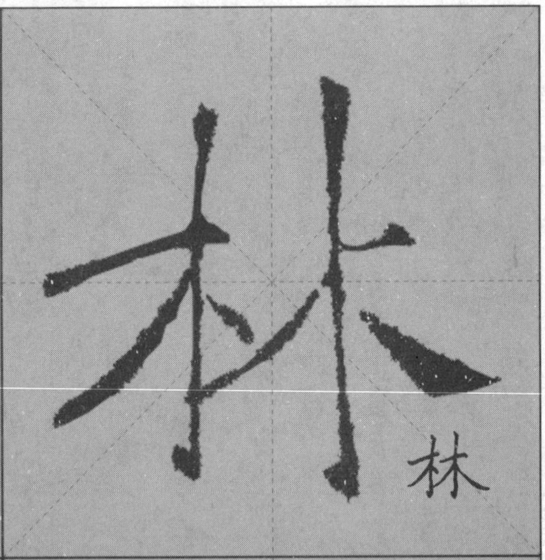

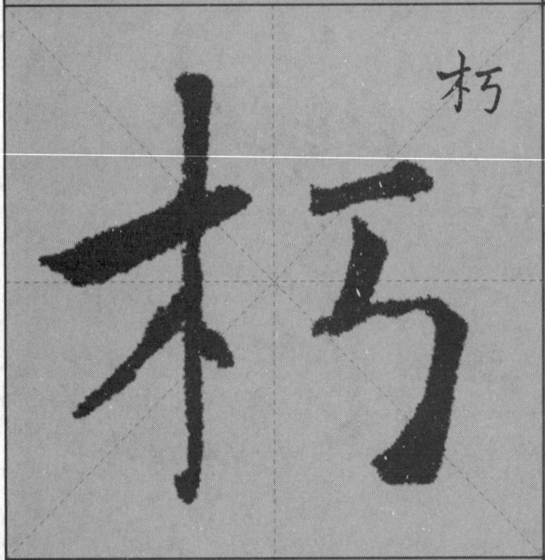

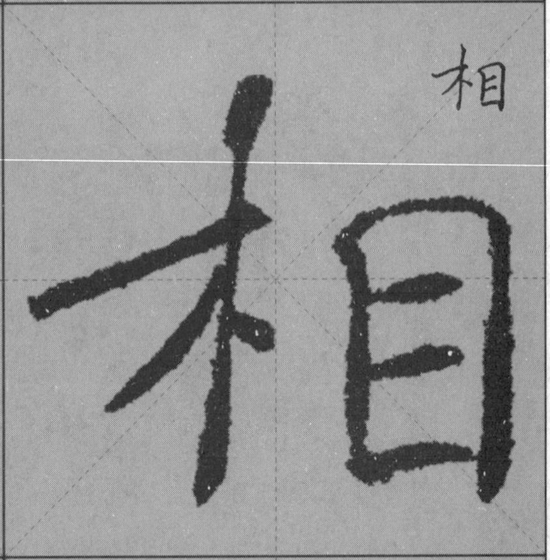

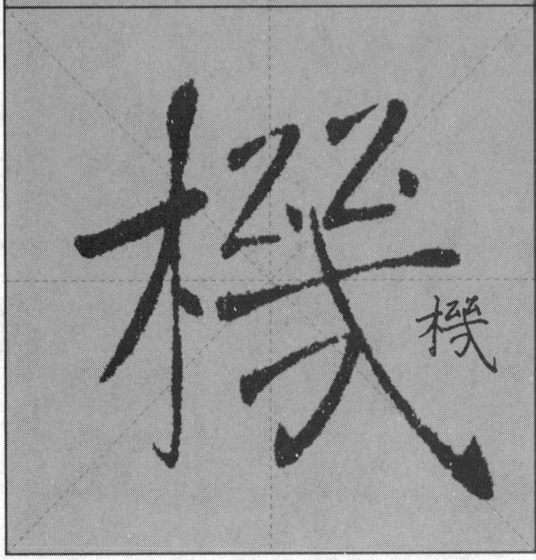

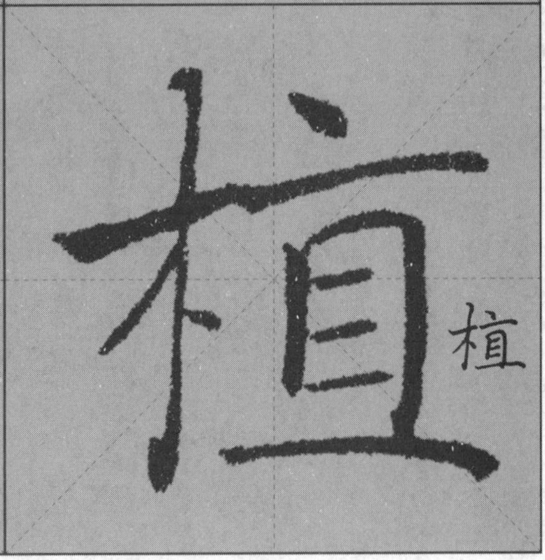

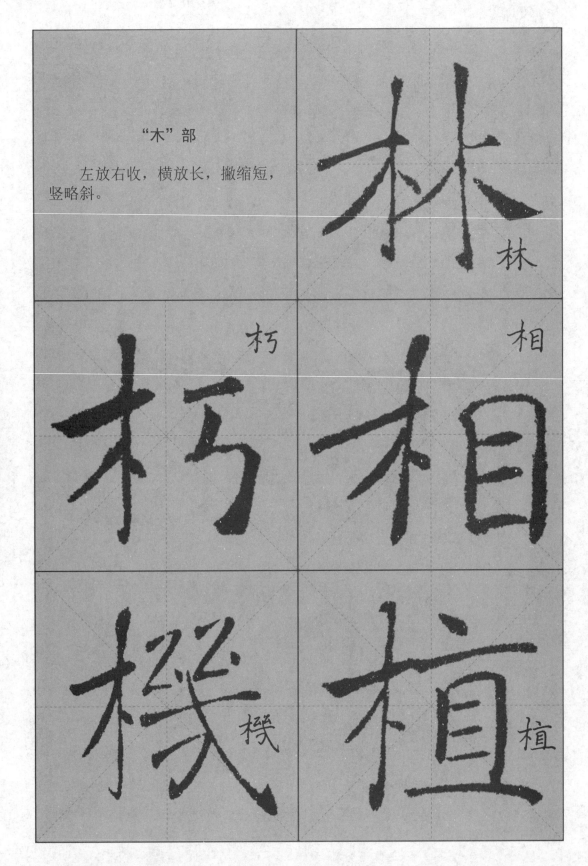

“示”部

左放右收，首画为点或短横，竖画缩短，略斜。

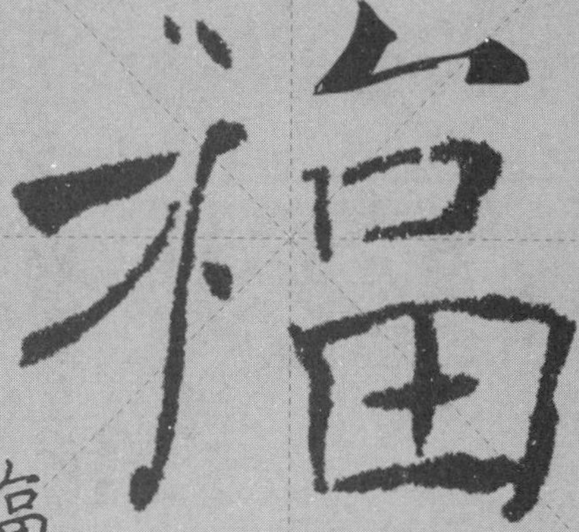

福

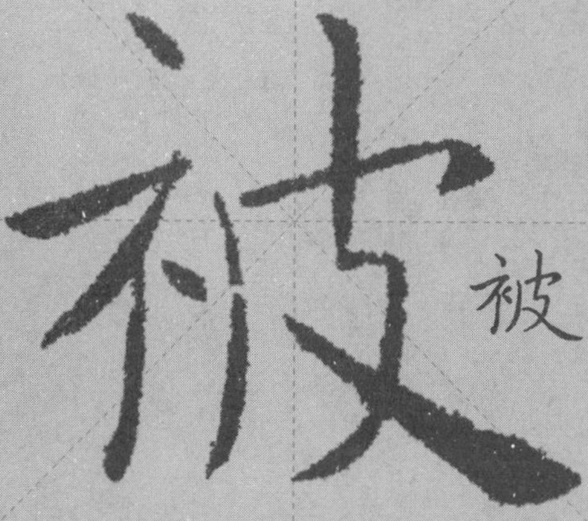

被

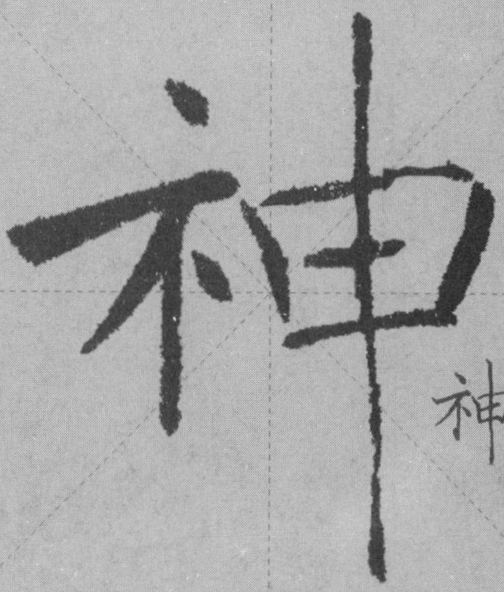

神

衽

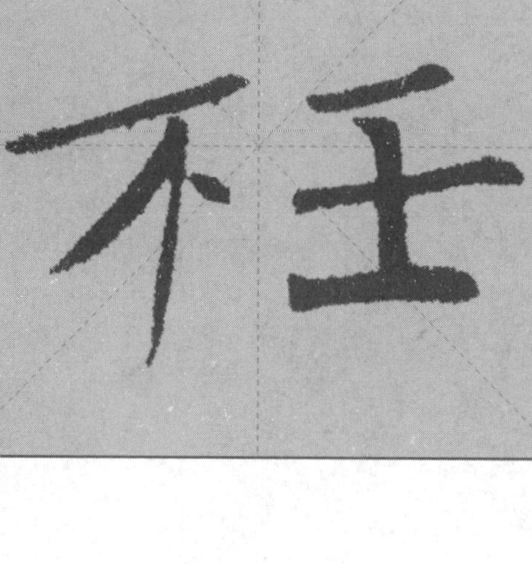

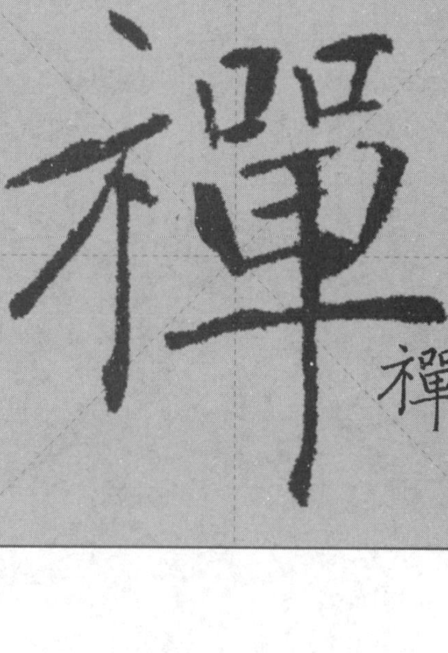

禪

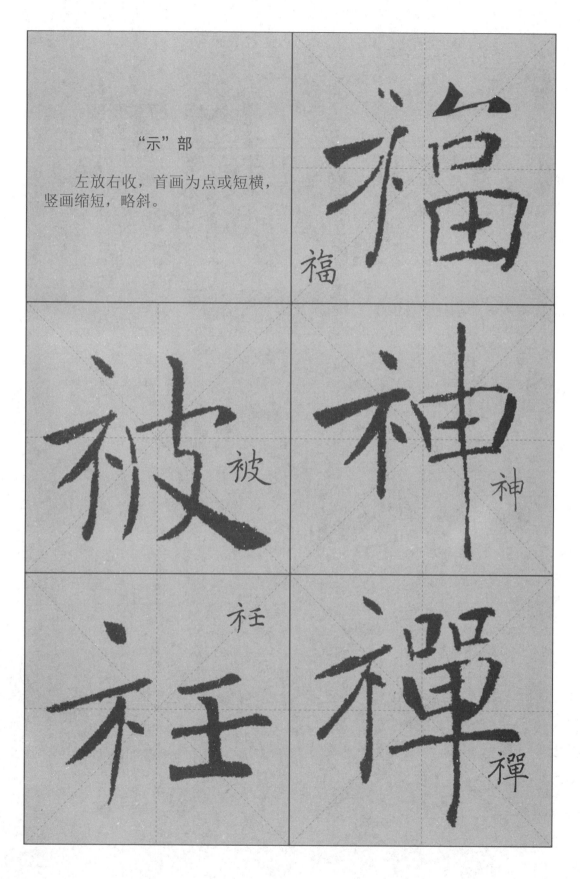

“日”部（左）

日字作左偏旁时狭长，写得高一些，最后一横写成提。

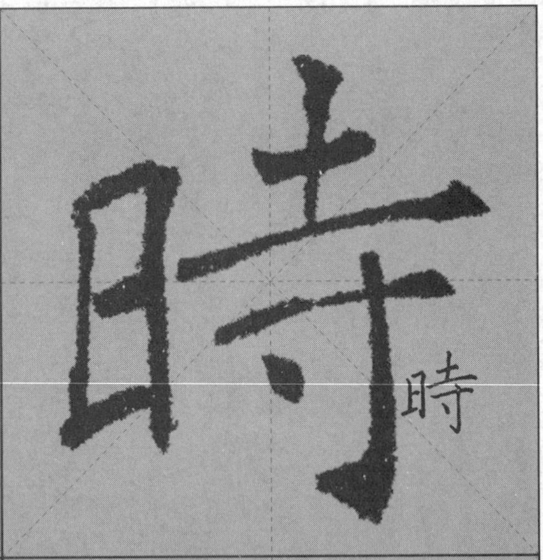

時

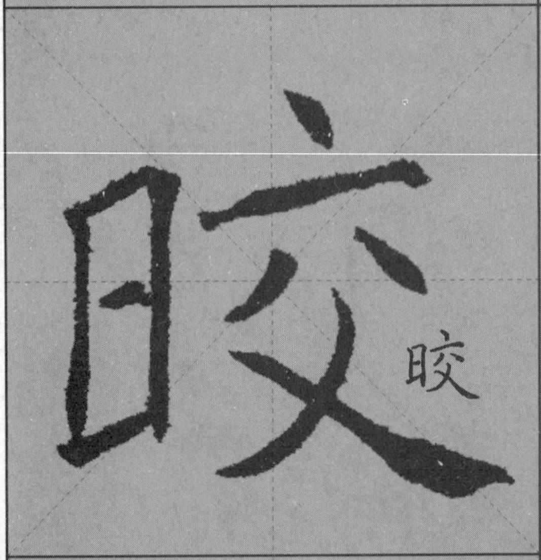

晈

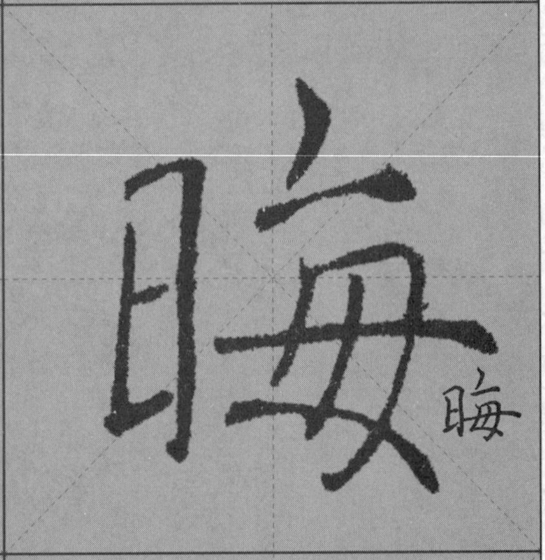

晦

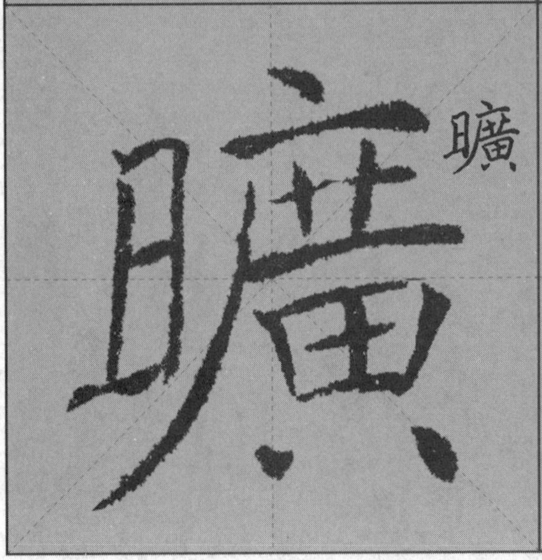

曠

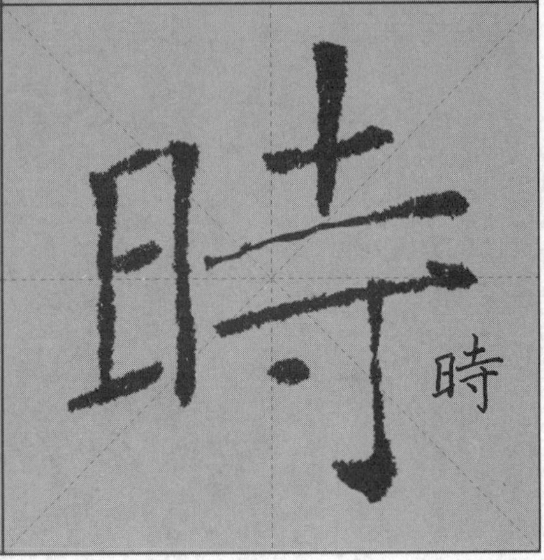

時

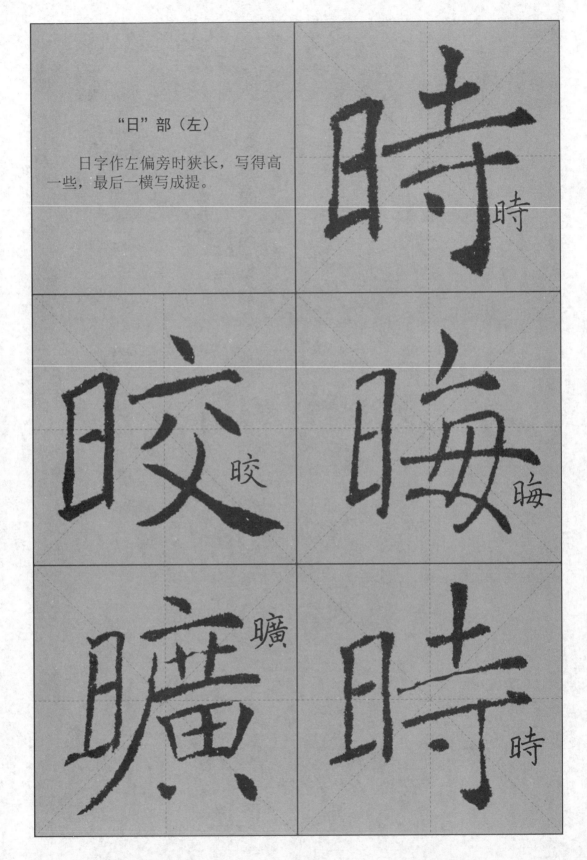

“女”部

位置偏上，横画变提，撇画起笔较重，并与交叉点垂直。

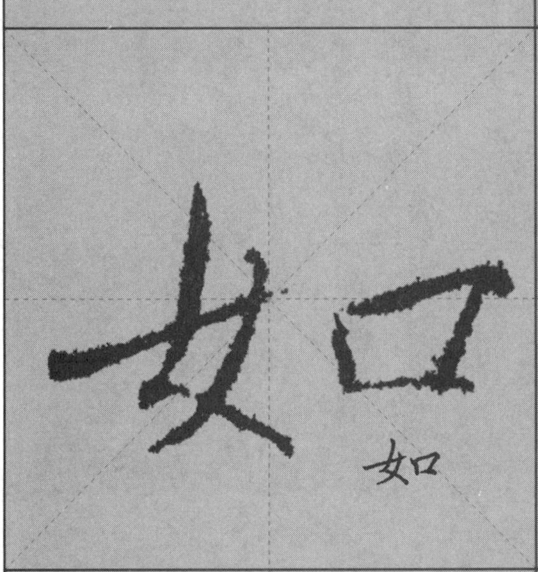

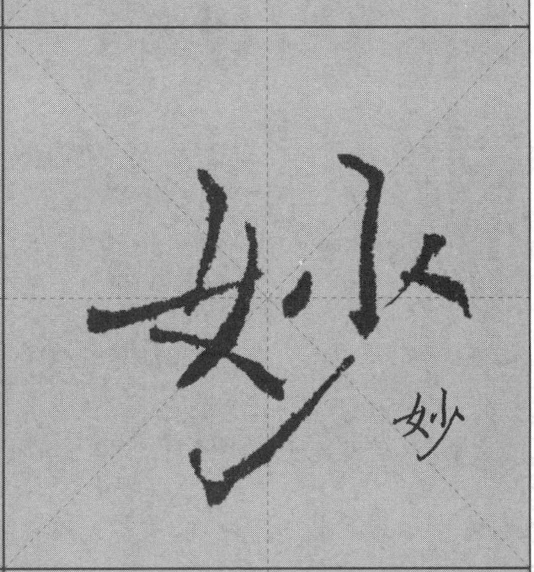

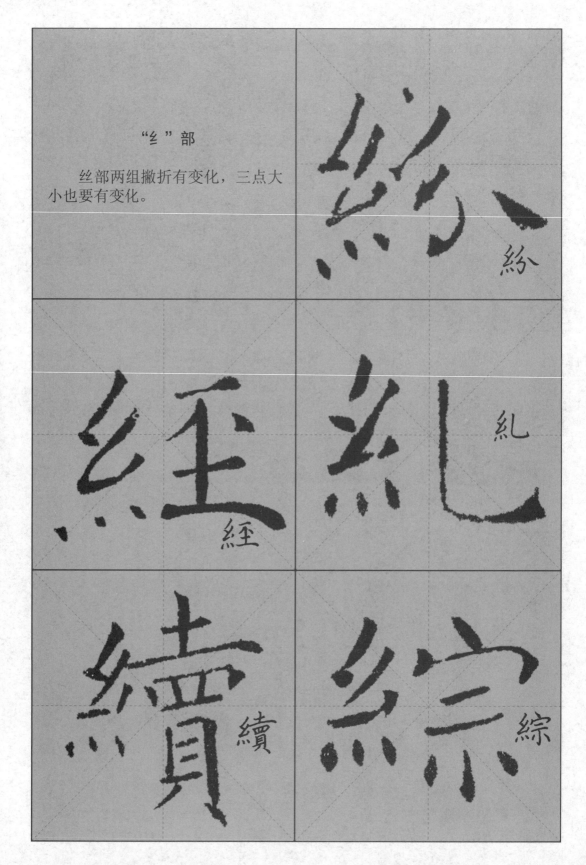

“纟”部

丝部两组撇折有变化，三点大小也要有变化。

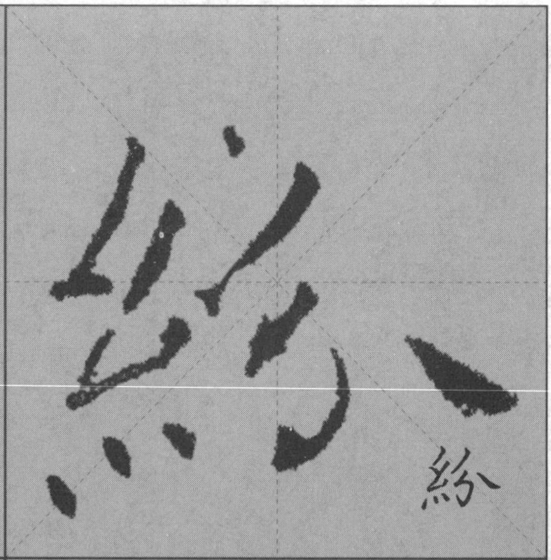

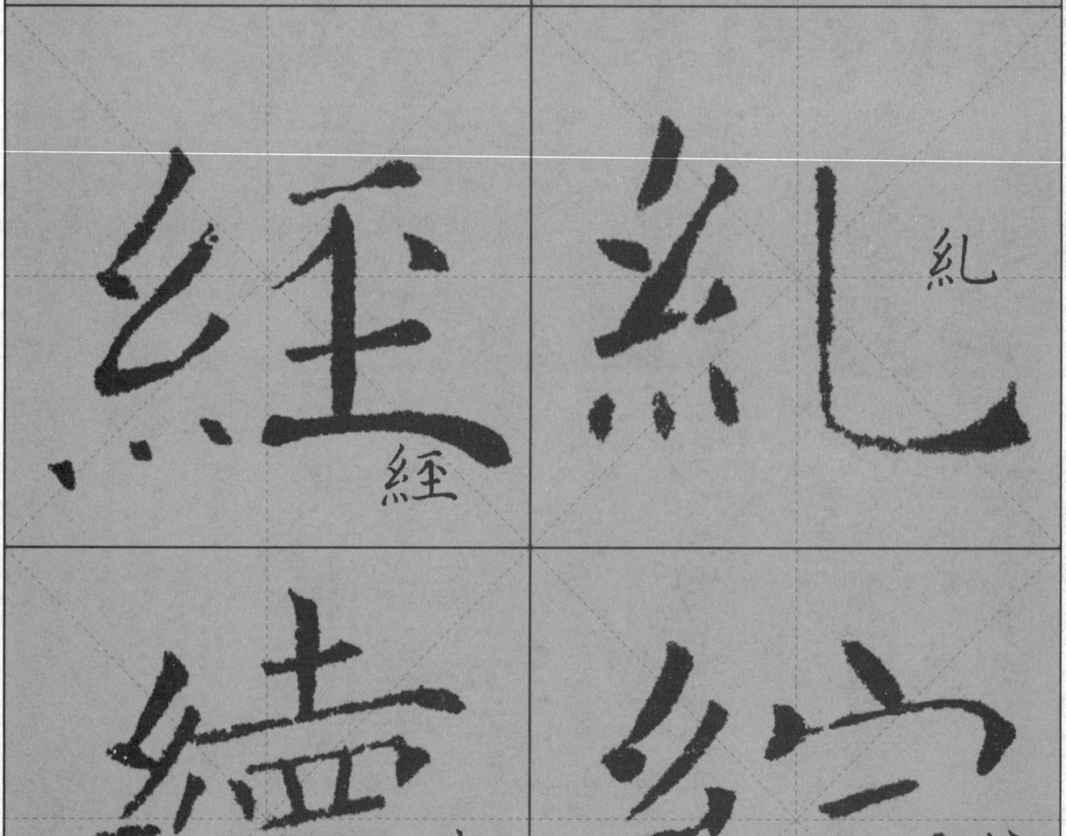

“食”部

上撇饱满，辅以轻灵的右点组成人字头，下面良字短横靠左，打破了均势。

“金”部

撇长点短，点画布得匀称，末笔为竖提或短横，整体形窄。

館

餘

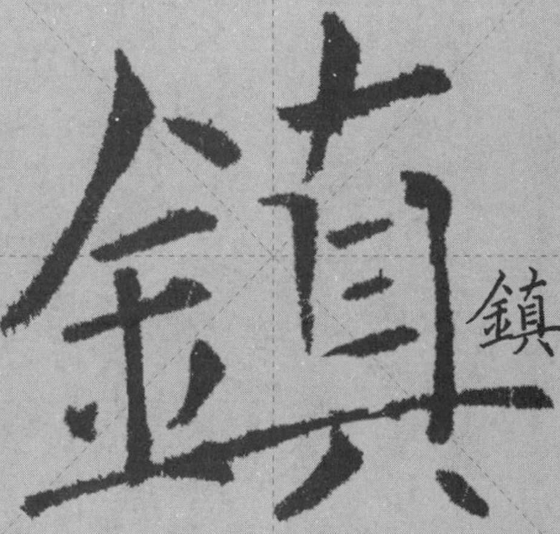
鎮

鏡

鍾

“言”部

点为竖点或右点，要注意三横俯仰关系，首横左放右收。

訓

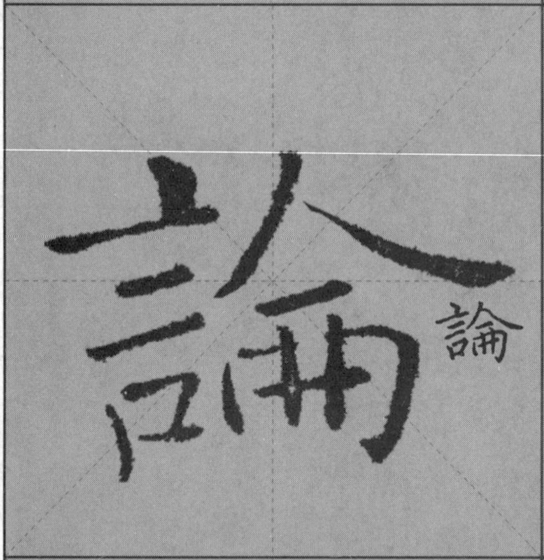

論

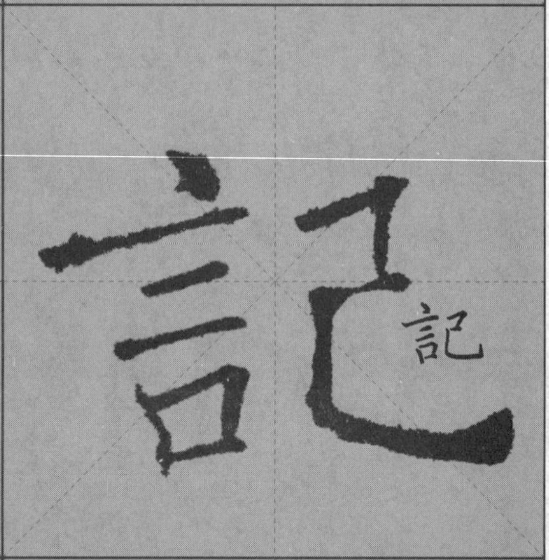

記

說

譯

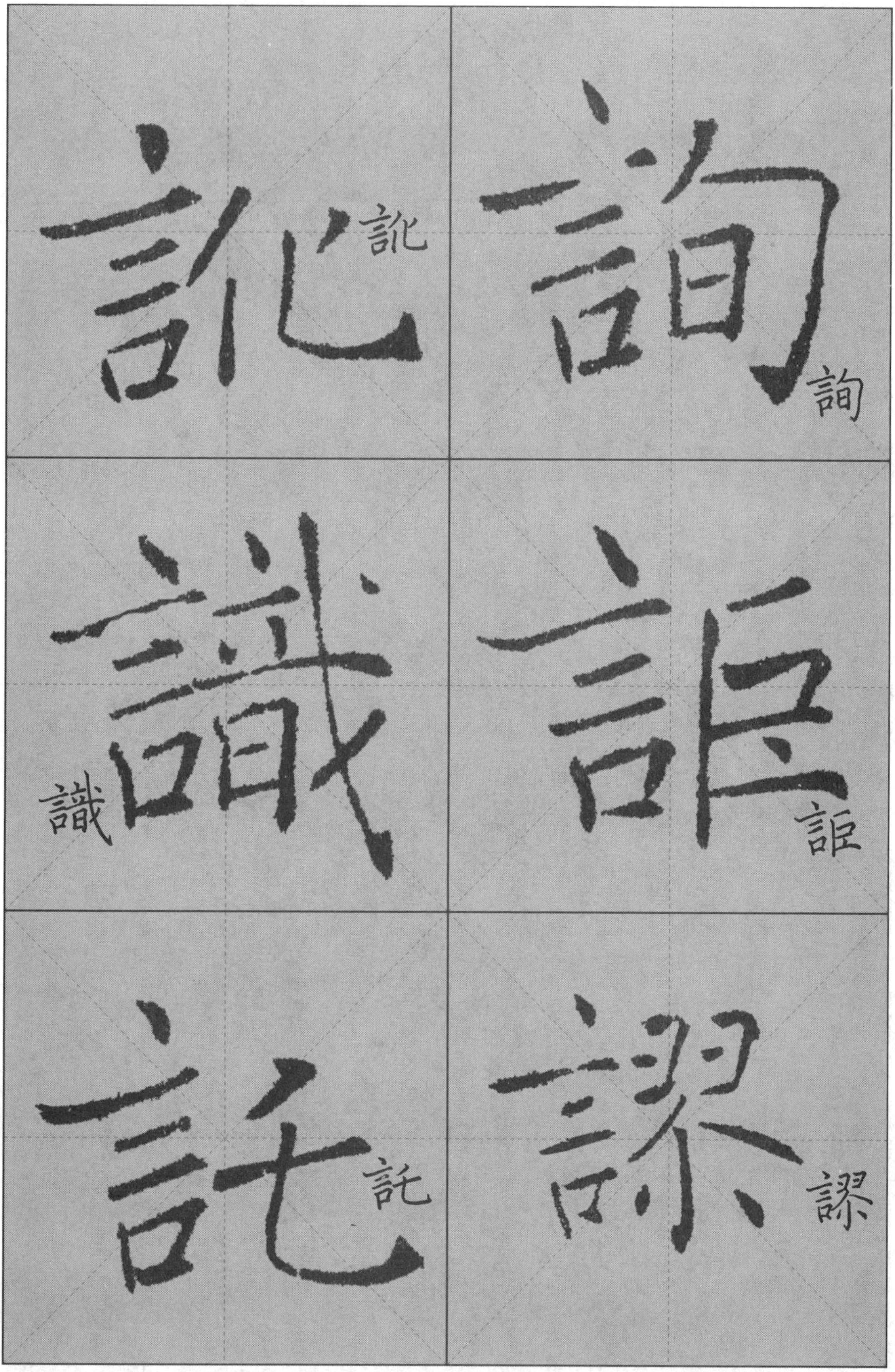
訛
詢
識
詎
託
諜

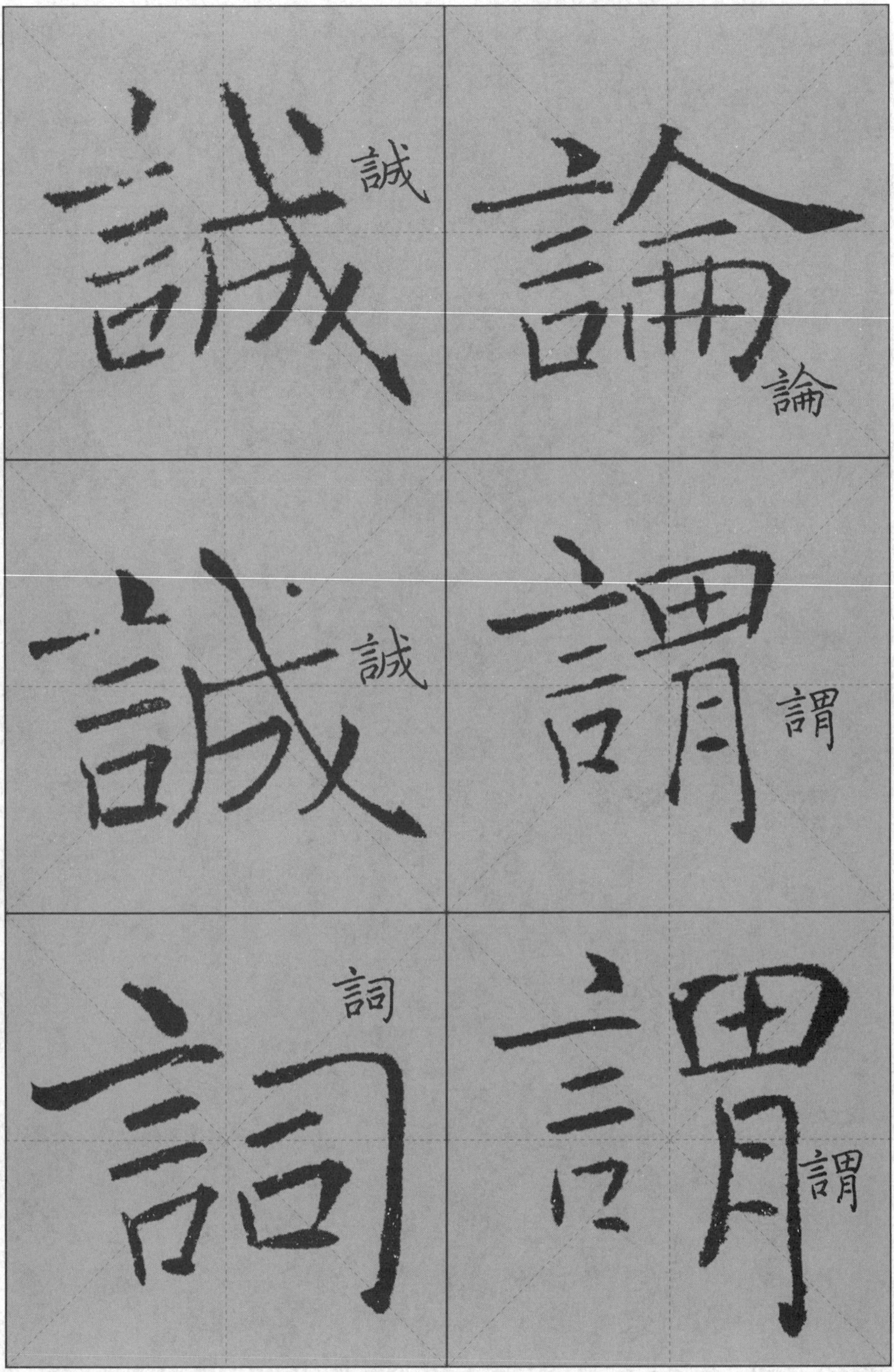
誠
論
誠
謂
詞
謂

“左包耳”部

横撇弯钩连写，弯钩不宜大，以便让右部笔画，末笔为垂露竖，整体形窄。

隧

陰

陽

陵

陰

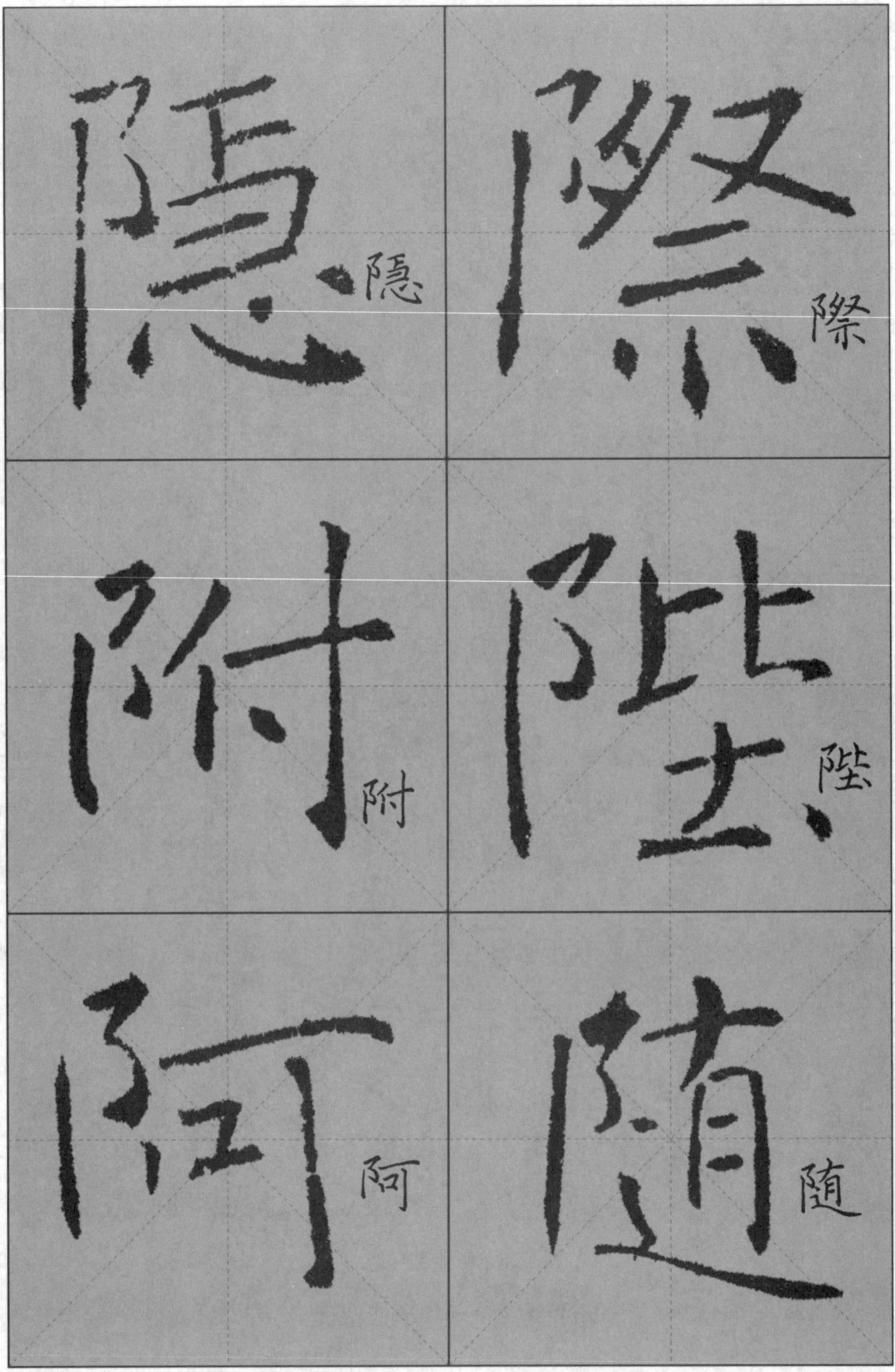
際
陛
隨
隱
附
阿

“右包耳”部

与左包耳位置相反，横撇弯钩断开写，但笔断意连，横撇小，弯钩稍大，竖用悬针，形窄长。

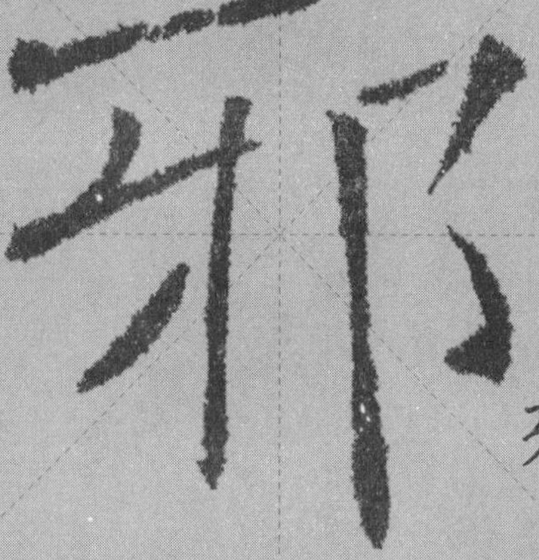

邪

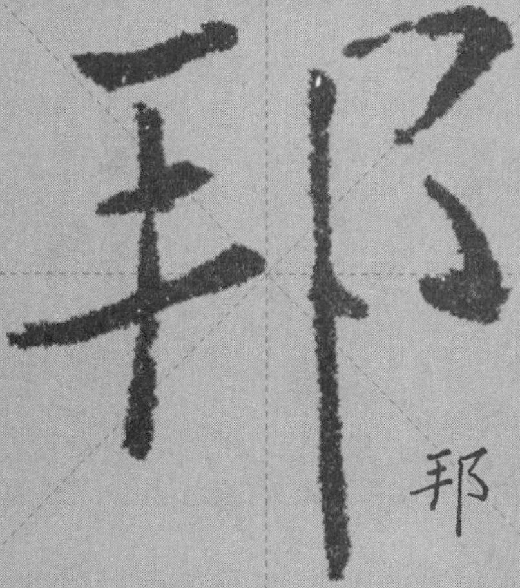

邦

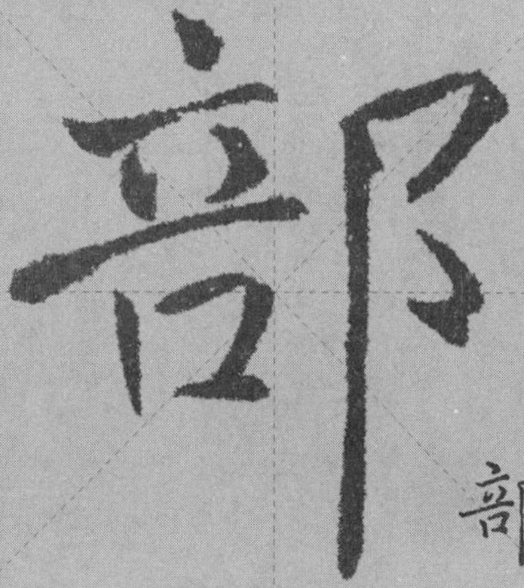

部

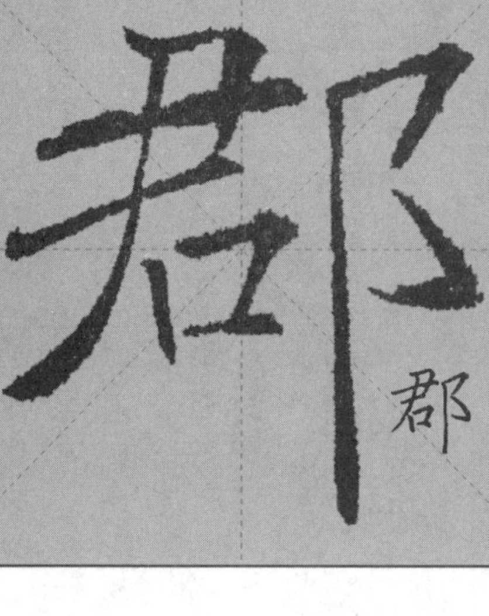

郡

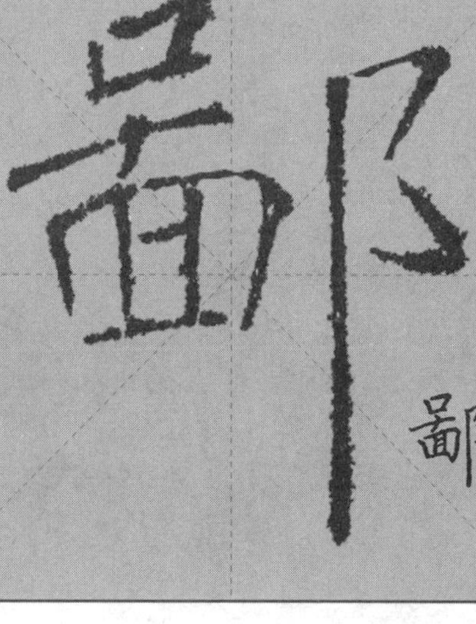

鄙

“刂”部

短竖位居竖钩中部或中上部，且相互平行，竖钩直挺有力，钩尖向右提出。

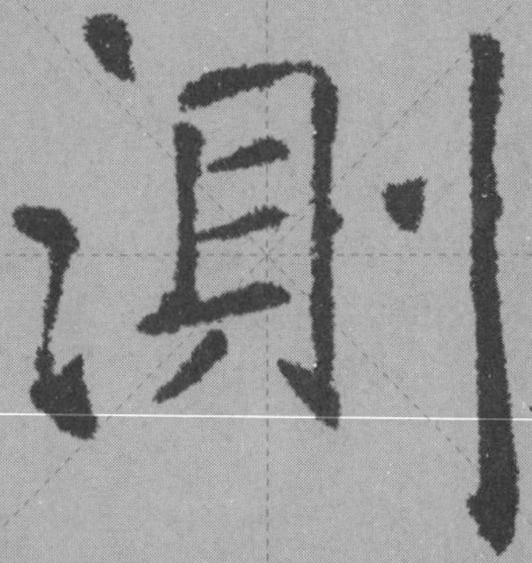

测

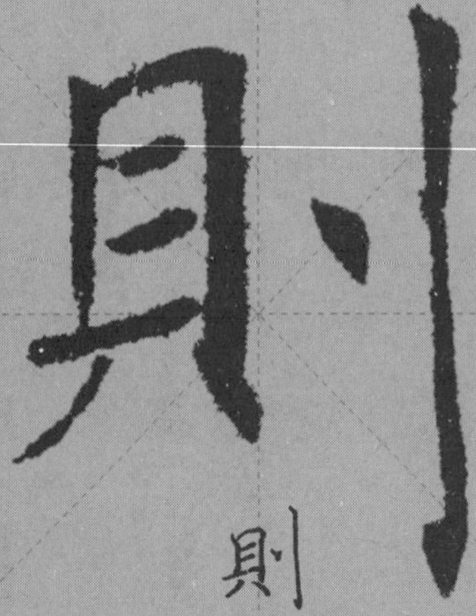

則

則

利

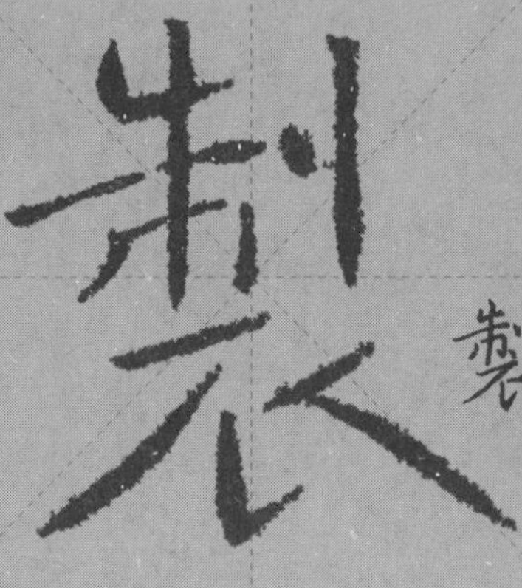

製

"力"部

横折钩与斜撇的倾斜度基本一致，位置偏低，横折钩圆转遒劲，呈右弧状。

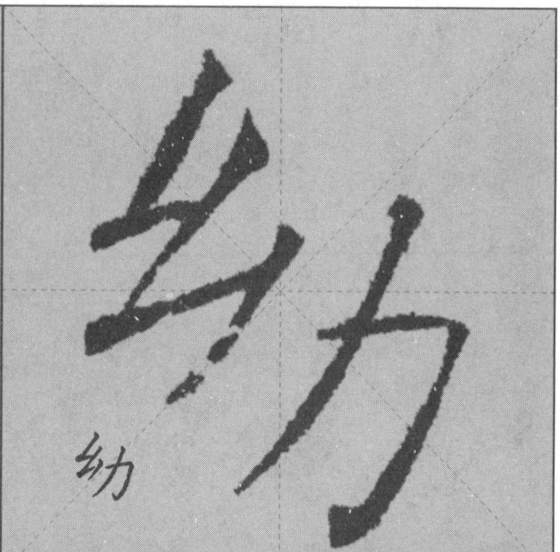

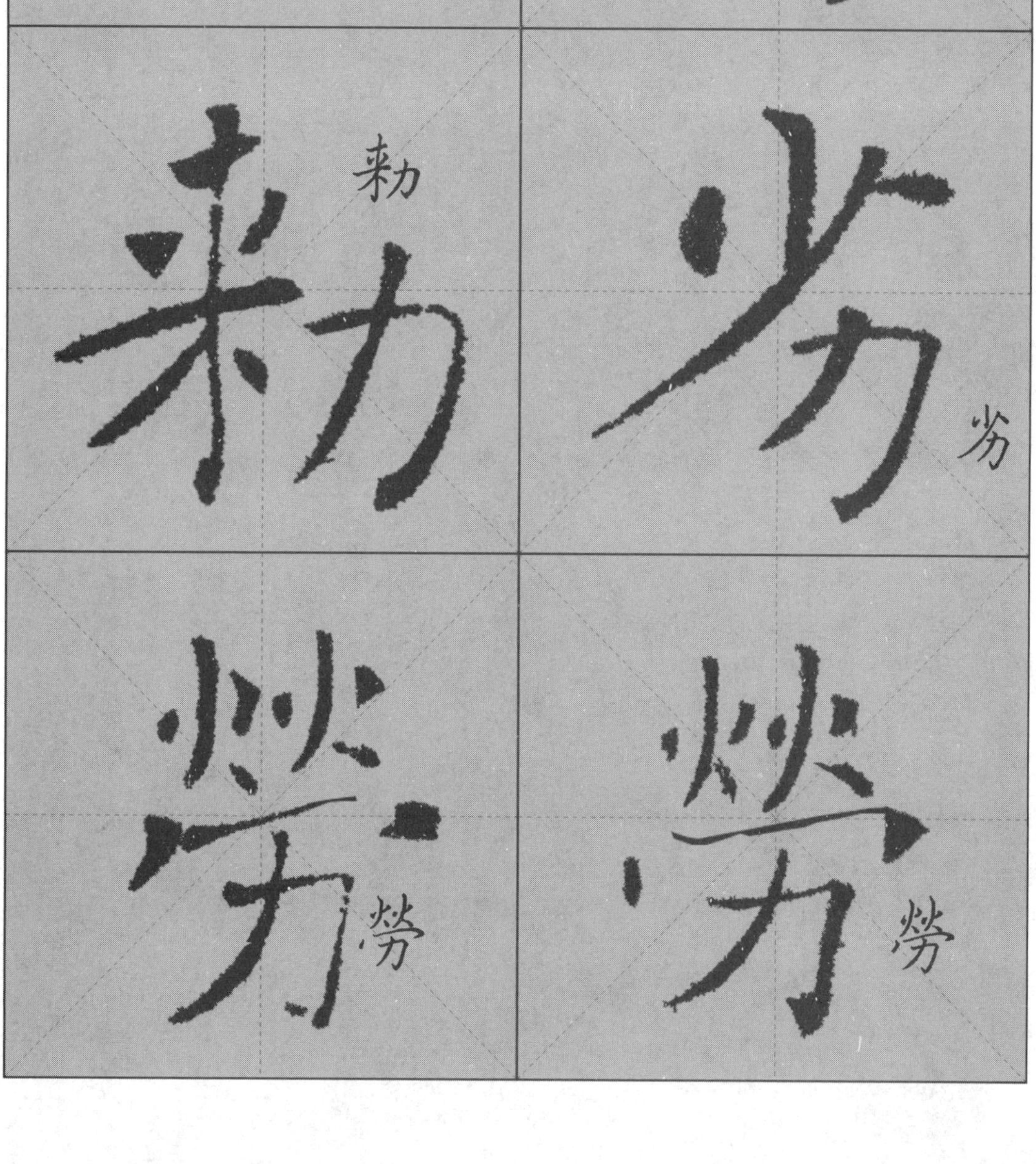

“文”部

“文”部位置偏低，上紧下松，撇收捺放，形稍短。

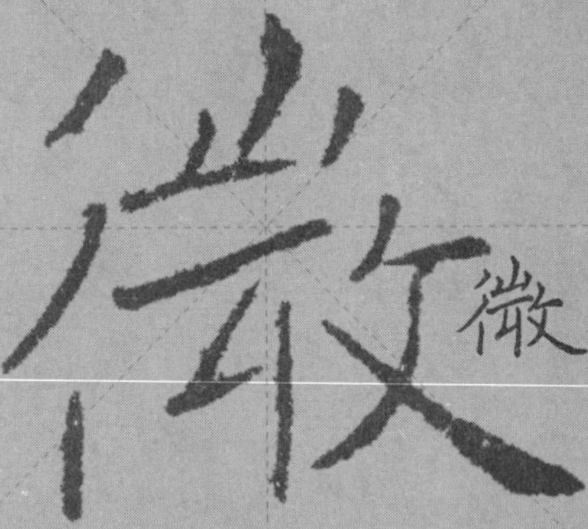
徽

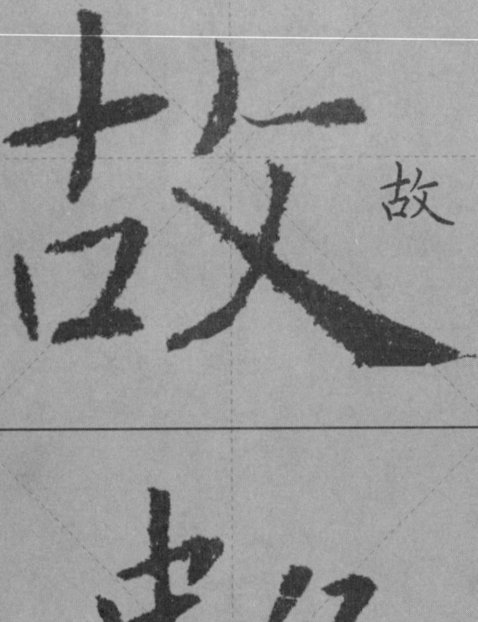
故

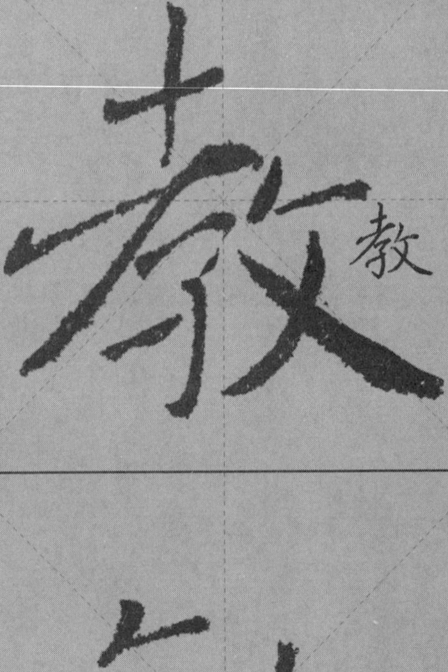
教

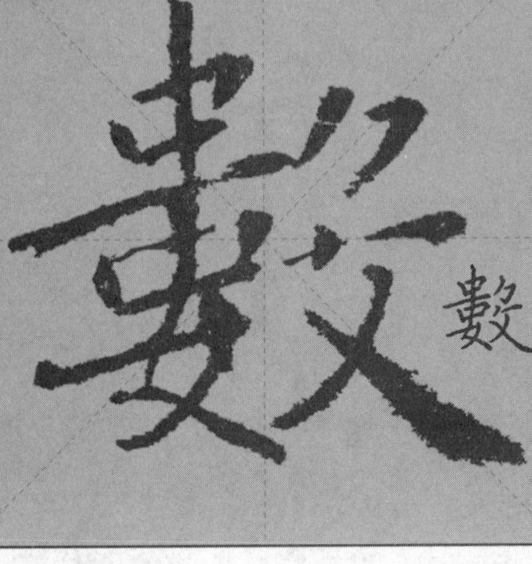
數

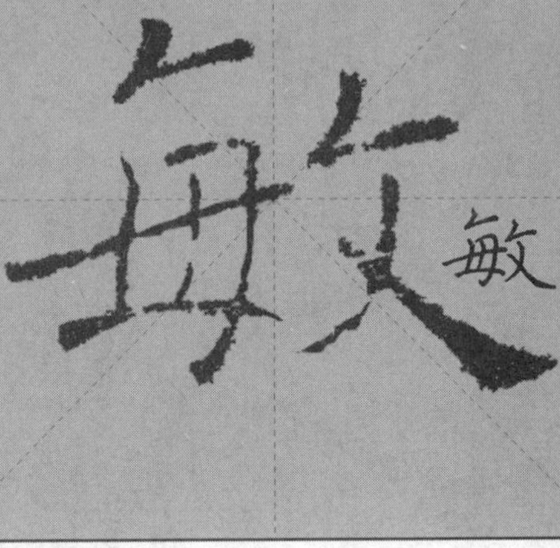
敏

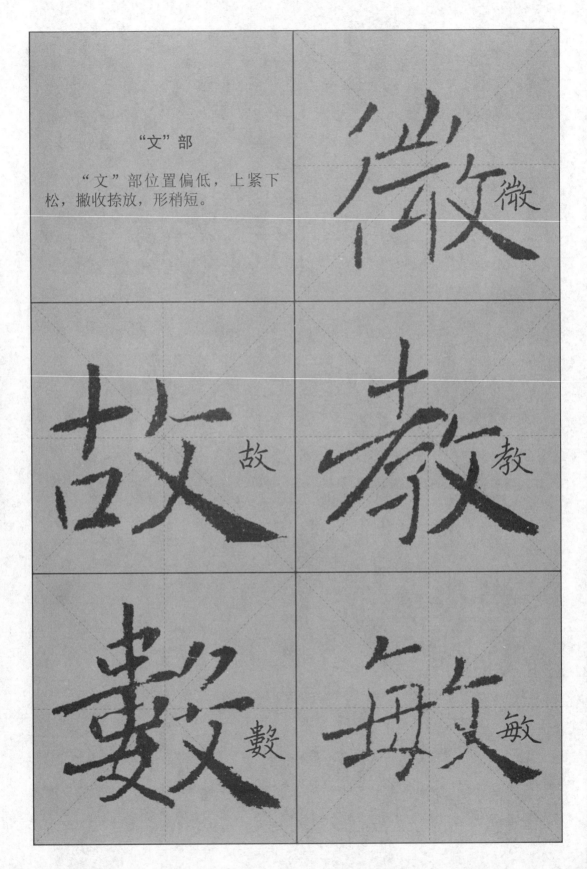

“戈”部

戈部先写短横或长横，横势向右上斜，在斜钩中下部出头起笔写短摘，最后写点，形左倾。

威

識

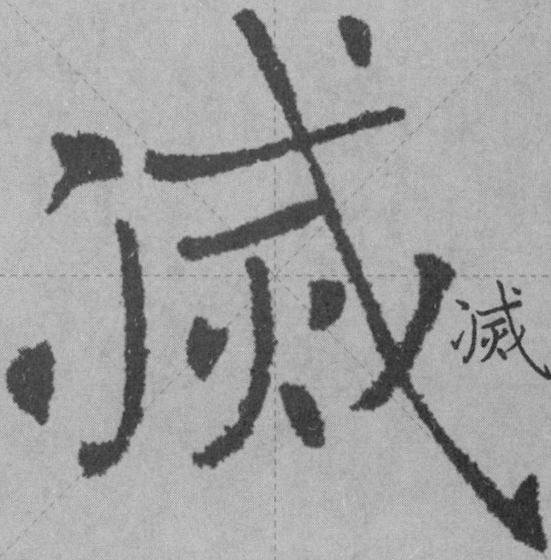
減

成

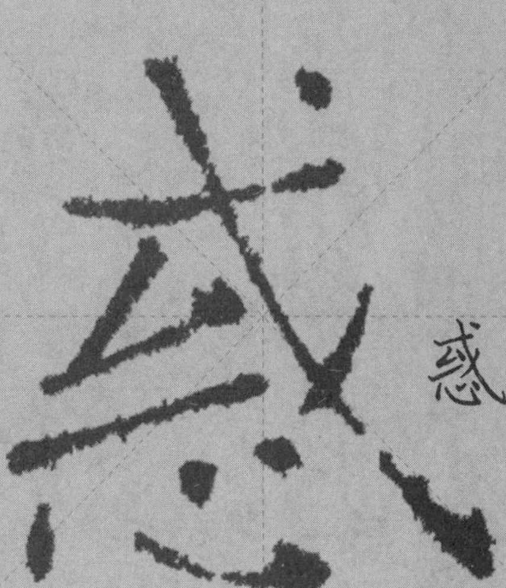
惑

“页”部

页部先写短横，横下再写一短撇，短竖、横折组成的框不宜太大，短横间的间距要均匀，两点底部呈左高右低之势。

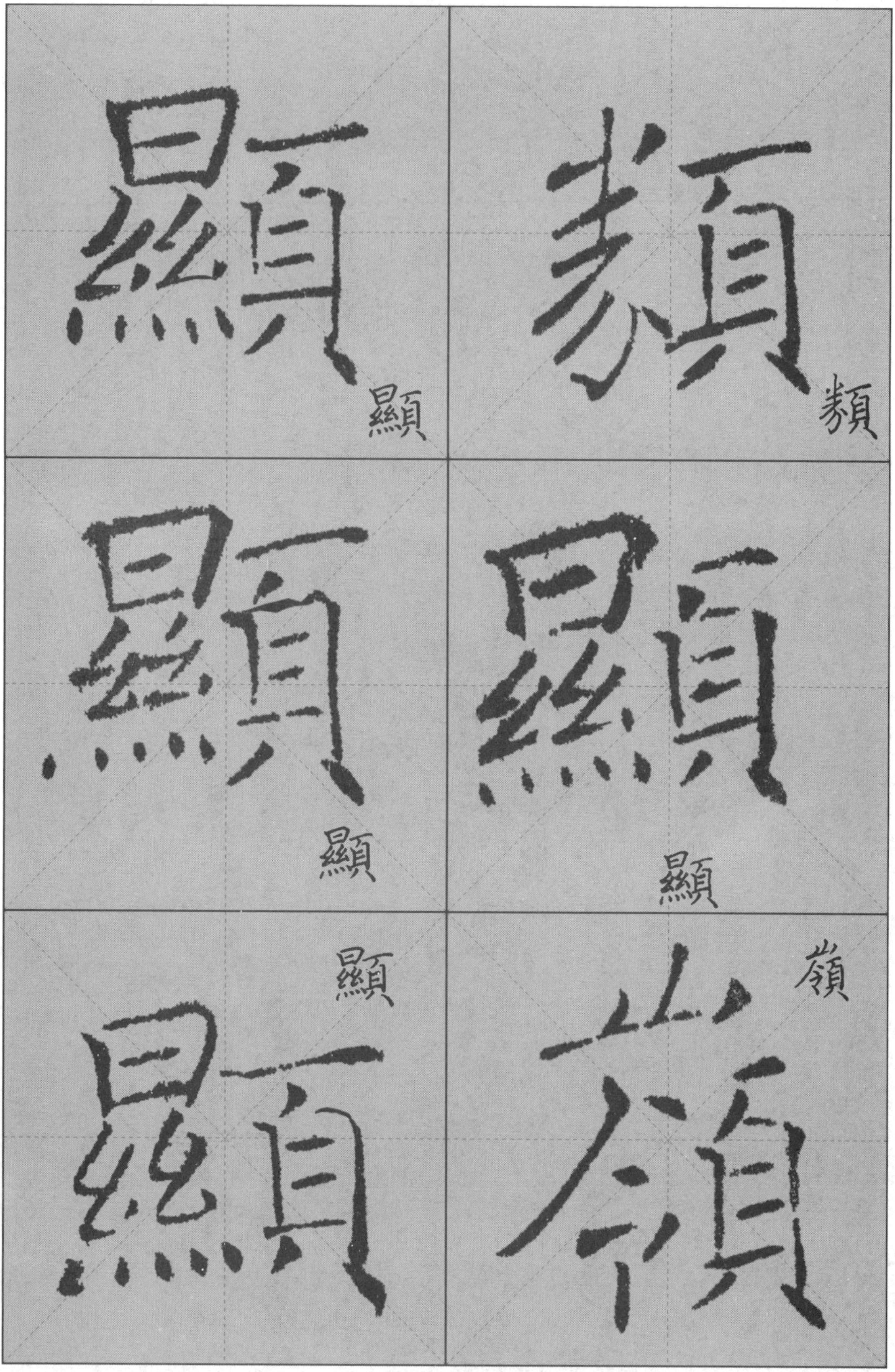
顯
類
顯
顯
顯
嶺

“门”部

两长竖呈相背之势，左短右长，点画分布得均衡有度。

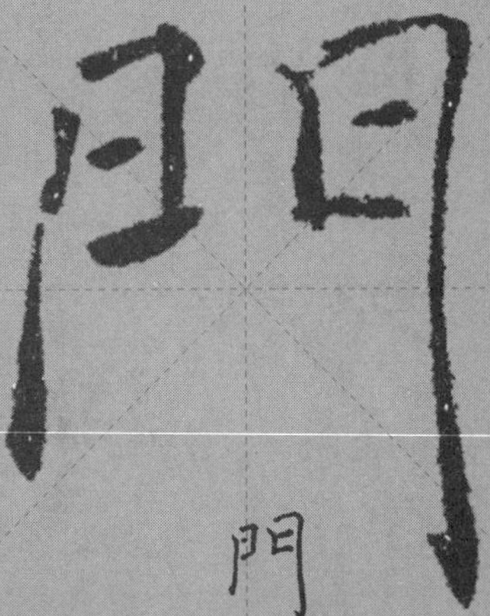

門

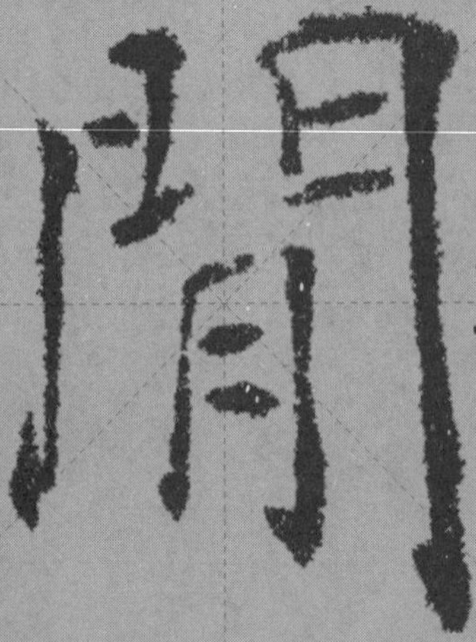

閒

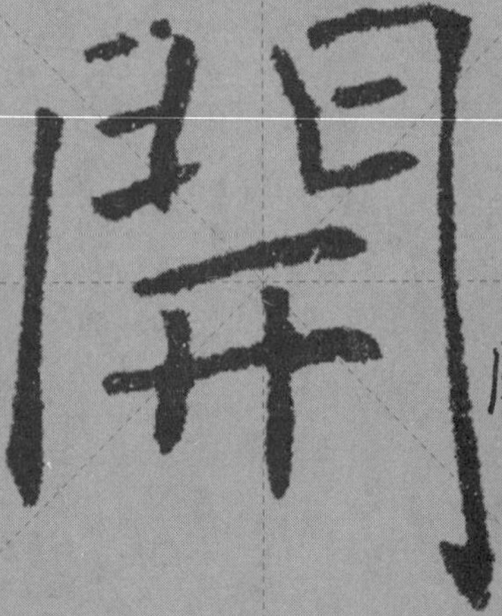

開

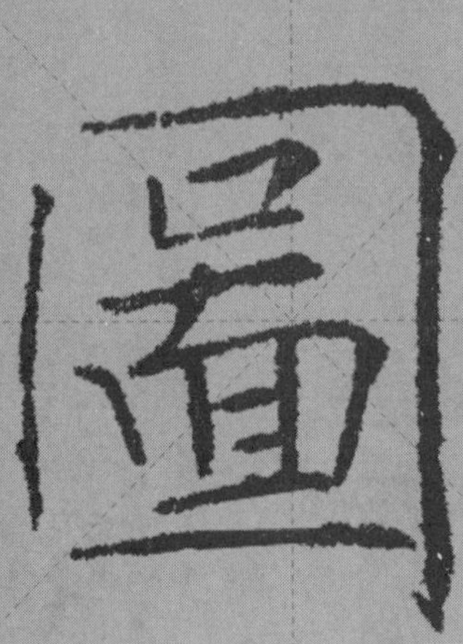

圖

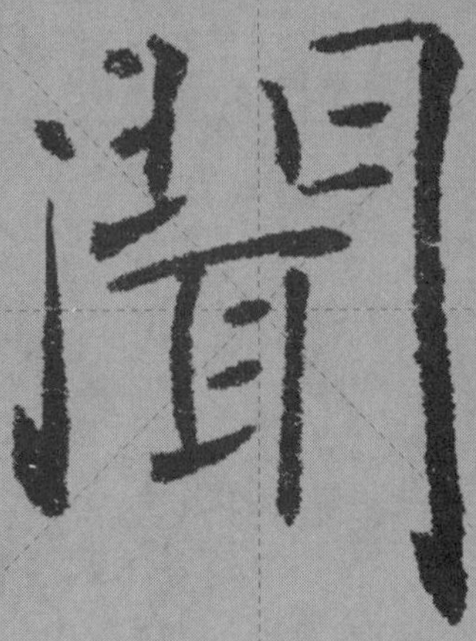

聞

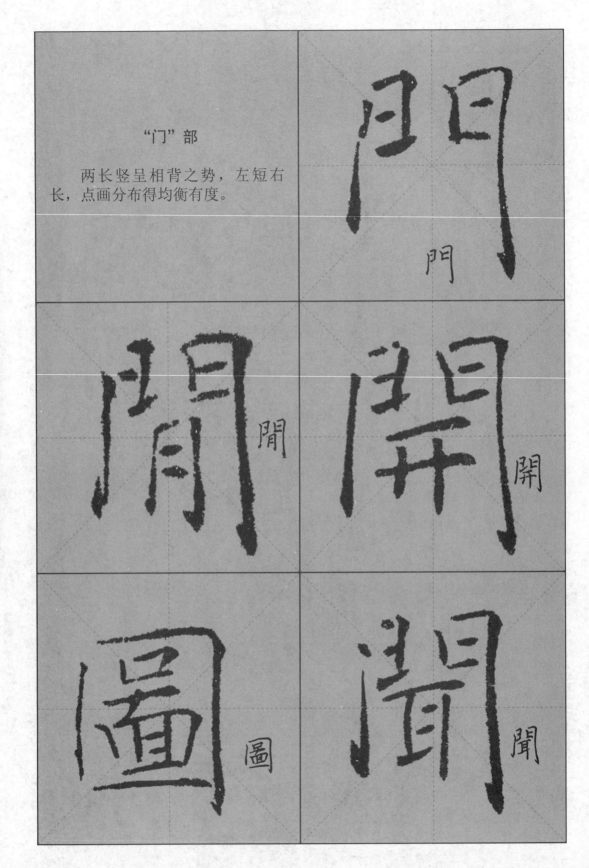

两面包围

这类字的相似之处就是包围部分要有透气之感，使整个字松紧有度。

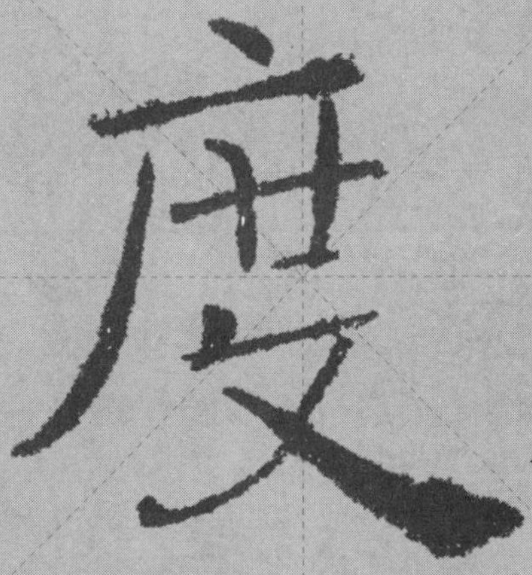

度

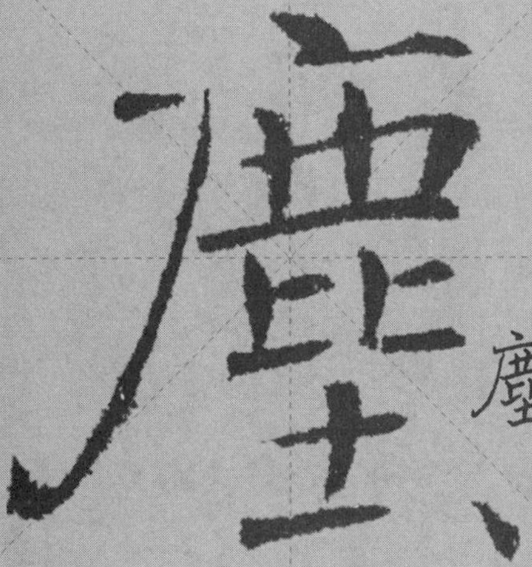

塵

序

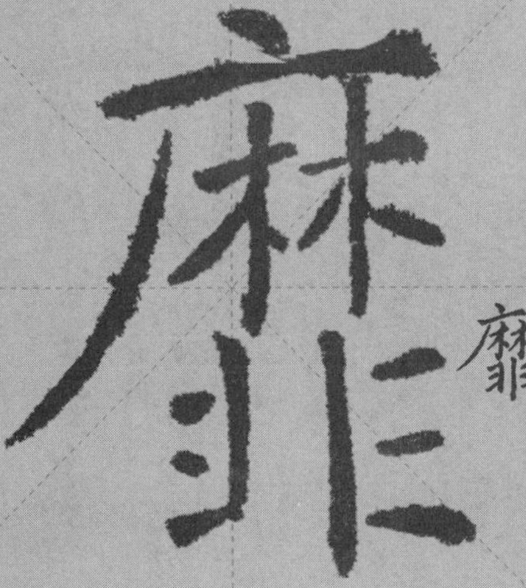

靡

鹿

三面包围

在包围结构中，被包围部分应写得宽松一些，而且略向右倾，使字趋于平衡。

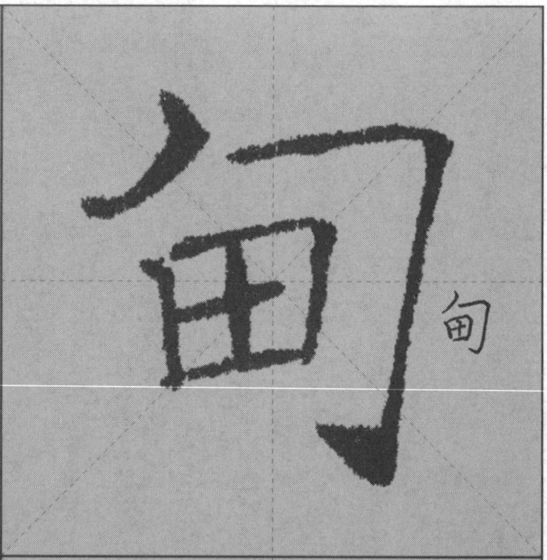

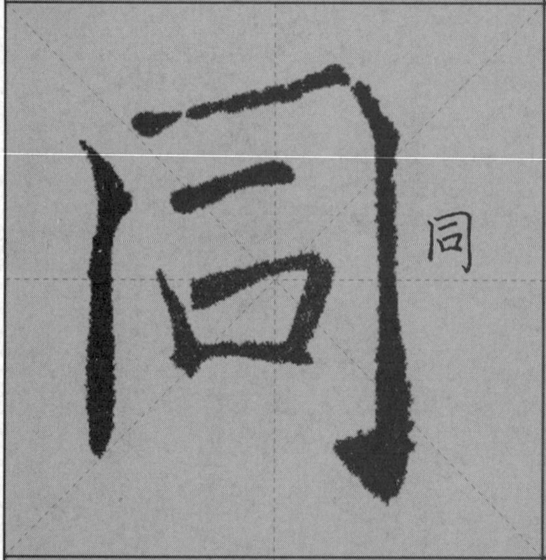

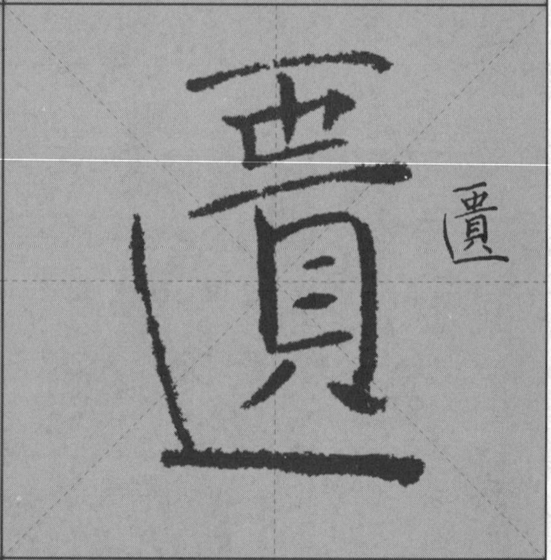

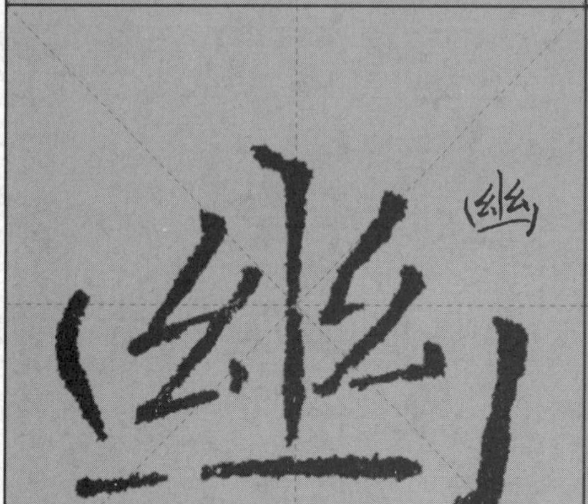

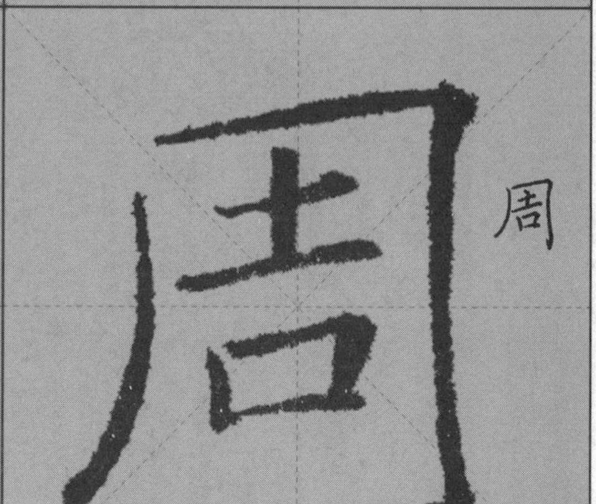

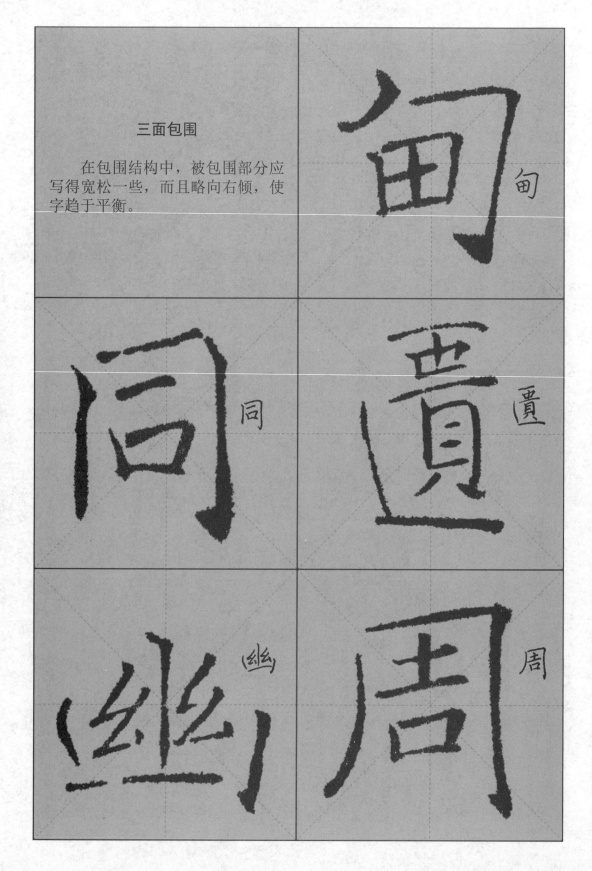

四面包围

整体不宜写大，四角点画不封住，有透气之感。

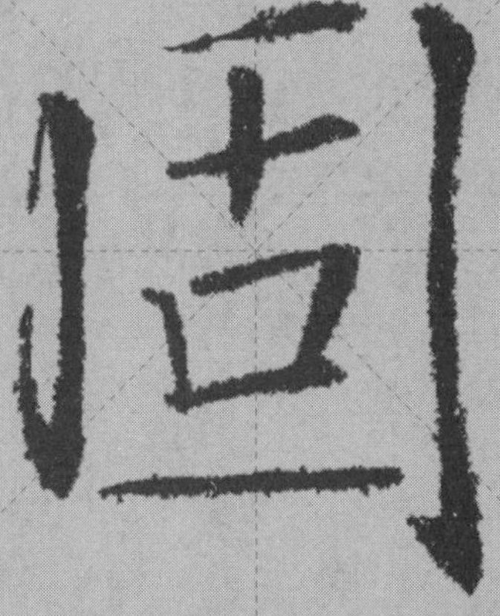

固

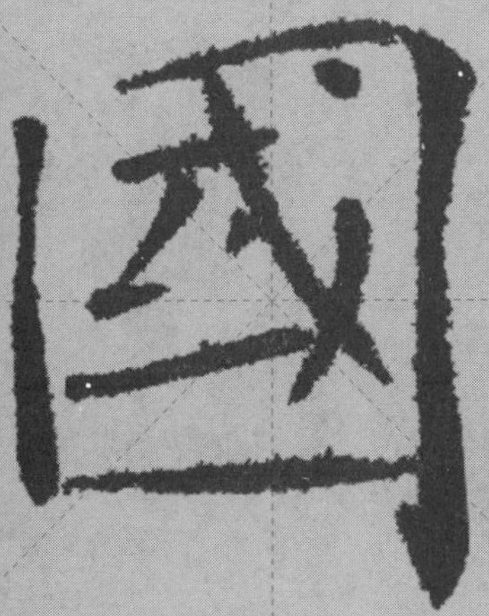

國

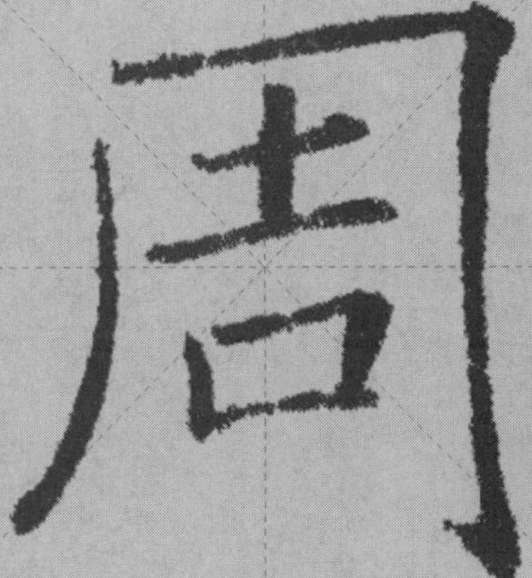

周

圖

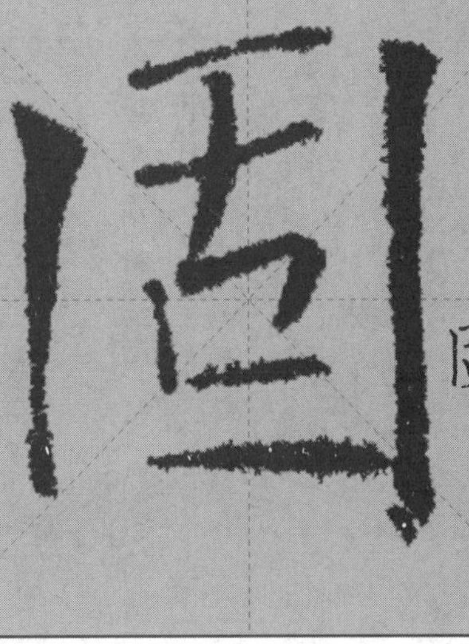

固

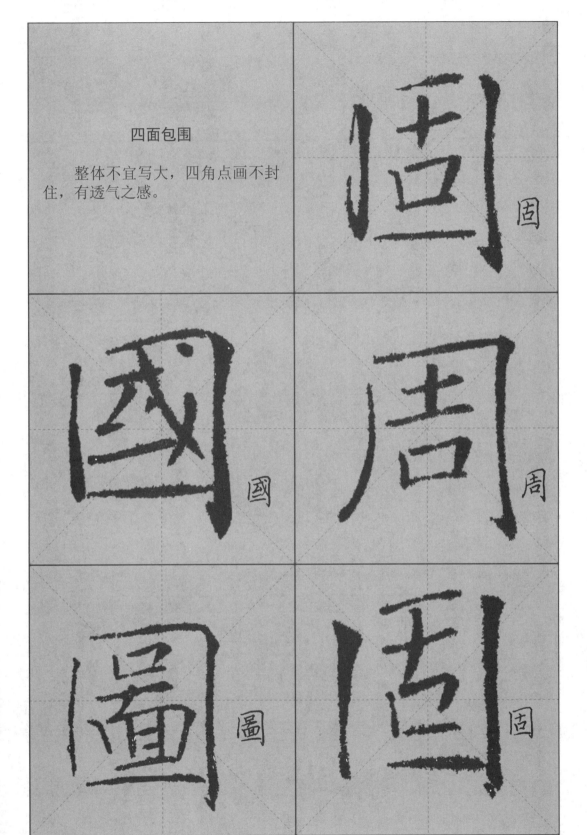

下占地步

凡上窄下宽的字下部字形应写扁宽，上部笔画应收敛，下面载起上面的部件，宜下重上轻。

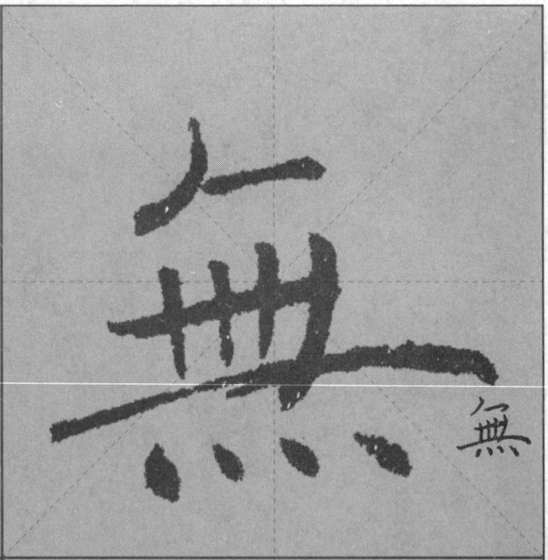
無

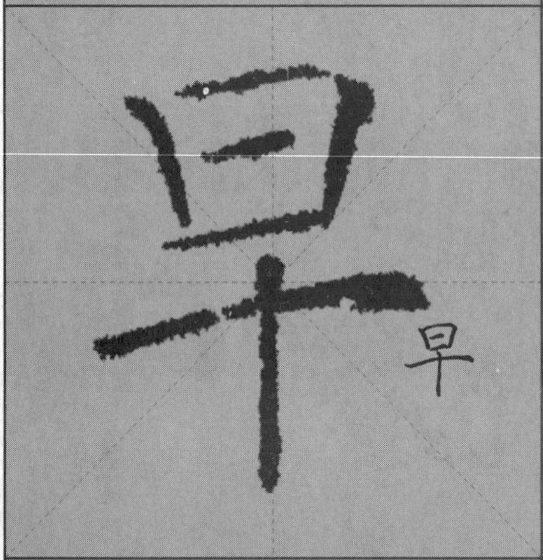
早

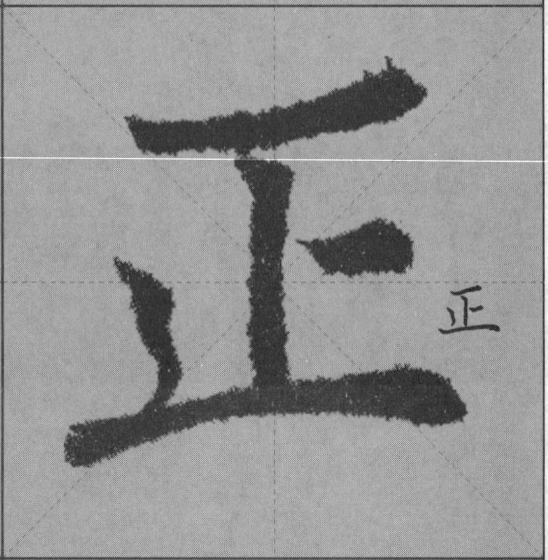
正

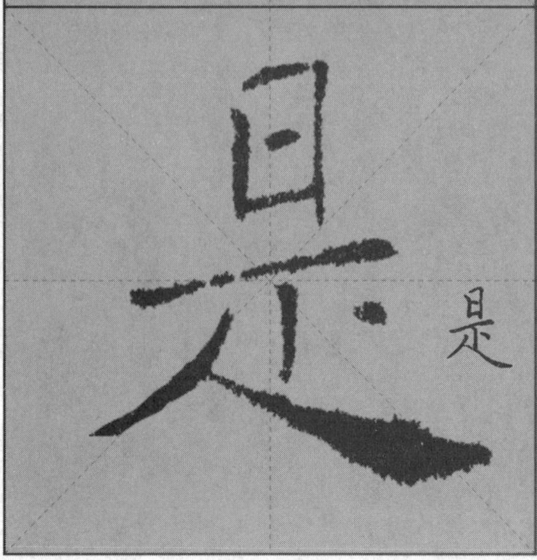
是

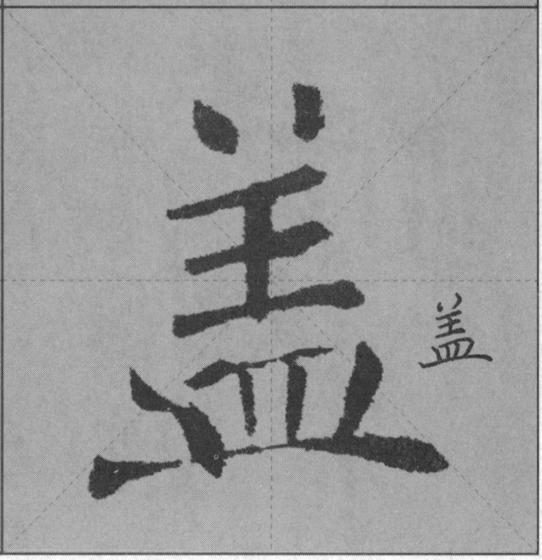
盖

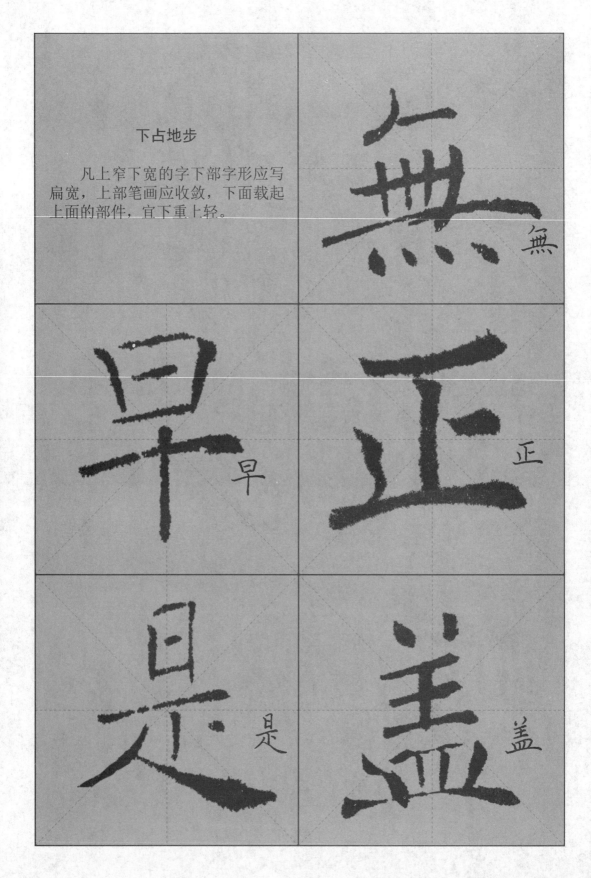

長
至
真
南
衆
要

志
悲
思
豈
容
麗

上下均势

上下部分高度相近，要注意上下匀称，彼此呼应。

音

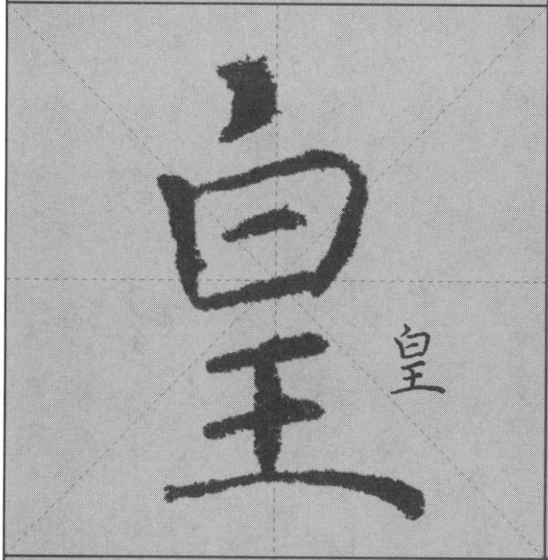
皇

普

思

雪

左占地步

左边笔画较多，形体较宽，约占整个字宽度的2/3；右边笔画少，形体较窄，约占整个字宽度的1/3。

右占地步

左边笔画少，形体窄小，约占整个字宽度的1/3；右边笔画多，形体较宽，约占整个字宽度的2/3。

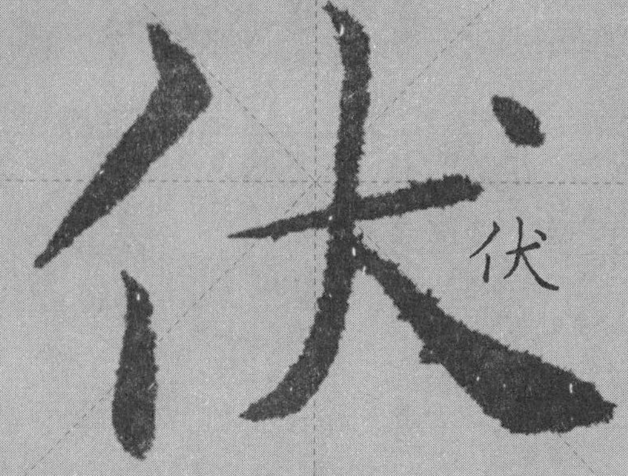

伏

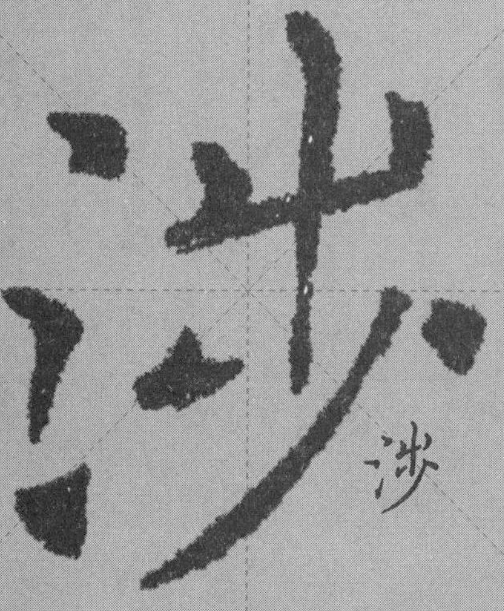

涉

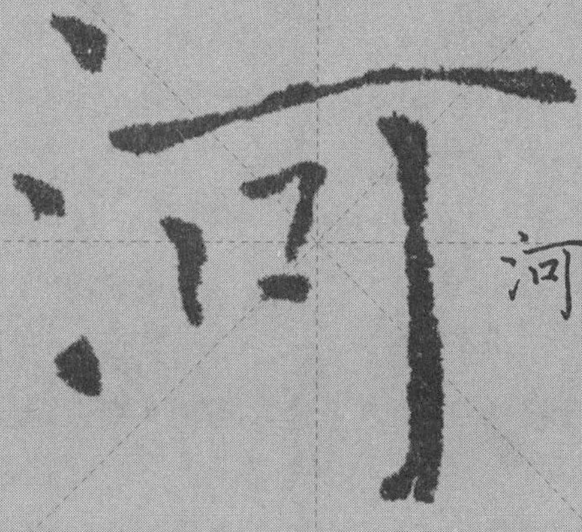

河

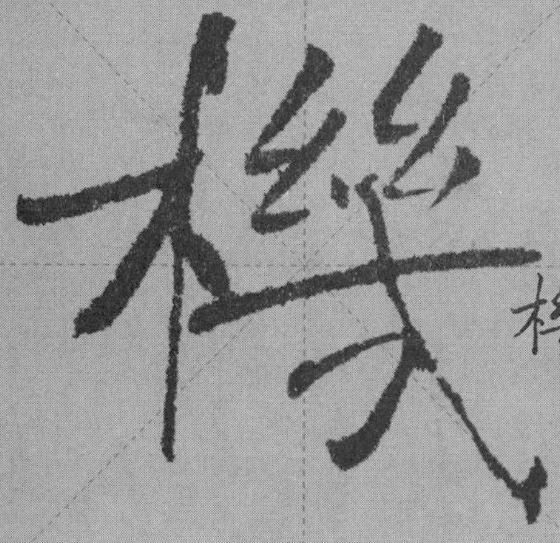

機

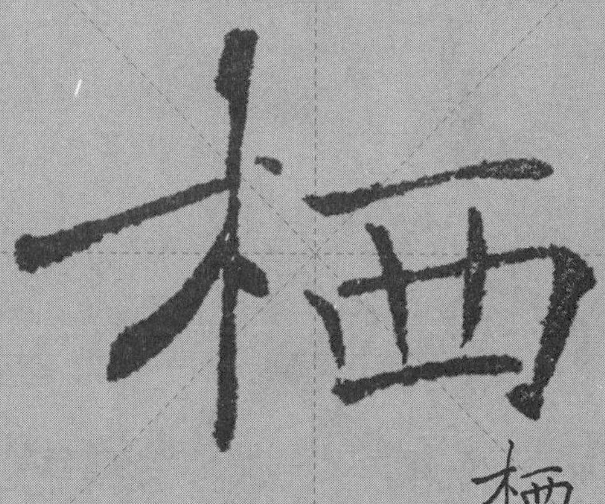

栖

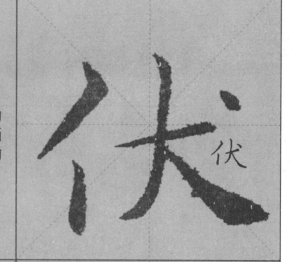

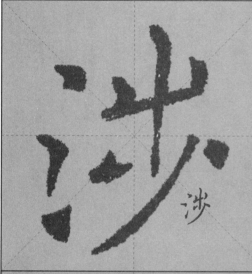

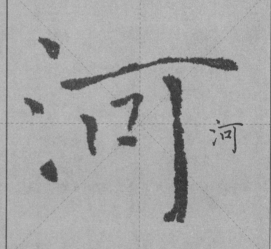

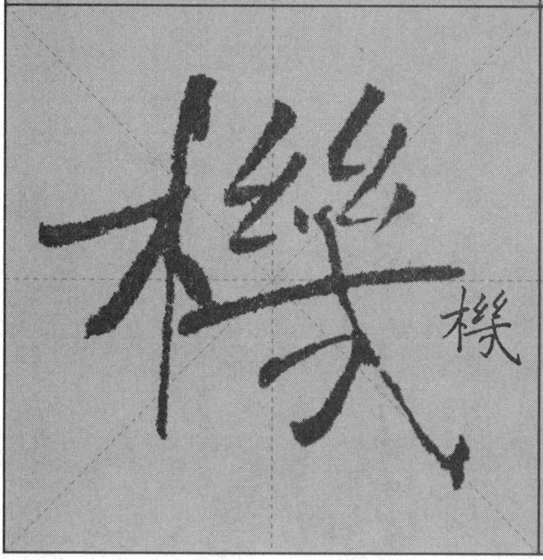

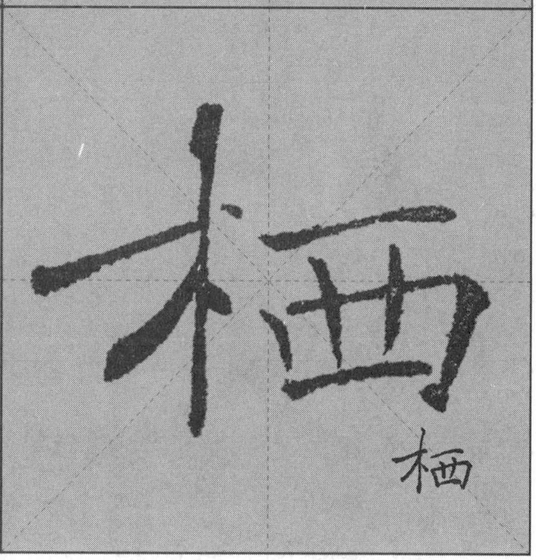

福
禪
炬
燭
挍
接

釋
歸
精
歸
勝
騰

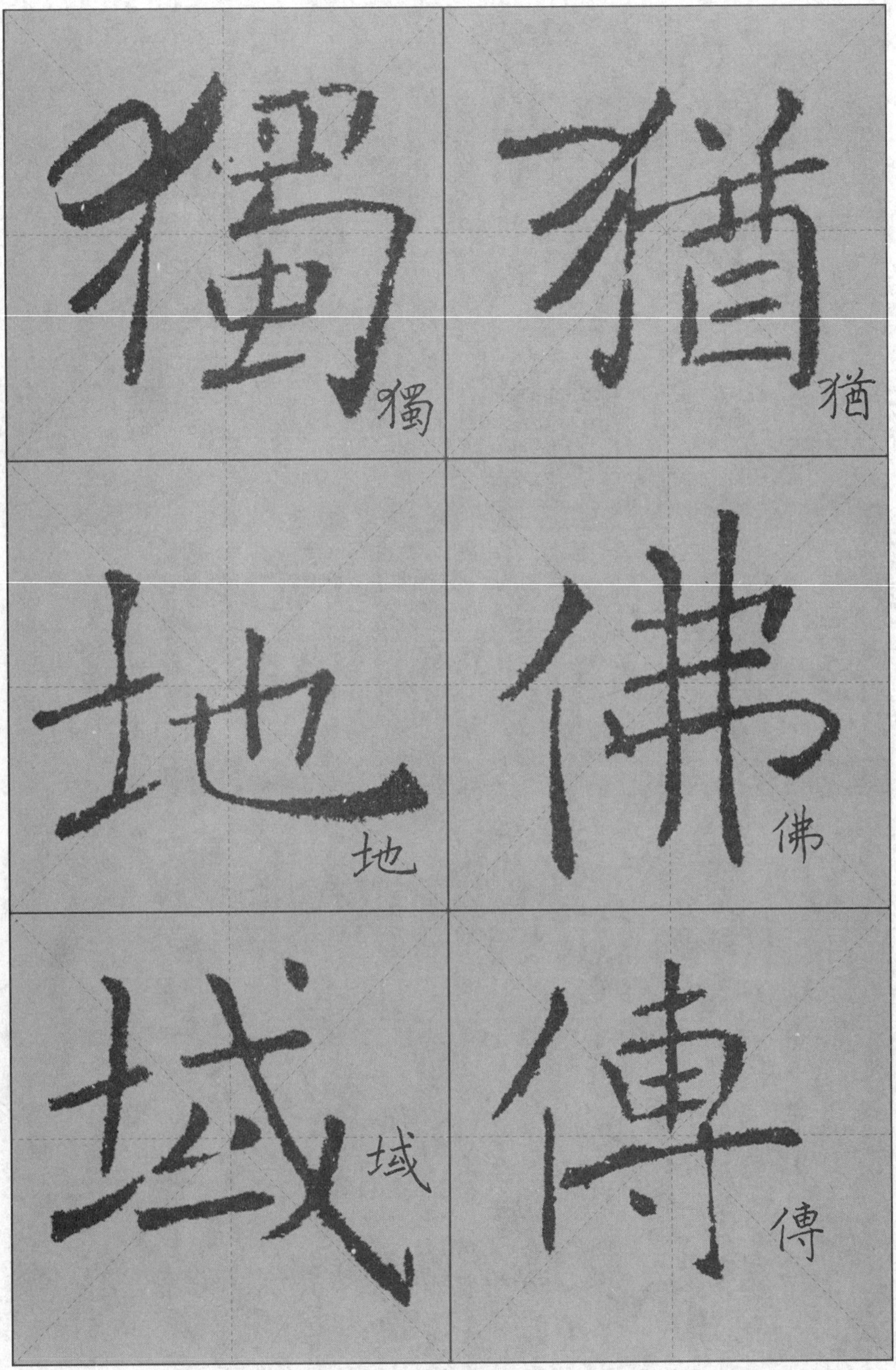
猶
佛
傳
獨
地
域

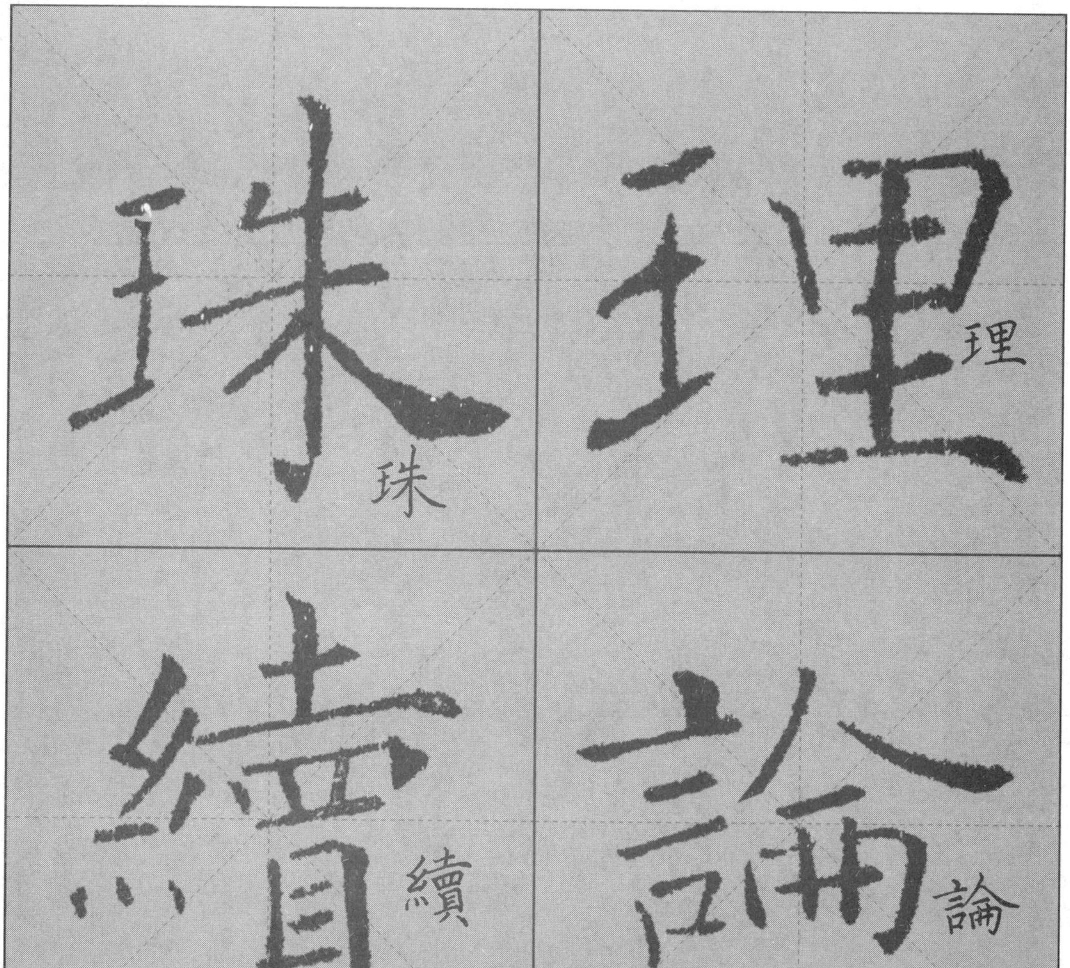
珠
理
績
論
積
時

悟
情
懷
況
濟
源

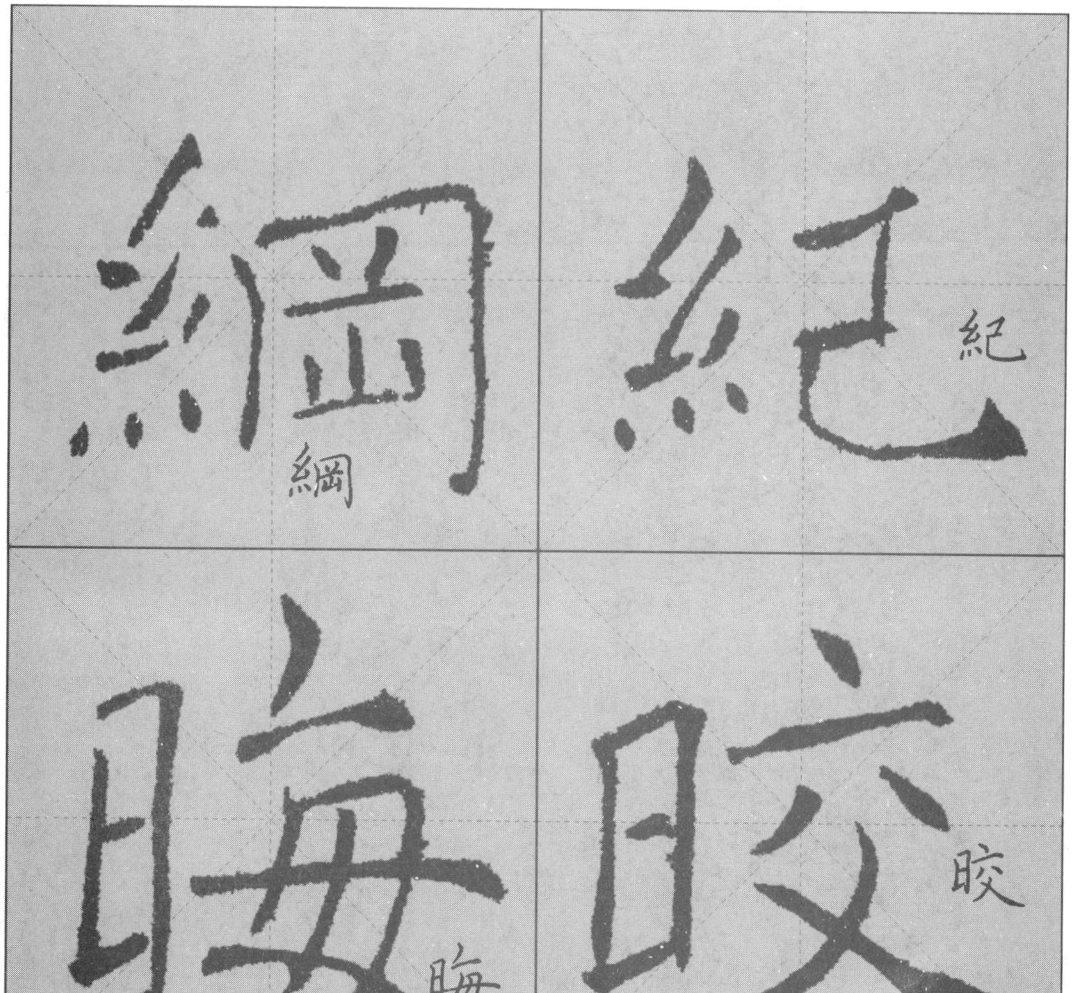
紀
綱
晈
晦
鎮
鏡

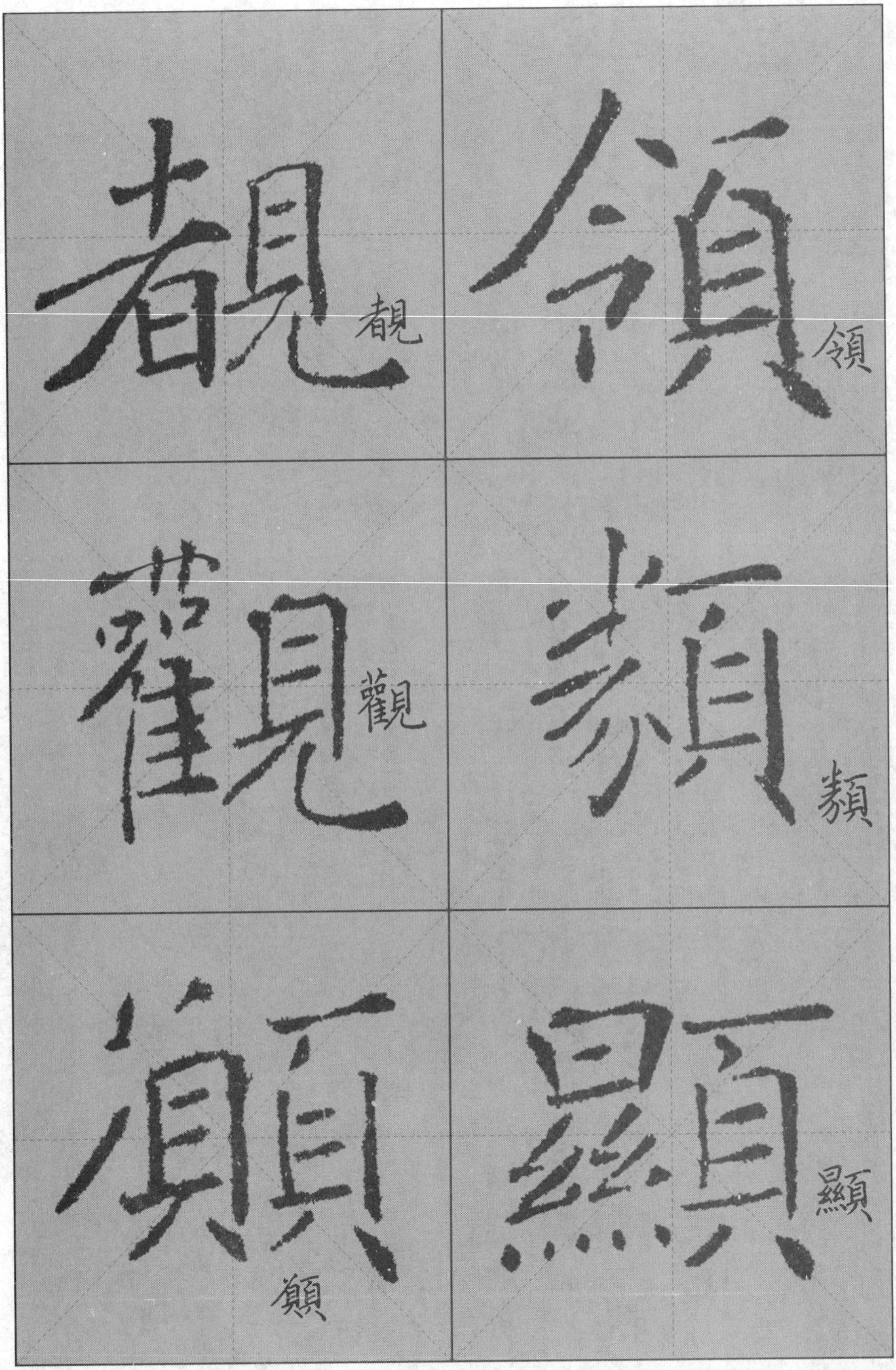
靚
領
觀
頪
顛
顯

左右均势

左右两部分笔画不同，但高低一致，左右并立，宽窄相当，各约占整个字宽度的1/2。其特点是左紧右松，左缩右展，各自成形，相互呼应。

朽

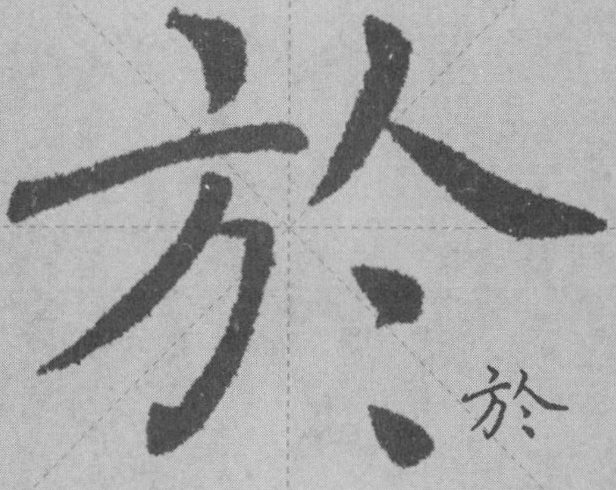

於

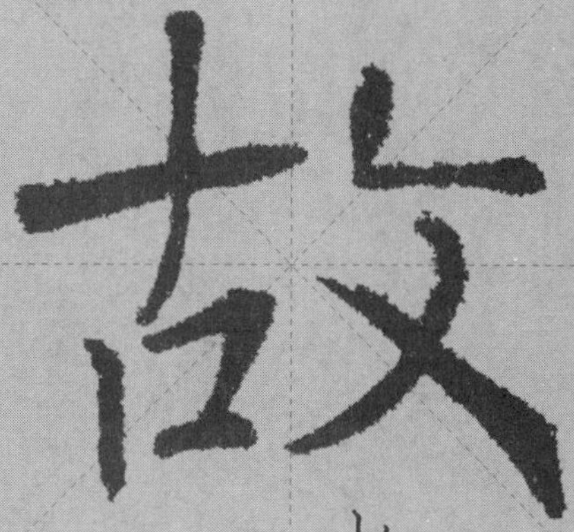

故

能

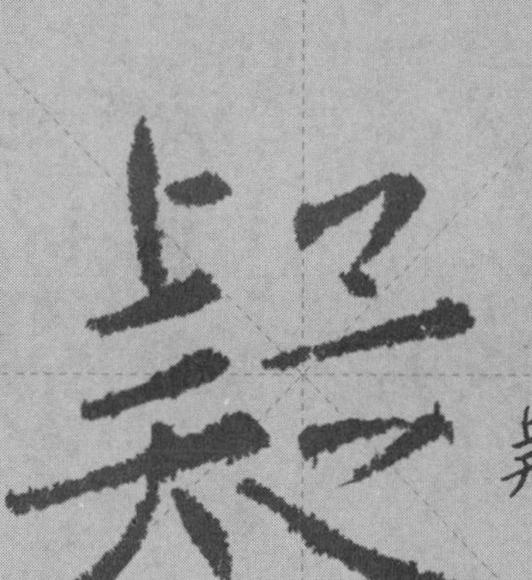

疑

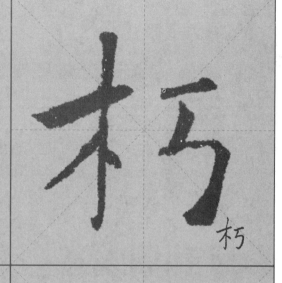

欲
故
玥
馳
明
朗

左中右结构

横向排到，结构不宜宽阔，多讲究穿插和避让。

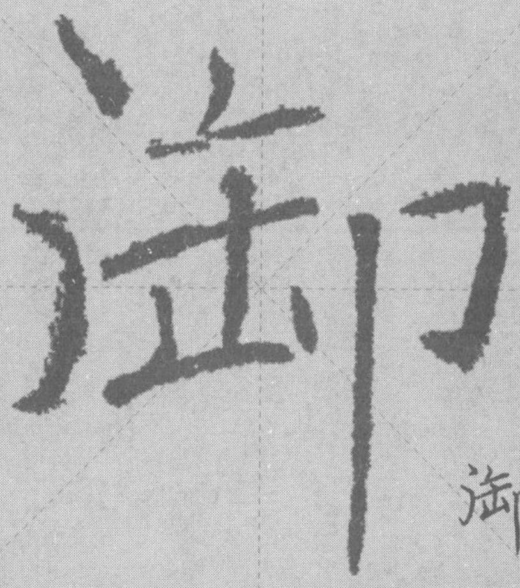

御

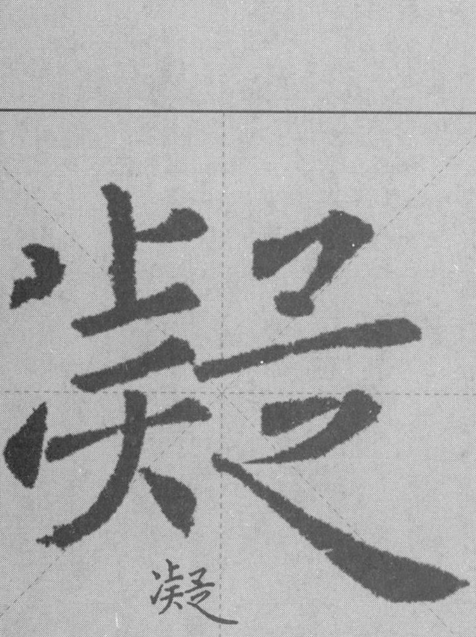

凝

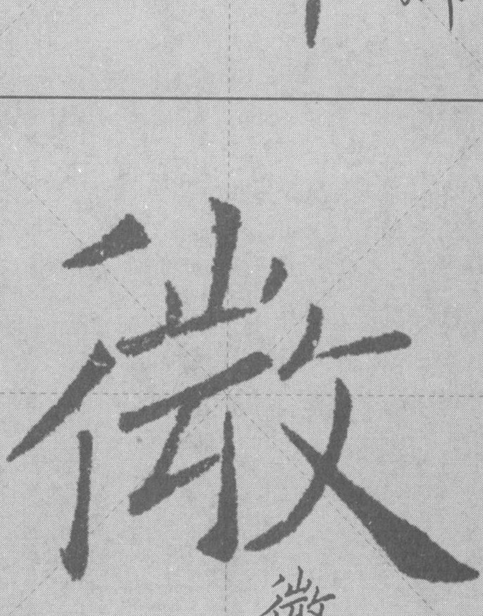

微

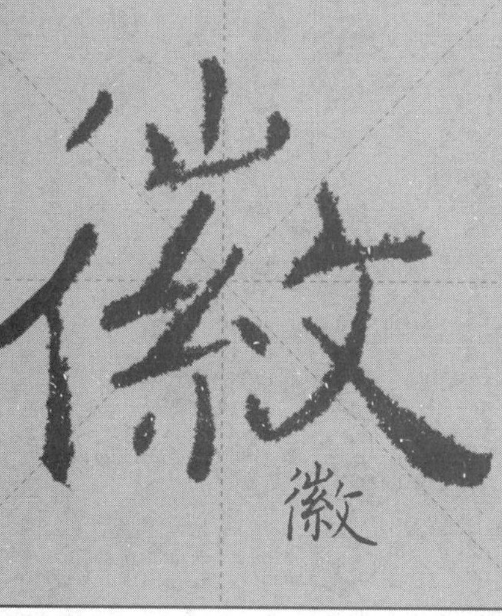

徽

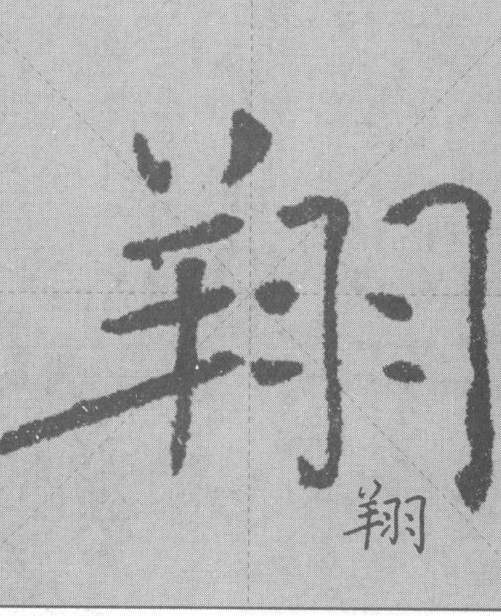

翔

上中下结构

起笔多位于竖中线上，各部件间的纵向重叠宜均衡稳重，避免字形太瘦长。

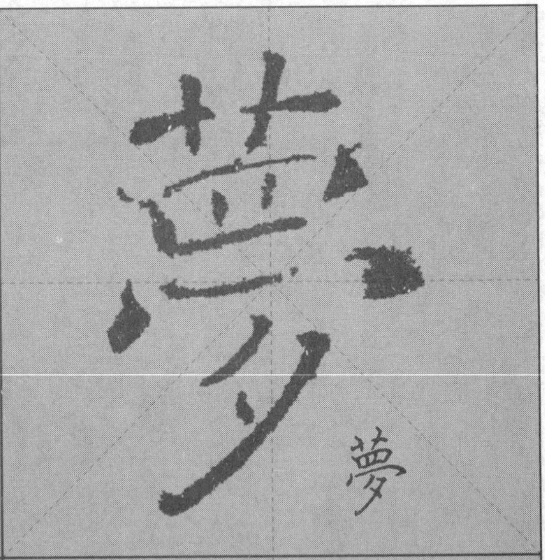

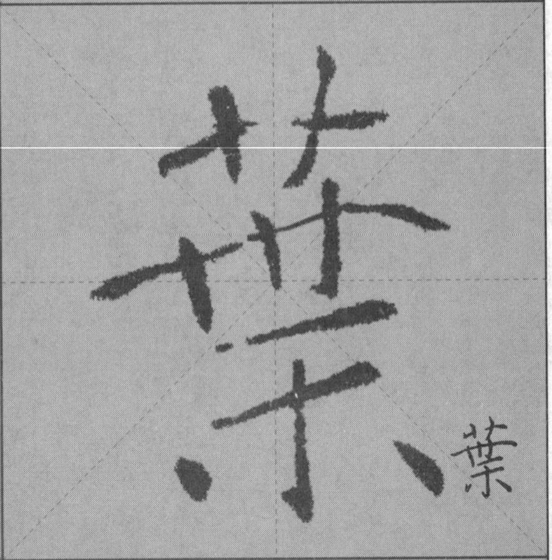

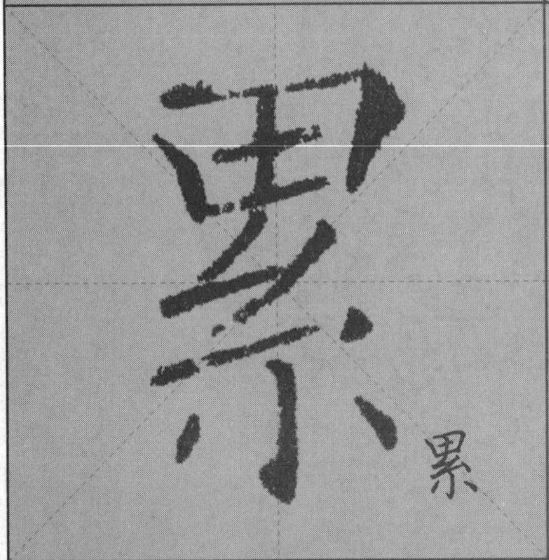

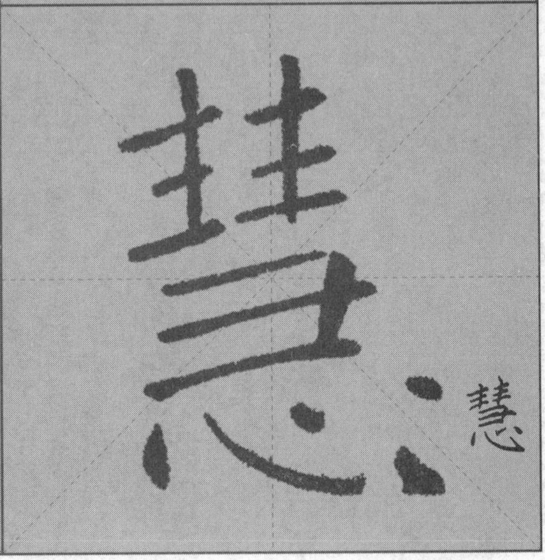

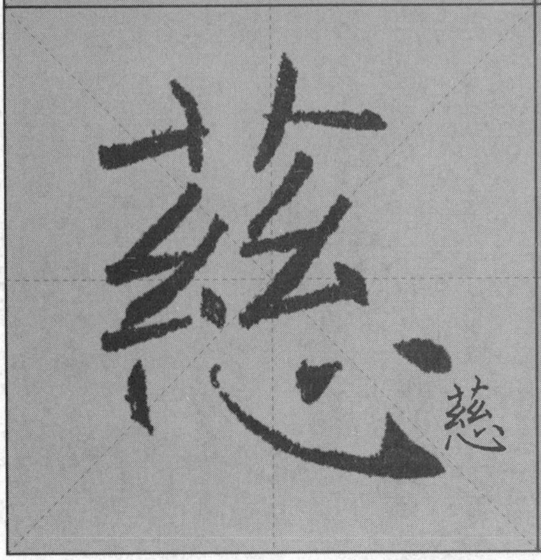

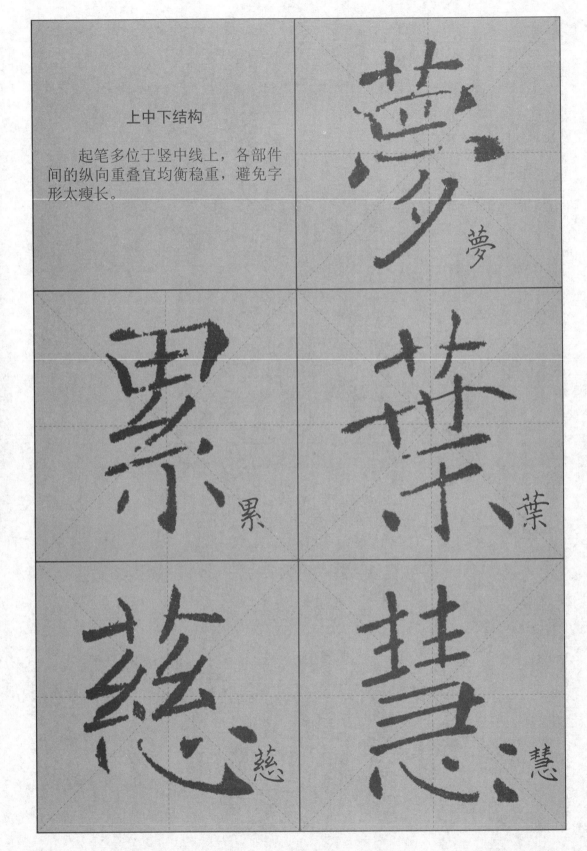

第四章　钢笔字训练

第一节　钢笔书法的执笔和运笔

钢笔字的艺术效果虽然不像毛笔字那样丰富，但因钢笔笔尖有弹性，写出的笔画有粗细、轻重之分，同样能给人以美感。

钢笔字的美，主要表现在点画线条、字形结构和章法格式上。用笔讲究轻重缓急的节奏，点画线条就美；造型注意比例、匀称、平稳、均衡、变化和呼应，字形结构就美；布局整齐而有变化，多样而又和谐，章法格式就美。

钢笔书法的执笔和运笔：一般的钢笔执法，笔杆和纸面的距离角度大都在40°～50°之间。字越小，笔杆和纸面距离的角度越大；字越大，笔杆和纸面距离的角度越小。钢笔尖近处的一条细缝，能开能合，富有弹性，开则粗，合则细。写小字时，笔杆几乎垂直，笔尖轻轻着纸，可以划得很细，转折处稍微用力按压，笔尖微微张开，笔画就粗些。这样，即使很小的字，也能像毛笔字一样显出笔势，但要注意，笔尖垂直，很容易触破纸面。笔画的某些地方宜轻而细，某些地方宜重而粗，每一笔有每一笔的规律。接下来的篇章会详细讲解。

钢笔书法的运笔方法：钢笔运笔，是用手指去拨动笔杆，用轻重、快慢和刚柔的书写节奏变化达到钢笔字风格或沉着有力或遒劲秀美的目的。在运笔时，为了改善笔尖活动范围较小，起落变化也不大的弊端，可以将小拇指调动起来，起到一种支撑和调节的作用。钢笔用笔要像毛笔一样，注意四个字："提"、"按"、"快"、"慢"，突出刚与柔、粗与细、静与动、曲与直的特点。

第二节　钢笔楷书、行书的特点

一、钢笔楷书

钢笔楷书的笔画有提顿、藏露、方圆、快慢等用笔方法。不同的用笔方法产生不同的形态、质感的线条。每一个笔画的起笔和收笔都要交代清楚，工整规范，不能潦草、粘连，但笔画与笔画之间又要有内在的呼应关系，使笔画起收有序，笔笔分明，直而不僵，弯而不弱，流畅自然。

练习楷书，应从笔画和结构两方面下工夫。练习笔画，主要解决用笔方法问题，就像生产一部机器，先要把所有的零部件检验合格一样，属于钢笔书法的基本功。练习结构，主要解决笔画和部首之间的组合方式问题，目的是学会结构方法，掌握结构规律，从而达到将字写端正、整齐、美观的要求。通过大量的练习大家会深刻地体会到，写好钢笔字的关键在于其间架结构的正确布局，在于基本笔画与组成部分的合理调整。我们在写字的结构时应该追求笔画和部首均衡分布，重心平稳，比例适当，字形端正，并合乎规范。

二、钢笔行书

宋代书法家苏东坡对楷书和行书的关系曾作过十分形象的比喻：“楷书如立，行书如走”。“立”不稳固然谈不上“走”好，但也并不等于只有把楷书写得非常精到后才能写行书，而是讲学习书法必须先从楷书入手，掌握一些楷书笔画结构的基本法则，这对于学习行书是非常有帮助的。反之，学习了行书也可以进一步促进对楷书的认识。

钢笔行书是介于楷书和草书之间的一种书体，它可以牵丝连带，大小参差，省略笔画，改变笔顺，可以极尽变化之能事，容易写得气势连贯、跌宕起伏，表现出艺术效果。当然，因其写得较快，从而具有极强的使用性。

与楷书相比，行书具有以下几个方面的特征。

1．减省笔画。为了书写简便，行书对楷书的某些部位作了简化，或减省笔画，或合并线条。

2．笔势流动。行书的书写较楷书流畅，笔画之间的牵引顾盼增多，笔势流动的同时，也让整个字体生动不少。但需注意的是，字体中的牵丝连带不宜太多，不然用笔就显得不干净，造型也不美观。同时因为行书书写时采用的是草书的笔顺，同原有的楷书笔顺不同，其目的在于更加便于书写。这种笔顺的改变是有一定规范、规律可循的，不能随便臆造，不然就会给识别造成困难。

3．用笔灵活。行书用笔比楷书灵活，同样的点画在不同的场合布局里可以有不同的写法，受约束较小。

4．体态多变。行书是介乎于楷书和草书之间的一种字体，其活动范围广，表现力丰富，往往一个字有几种写法，体态灵活多变。

第三节　笔画、偏旁及范字

关于钢笔书法的书写格式，有横写式和竖写式两种。不管是哪种书写方式，我们都应该考虑谋篇布局的艺术性，布局得当更能为你的作品锦上添花。

一、疏密参差

清代邓石如说过：“字画疏处可以走马，密处不使透风，常计白当黑，奇趣乃出。”古代书画理论家姜白石在《续书谱》中则说得更清楚：“必须下笔劲静，疏密停匀为佳，当疏不疏，反成寒气；当密不密，必致雕疏。无以上皆说明了作品中疏密设计的重要性。疏不能成密，无密不能见疏，只密不疏，显得寒气；只疏不密，显得雕疏太荒寒。”

二、气韵生动

完整的书法作品中线条节奏和空间节奏共同构筑而生成一种行气，能充分展示笔法流动贯通的自然美的特征。整幅作品表现出一种意态活泼、完整而生动的整体艺术感。

三、线条的艺术

钢笔书法是典型的线型结构，它流美的线条和灵巧的牵丝映带贯穿于章法结构之中。流动而富于节奏的线条，一方面能产生生动活泼的布白，同时又能分割出流走的空间。

钢笔笔画偏旁结构示范

名称	序号	类　别	技　法	点画示范	名称
点	1	右斜点	从左上向右下由轻到重呈弧线顿笔。	丶	戈 文 言
	2	左斜点	由上方向左下方，起笔轻，收笔重，回收。	丿	心 少 写
	3	撇　点	呈45° 角入笔向左下方撇出。	丿	火 立 平
	4	挑　点	呈45° 角入笔向右上方挑出。	㇀	河 病 冷
	5	左右点	左斜点与右斜点的组合。	八	朵 小 其
	6	相背点	左边点空中向右下顿笔，然后向左下方迅速出锋，右边点的写法与右斜点相同。	八	共 交 俊
	7	相向点	左边点由轻到重向右下顿笔，与右边点笔断意连，右点搭锋向左下顿。	丷	并 关 羊
	8	斜长点	右斜点加长。	㇏	食 女 不
横	1	长　横	45° 角入笔，行进中求平稳，但要有弧势，中间稍拱，两头略低，收笔时向右下顿笔。	一	十 血 亩
	2	短　横	由轻到重，稳重有力，左细右粗，顿笔向左回锋。	一	三 奉 春
竖	1	垂露竖	45° 角入笔右下，转笔向下，至收笔处向左上推提。	丨	恒 使 陈
	2	悬针竖	45° 角入笔右下，转笔向下，至3/4处，逐渐提笔出锋。	丨	中 师 丰
	3	短　竖	起笔同垂露，后直下行，因势收笔。	丨	壬 工 去

名称	序号	类　别	技　法	点画示范	名称
撇	1	横　撇	由横和撇组成，横收笔处顿笔，向右下呈弧线轻运行，笔力送到顶点。		汉　又　受
	2	斜　撇	45° 角入笔，随即向左下由重到轻呈弧线行笔，行笔要舒展有力，直至撇出。		匆　夕　公
	3	竖　撇	前半部分写法同垂露，至2/3处，向左下撇出。		月　被　用
	4	平　撇	空中向右下顿笔，后转向左下迅速撇出。		放　牛　免
捺	1	斜　捺	轻入笔，略右行后即转入向右下行笔，力渐大，至收笔处顿笔平地出锋。		史　令　求
	2	平　捺	写法与斜捺基本相同，只是它的倾斜度比斜捺更平一些。		之　足　通
挑	1	挑	写法同挑点。		绝　致　辅
钩	1	横　钩	写横至出钩处，笔微微向右下按压，然后迅速向左下撇出。		宙　家　雪
	2	竖　钩	写竖至钩处，后转腕掌心外翻，由重到轻向左上呈45° 角挑出。		示　才　倒
	3	斜　钩	45° 角入笔，后向右下呈弧线运笔，至钩处顿笔挑出。		我　战　武
	4	卧　钩	由轻到重，呈弧线运行，至钩处顿笔，向字心钩出。		心　必　思
	5	竖弯钩	由竖画圆润地转为横画，笔行至末端，向右上方挑。		也　九　色
折	1	横　折	横画收笔处顿笔向左下行笔，终点稍顿回锋收笔，30°～45°角，因字而异。		田　直　日
	2	竖　折	先写竖，在将要折向横笔时，腕转掌心向里翻，然后向右行笔，至横尾处回锋收笔。		画　函　屯
	3	撇　折	为撇和挑的组合，撇至折笔处，提笔下压略内推，向右上挑出。		车　至　云

序号	名　称	技　法	点画示范	例字示范
1	口字旁	（1）宽度大于长度； （2）上宽下窄，呈倒梯形状； （3）横折中的结尾处被最后一横遮住。	口	唯　味
2	立　刀	（1）第一画为短竖，居中偏上； （2）竖钩是整个字的主笔，最长。	刂	则　倒
3	竖心旁	（1）左、右点位于垂露竖的中偏上，断开； （2）左边一点是左斜点，右边一点是短横且高于左斜点，和竖相连。	忄	恨　情
4	提手旁	（1）横、提被竖钩分别分成两段，要左长右短，提从钩中部穿过； （2）其中的竖钩在整个字中笔画最长。	扌	拍　把
5	绞丝旁	（1）撇画、挑画之间的空白要均匀； （2）几个点画的重心要在一条垂直线上； （3）三提平行挑出。	纟	线　绞
6	女字旁	（1）中宫收紧，撇折角度大于90°； （2）第一画是撇点； （3）第三画是提，左长右短。	女	如　妙
7	弓字旁	（1）上密下疏，三横匀排； （2）向右倾斜。	弓	弦　弘
8	反犬旁	（1）第一画撇的起笔高于弯钩的起笔； （2）弯钩的弧线要自然，出钩要果敢； （3）两撇大致平行。	犭	狼　猛
9	火字旁	（1）两点是相向点且遥相呼应，左低右高； （2）最后一捺要变成左斜点和竖撇连。	火	灯　烟
10	戈字旁	（1）斜钩是整个字的主笔，要长，点画宜平； （2）戈字边要向左倾斜。	戈	戏　城
11	月字旁	（1）撇是竖撇； （2）三横之间的空要均匀，上密下疏； （3）里边两横靠上，右边与横折钩不相连。	月	肤　胎
12	金字旁	（1）第二画是短横； （2）撇、短横交叉处与竖提重心要在一条垂直线上； （3）竖钩对着撇的起笔。	钅	钢　针
13	单人旁	（1）斜撇宜短； （2）竖为垂露； （3）对准撇的腹部。	亻	们　他
14	三点水	（1）第一点与挑点重心要在一条垂直线上，第二点在挑点的左上方； （2）三点成弧线。	氵	河　泥
15	病字旁	（1）第四、第五画中的两点要写在撇的上方； （2）病字旁的下部分宽度要超过第二画横的宽度； （3）撇的斜度因字而变。	疒	疾　疼

序号	名　称	技　法	点画示范	例字示范
16	春字头	（1）三横之间的空要均匀； （2）撇、捺要长； （3）捺的起笔偏右。	夫	泰　春
17	竹字头	（1）撇、横、点分别平行；点可变化； （2）左低右高。	⺮	等　答
18	穴宝盖	（1）横钩要长，二点和钩断开； （2）下面两点要根据下半部分的长、短而有所变化。	穴	空　帘
19	人头字	（1）整个字上宽下窄； （2）撇短捺长，角度在90°左右。	人	禽　余
20	学字头	（1）三点紧凑、呼应，中为斜点； （2）前两点宜高，撇点长，与横钩相连。	⺍	学　觉
21	党字头	（1）左右两点为相向点； （2）中为短竖； （3）上部分要紧凑。	⺌	常　堂
22	山字头	（1）上宽下窄； （2）三竖之间的空要均匀。	山	岁　端

第四节　钢笔常用字范例

上	万	亡	寸	才	云	毅	与	马	鸟
子	亏	专	壬	不	躬	卅	廿	开	井
互	丹	丑	六	兴	击	披	共	矢	止
丈	伍	懂	祥	爆	厅	胁	碗	滚	授
玻	奉	捕	乏	扎	墨	络	词	夹	摄
仙	艰	秘	泻	淌	婆	竿	唤	垂	愁
喷	炼	糊	涂	叹	丁	狱	壳	泰	鸣
予	倾	贺	舍	虑	秀	贞	朗	售	腿
妄	稍	舆	辈	辟	斜	鹰	叔	宪	腐
幅	挑	锦	劲	璃	腰	汁	浓	乒	阀

系	已	变	形	它	边	循	阶	报	官
决	她	及	争	声	北	孝	求	世	要
美	再	听	才	运	必	锁	安	取	被
南	接	华	干	区	身	芳	济	共	计
若	格	断	甚	速	言	抚	采	哪	离
县	写	台	古	远	士	赴	感	般	呀
低	确	晚	害	细	标	嚷	兴	房	游
消	够	坐	足	史	飞	怨	注	紧	食
列	失	候	周	破	推	偿	温	英	喜
片	苏	首	价	双	赛	丛	证	木	角
族	苦	引	始	哥	跟	睁	念	故	助
容	需	落	草	项	功	惭	送	巴	船
鱼	虽	音	试	包	舰	洋	怕	似	罢

尺	云	副	男	致	适	宅	协	靠	艺
脚	换	配	宽	迫	洲	飘	久	财	免
旅	错	姐	归	令	余	辅	读	创	置
益	穿	端	抗	独	某	眠	判	闻	敢
养	满	防	红	修	田	骄	妇	银	城
职	止	希	查	江	站	绵	村	曾	黑
段	随	费	黄	父	续	仆	乐	块	买
衣	型	状	视	愿	投	桂	司	欢	效
响	刻	存	尽	跑	坚	浸	差	滑	武
纪	围	阿	层	划	企	翼	客	底	屋
阳	律	妈	派	啊	护	棵	施	富	像
留	让	敌	吧	供	皮	肠	维	值	既
例	急	弟	答	严	轮	鹅	孔	击	款

总	走	象	口	七	先	贷	常	题	入
给	己	队	战	果	完	册	反	白	建
革	立	少	文	打	论	旬	门	东	女
放	期	真	数	展	资	饥	通	农	名
所	起	把	进	前	着	犹	没	而	样
部	长	又	问	法	从	罚	本	定	见
两	新	现	如	么	力	羽	等	电	开
五	心	只	实	社	水	剪	外	政	很
高	月	业	当	义	些	匹	加	老	著
四	头	因	向	理	点	巡	合	明	无
机	意	使	第	正	度	疮	物	想	体
此	知	关	制	然	其	惠	表	重	化
应	各	但	者	间	百	贪	比	什	儿

币	鼻	污	泼	祸	刊	肤	胆	衡	纺
沟	悲	纤	扶	撤	揭	蓬	泽	渔	孤
呈	巩	申	狐	姻	漏	渠	辉	邮	梁
摸	励	仿	戴	盆	妥	暮	融	恰	胸
伐	涉	箱	网	盟	振	惑	秩	寒	净
博	泪	折	诗	矛	裂	栏	湿	尊	延
彻	幼	番	劝	糖	洁	冤	稻	粗	禁
遣	尾	菌	废	裁	燃	柜	伙	愈	丹
瞒	徒	拍	捉	汇	牧	描	珠	稿	灾
浪	援	怒	堆	避	怜	丑	纯	智	丽
雕	铺	驻	拖	康	典	咐	妙	岩	浅
吉	森	荒	邻	泛	蜂	辰	内	灌	疗
隶	竞	耗	卵	辩	剩	逆	厘	割	添

杯	姓	谷	硬	灵	晨	卸	袋	皆	圈
域	鲁	勇	暴	雪	恨	贼	械	惯	寸
津	绍	佛	墙	粒	染	垫	井	乙	薄
奖	奴	乃	迅	汗	映	娃	猫	彩	蛋
贝	贯	脉	兔	纷	尖	串	缓	圣	遗
祝	迷	洪	库	惜	炮	赠	择	竹	忍
览	渡	辆	柱	碎	池	锐	旋	川	塔
耕	柴	审	辞	插	债	炎	湾	震	纵
呆	株	宫	遭	签	允	绘	扫	累	鞋
螺	奔	贡	宜	擦	暖	烛	趣	润	侧
冒	猛	迹	骂	旱	豆	矩	帽	爬	迟
饮	巧	鸟	鬼	释	寄	轧	仪	慌	悟
甘	壤	诚	淡	冠	沈	梳	梦	荷	页

鸡	侵	竟	概	抵	季	裕	执	冬	核
补	孙	遇	兄	辨	弄	翅	讯	丰	顺
宝	庄	永	毒	托	睡	僚	枝	洞	录
港	宗	纳	甲	盖	胡	袍	倍	稳	届
摇	横	凡	岸	莫	龙	填	沿	临	启
盛	操	羊	雄	销	伸	雾	鸟	奶	塞
额	吹	幕	途	陆	筑	驴	齿	扩	括
缘	阻	阴	拜	猪	旗	燥	绿	氏	私
冰	聪	谋	穷	献	沉	驶	抢	灰	践
奋	警	秋	召	绩	敞	廉	触	休	瓦
征	疑	残	析	透	欲	锡	壁	狠	剧
牙	幸	苗	氧	妻	怀	坑	喝	荣	篇
订	巨	贸	顿	版	剂	魂	瞧	挂	摆

息	扬	叶	轻	朝	率	隙	责	营	雨
监	忙	称	继	固	渐	穗	医	良	初
刀	星	按	坏	帝	负	拳	待	姑	夜
属	窑	简	排	均	显	涌	旧	啦	谁
岁	预	宣	略	源	素	迁	矿	充	刚
语	左	考	仍	恩	烟	慎	构	乡	酒
付	画	座	君	逐	卖	嫩	卫	跳	绝
朋	降	李	占	汽	药	柏	货	救	另
获	微	伤	奇	减	策	鹿	句	赶	承
州	终	娘	案	诉	右	薪	依	短	察
芬	优	杂	波	居	爷	萄	限	呼	停
互	章	纸	封	央	脸	劫	普	瓶	演
室	背	饭	借	顶	肯	御	乱	班	诸

颜	障	臣	吴	扇	亏	晴	拔	珍	黎
胶	绕	仁	修	伏	仔	弦	暂	荡	欺
违	棒	患	贴	骗	貌	匠	潜	浮	赏
锋	晶	拥	殊	唐	赤	巾	宾	默	刑
朱	截	符	狂	疾	毁	蜜	购	邀	肃
饰	恢	骤	贼	顽	扑	漠	磁	袖	肚
耀	纹	牲	栽	龄	鉴	梅	纲	紫	闷
役	阅	燕	坡	咬	刷	闲	拾	肩	缝
储	踏	峰	绳	烂	柳	扣	颗	忠	蒸
挤	覆	乳	匪	租	吐	埋	帐	搬	旨
碍	欠	详	瞎	阔	搭	鸦	钉	嫂	弃
兼	蓄	趁	腾	塑	徐	返	帖	雅	尘
鹊	芽	陷	蝇	筒	饼	棋	稀	畜	焦

酸	庭	削	误	野	礼	溜	巷	冲	测
附	丝	泥	镇	贫	岛	勾	毕	洗	笔
煤	亿	卡	盘	弱	街	陵	损	耳	控
狗	晓	铜	末	镜	楼	颠	败	航	寻
湖	恼	介	宁	招	凤	蝶	爸	咱	蒙
床	乎	善	环	您	困	霸	吸	假	齐
福	慢	血	激	毫	担	妖	桥	讨	凭
印	钟	鲜	掉	零	童	绸	怪	戏	述
汉	尼	含	散	杂	恶	姨	斤	肉	肆
牛	模	液	罪	评	检	踢	范	晴	亦
茶	香	访	射	烧	灯	旺	兰	沙	针
罗	旁	替	脑	输	烈	砖	练	境	努
径	升	钢	哭	突	恐	膀	贵	植	粉

第五节　钢笔书法作品

如果你想得到藝術的享受你本身就必須是一個有
藝術修養的人如果你想感化別人你本身就必須
是一個能實際上鼓舞和推動別人前進的人本
來生命只有一次對於誰都是寶貴的但是假
使他的生命溶化在大眾裏面假使他天天在為這
世界干些什麼那麼他總是在生長雖然衰老病
死仍是逃不了的然而他的事業大眾的事業是永
死的他會領略到永久的青年

現代語錄節選　甲午歲夏蒼子書于香師大

千里莺啼绿映红水村山郭酒旗风南朝
四百八十寺多少楼台烟雨中杜牧江南
春九日驱驰一日闲寻君不遇又空还怪
诗思清入骨门对寒流雪满山韦应物诗
人不遇甲子夏曾子书于京师

一带深岚映远田人家姑村花事报来细谁家酒幔招
人醉报芳春出杏岩张耒诗中牧书艸

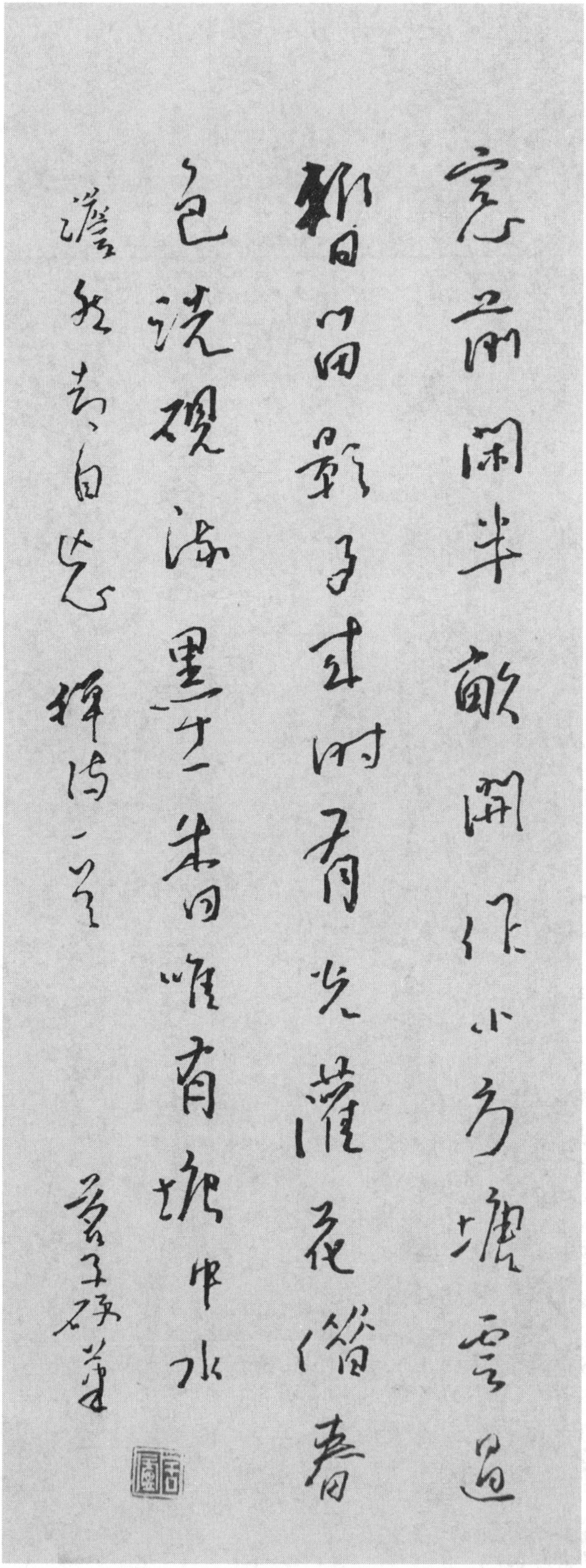

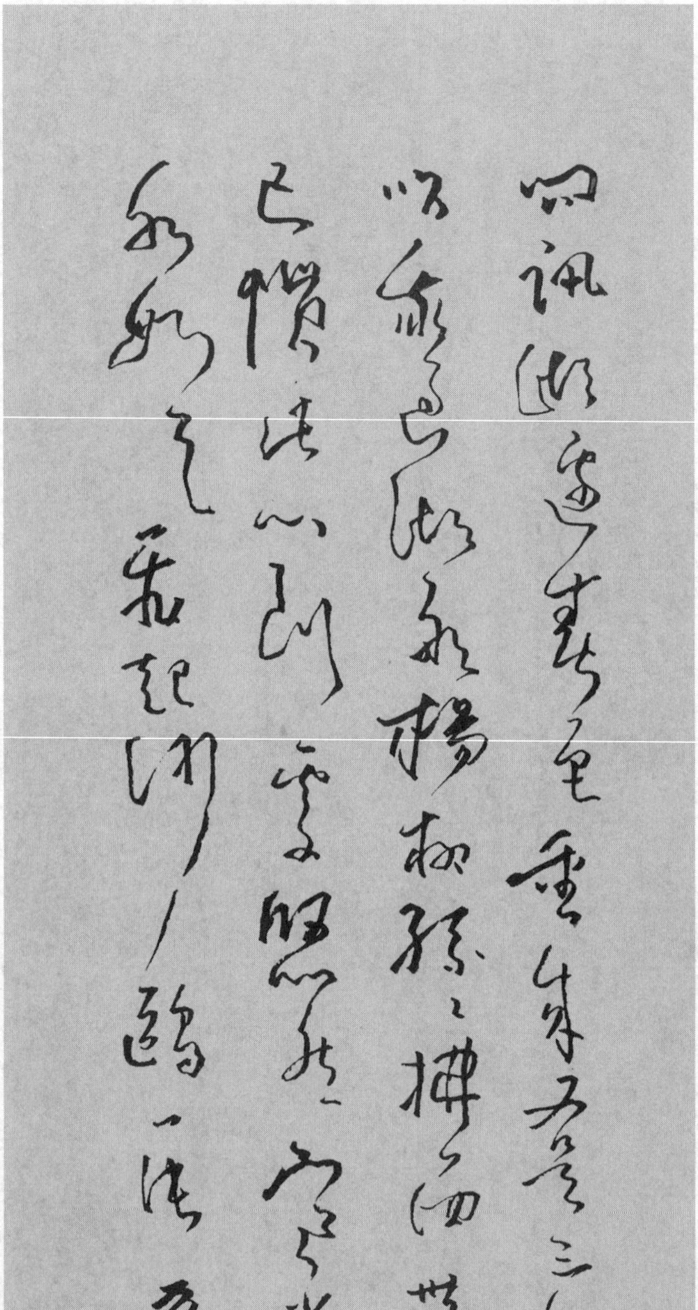

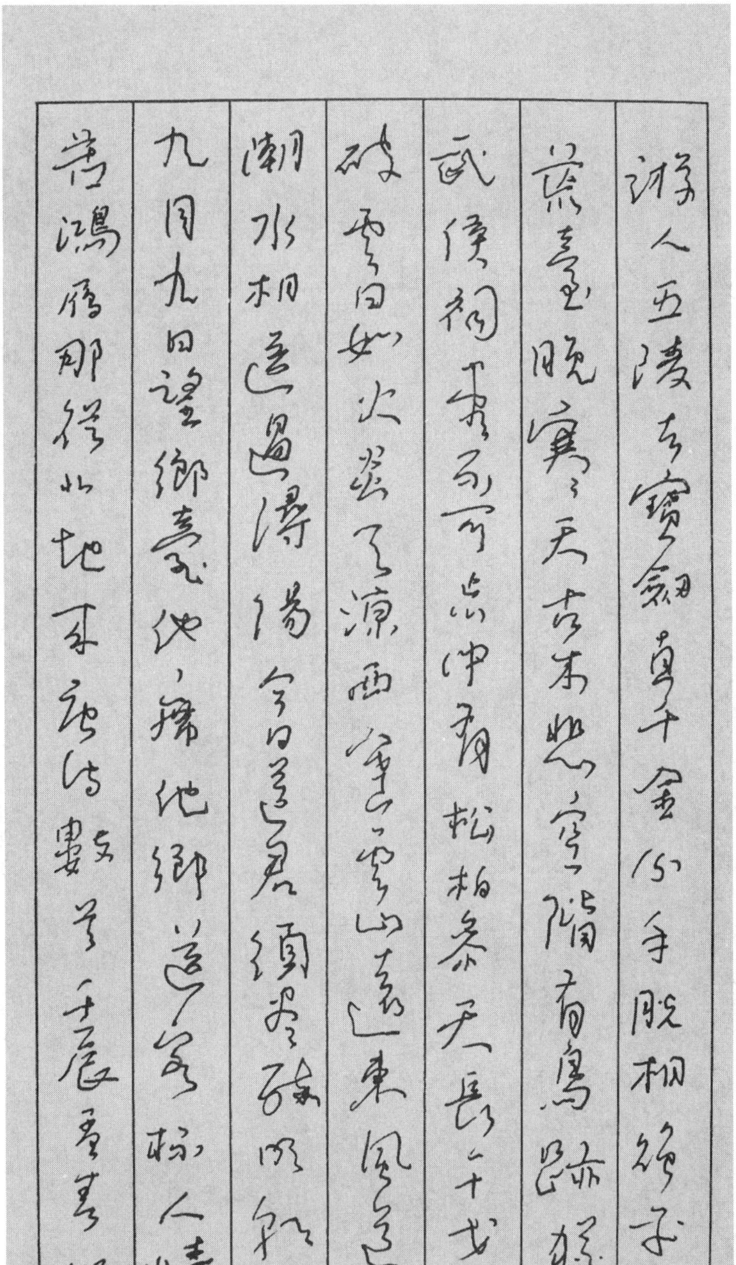
游人五陵去宝剑直千金分手脱相赠平生一片心
九月九日望乡台他席他乡送客杯人情已厌南中
苦鸿雁那从北地来

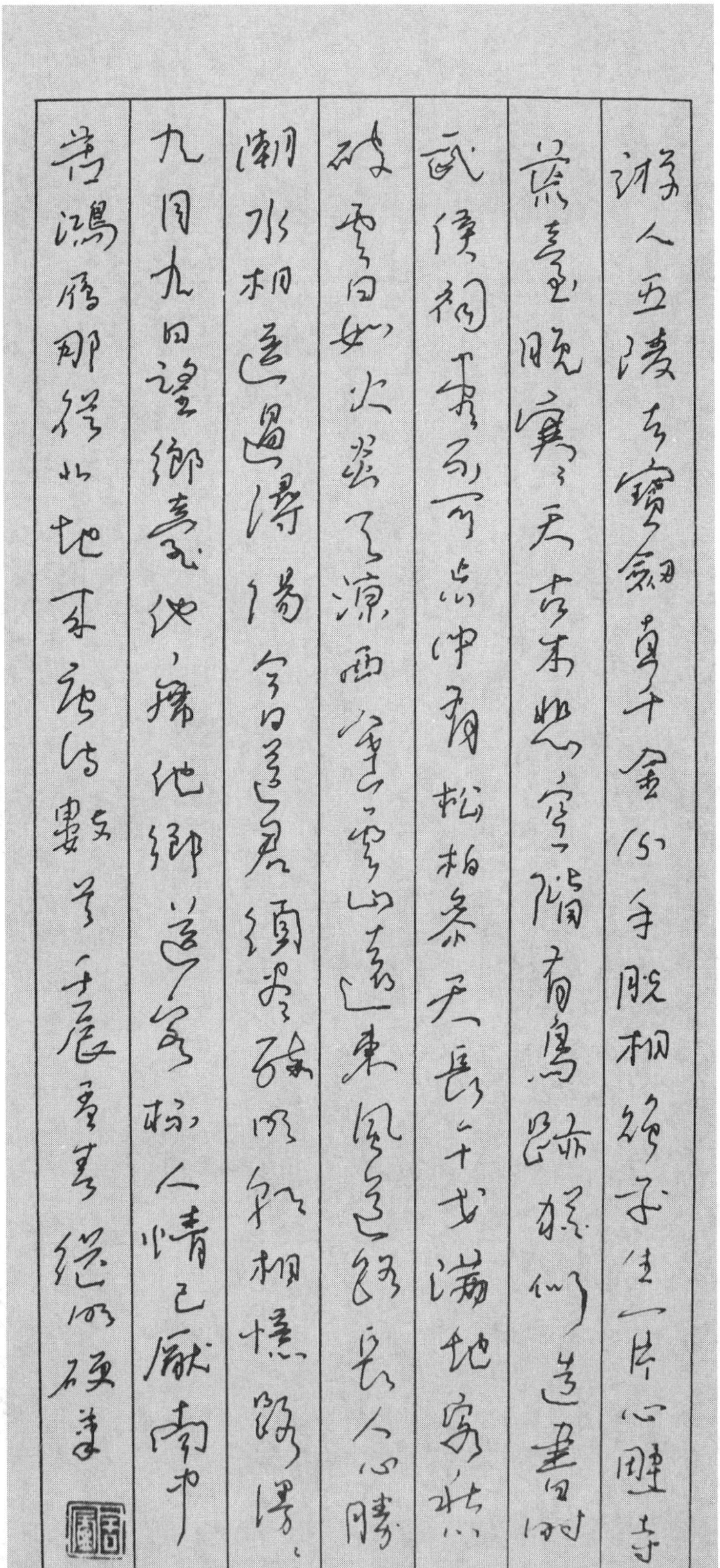

孟子曰人不可以無恥無恥之恥無恥矣又曰人大矣
為機變之巧者無所用恥焉所以然者人之不廉
而至於義其原皆生於無恥也故士大夫之無恥是
謂國恥吾觀三代以下微棄禮義捐廉恥非一朝一
夕之故然而松柏後彫於歲寒雞鳴風雨彼昏之日
固未嘗無獨醒之人也頃讀顏氏家訓有云齊朝一士
吾曰我有一兒年已十七頗曉書疏教其鮮卑語及
彈琵琶稍欲通事公卿無不寵愛吾時俯而不答
異哉此人之教子也若由此業自亦不願汝曹為之嗟
乎之推不得已而仕於亂世猶為此言尚有人之
意彼閹然媚於世者能無媿哉

壬辰春 紹明書

國家承平日久，申巓習以成彬，

出為時本眾公既沒未有甚

顯者豈張九齡之先稍公獨出

於唐子真陽馮氏自賣有文

者何源公言蓉祖仁出而先

君子詩七萬餘經有唐人風方宅祖仁

之質善於元韻三年十二月□方城路路絕塵

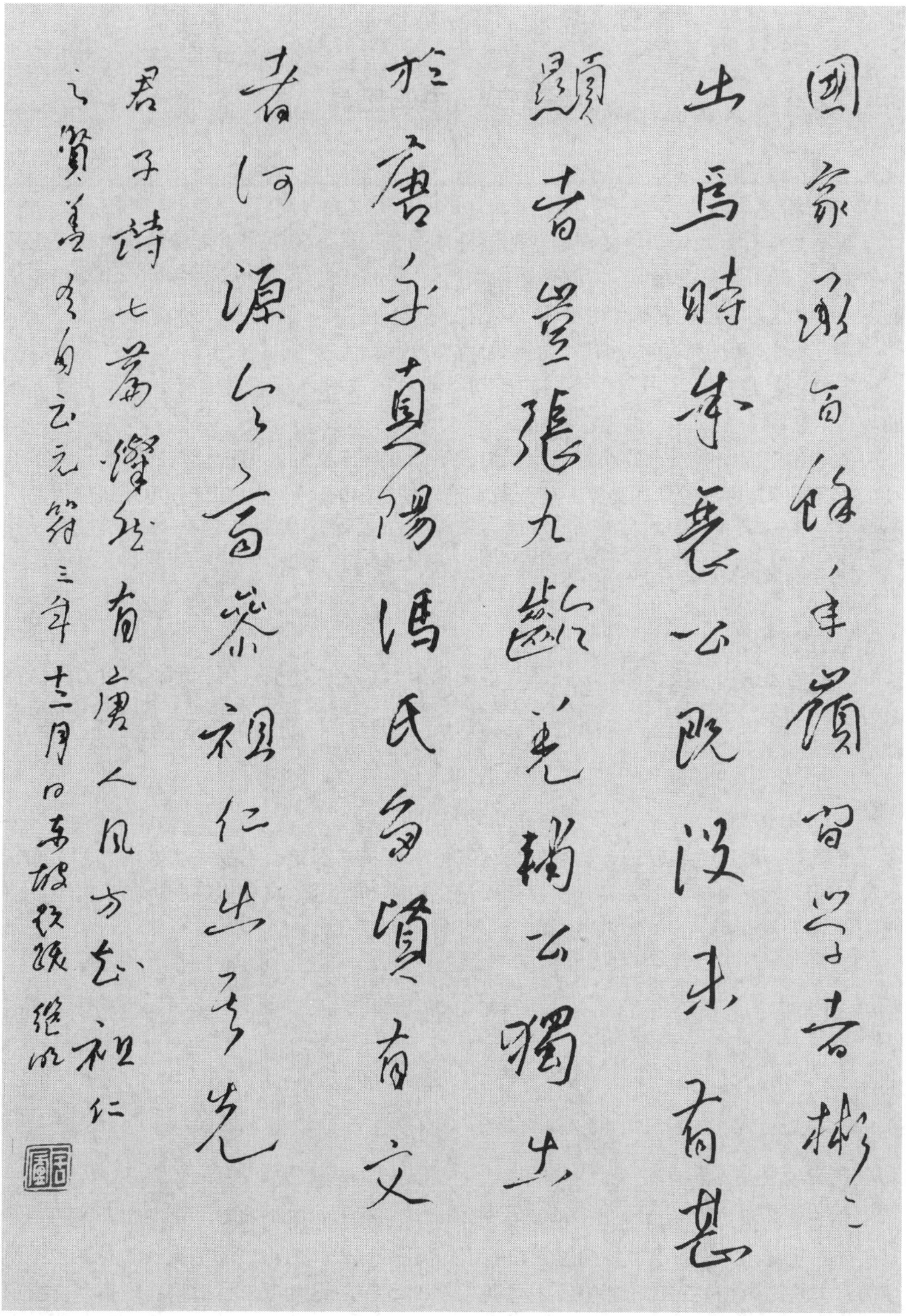

第五章　粉笔字训练

第一节　书写工具

一、粉笔

粉笔是用石膏经过加工处理而成的圆柱体书写工具。粉笔字就是粉笔在黑板（或其他物品）上摩擦而形成的字。根据粉笔的颜色可以分为白色粉笔和彩色粉笔；根据扬尘量的多少可以分为有尘粉笔和无尘粉笔（微尘粉笔）。

白色粉笔是使用量最大，使用范围最广的一种粉笔。

彩色粉笔是在石膏中添加不同的矿物质颜料制成的，颜色大致有红、黄、蓝、绿四种。

挑选粉笔应根据自己的喜好而定。追求笔画变化丰富的，可选较软的粉笔；追求笔画细劲流畅的，可选较硬的粉笔。但一般宜选软硬适中的。另外，挑选粉笔还跟黑板的质地有关。

粉笔是石膏烘制而成的，吸水性很强，故一定要注意防潮。

二、黑板

一般的黑板由木板刷漆而成，条件好的则用上了磁性黑板。不管哪种黑板，板面都应平整、乌黑、不反光。但黑板不宜太光滑，因为太滑就会减少摩擦性，减弱粉笔的附着性，写时也容易打滑。

三、黑板刷

黑板刷一般用毛毡制成，再用铁皮或其他东西将其固定在木板（或铁皮）上而成。擦黑板时，黑板刷最好不要离开黑板，以避免粉尘扬起而影响身体健康。黑板刷不要沾水，也不要接触油污、油漆等物质。

第二节　基本技法

一、执笔方法

粉笔字的执笔方法与钢笔、毛笔有所不同。握粉笔应用大拇指、食指和中指，三个指头分别从左、上、右三个方向捏紧粉笔，距离粉笔书写端1cm。粉笔太长易折断且不易使力；太短则中指要靠住黑板且不易看见粉笔的运行，无名指和小指紧靠中指，食指用力。粉笔长时，无名指还可稍向里弯曲，挟住粉笔。五个指关节均向外突出，掌心空虚，以避免粉笔末端与掌心接触，书写时才便于灵活转动粉笔。

二、书写姿势

粉笔字的书写姿势一般都是面向黑板站着书写。若学生用小黑板练习，小黑板可斜倚，可平放，书写时也要正对黑板，可立可蹲，可挺胸也可弯腰。写小黑板时，左手一定要扶住黑板，不能让它移动或摇摆。站立写黑板时，身体一定要站直，且距黑板应保持0.35米左右的距离，太近照顾不到整体的效果，且右手不便发力，容易酸软，并且吸入粉笔尘也多，影响身体健康。站得太远同样影响用力，字迹也不会太清楚。书写粉笔字，与人的臂长有一定的关系，手臂短的可稍站近一点，手臂长的可稍站远一点。

三、运笔方法

写得好的粉笔字，笔画粗细分明，具有极强的明亮度和立体感。这种效果是由较好的运笔方法产生的。粉笔的运笔和毛笔、钢笔有所不同。毛笔在书写时要求笔要与纸垂直；钢笔在书写时，笔身要搁在虎口之上（或食指距虎口最近的关节上），笔尖不能与纸面垂直，夹角一般要超过45°。粉笔的笔尾在虎口之下，它决不能用粉笔头垂直对着黑板，且与黑板的夹角一般要控制在45°以内。为什么呢？若粉笔垂直正对黑板，那粉笔磨损面就缺少变化，且书写费力，笔画粗而淡；若与黑板面的夹角超过60°，那写出来的笔画粗细变化很小，字迹也不会很清晰。下面讲讲粉笔书写正确的运笔方法。

（一）转动粉笔

在书写过程中，粉笔与黑板间的接触面将越写越宽，造成笔画越写越粗。正确的书写方法是：以粉笔较小的一端接触黑板，在书写过程中不断地转动粉笔，让粉笔的书写端保持棱锥形，用棱锥的棱去接触黑板，既省力，字迹又明晰。

转动粉笔最大的好处在于笔画有变化，并能写出笔锋来，产生很好的书法效果。转动粉笔，并不要求笔笔都转，可根据字的结构特点和自己的书写习惯灵活掌握（转动一次最好不要超过三笔）。但要养成随时转动粉笔的习惯。粉笔转动，可按逆时针方向，也可按顺时针方向，这完全取决于自己的习惯。

初学写粉笔字时一般不容易转动粉笔，这是因为拿惯了钢笔和毛笔的结果。我们要有转动的意识，在练习写粉笔字之前，首先要练习转动粉笔。方法是：握住粉笔，在黑板上写横画，写一横转动一下粉笔，旋转一周后自然就成了锥形，如此练习直到无意识转动粉笔为止。

当粉笔书写端成锥形后，下笔写字时，应以锥端先触板面。这样，粉笔不断地磨损，不断地转动，它就会不断地形成锥形。

（二）相顺

相顺指粉笔运行一定要平稳，要和笔画运行方向保持一致。在没有提按或停顿时，粉笔运行过程中与板面的夹角应基本保持不变；在有提按或停顿时，角度变化也应自然。这就要求手腕灵活配合，根据需要自如转动。

（三）提、按、起、倒

“提”指运笔过程中用力由重变轻的动作，“按”则与之相反；“起”在运笔过程中粉笔与板面的夹角增大，“倒”则与之相反。在运笔过程中，“提”和“起”、“按”和“倒”是相关联的两个动作。“提”、“起”能使笔画由粗变细，且很清晰；“按”、“倒”使笔画由细变粗，也很清晰，且又有力。“提”、“按”两种动作都有一个过程，其长短依字的笔画而论，如长撇，“提”的过程稍长；竖钩，“提”的过程就短得多；长捺，“按”的过程稍长；横钩，“按”的过程就短得多。

（四）起笔

1. “切”指粉笔下笔方向向右下，且与水平线或垂直线呈45°夹角，下笔用力轻，线条细，因是引笔（带笔），故运行过程很短，不能喧宾夺主。这是粉笔最常用的起笔方法。

2. “逆”“按”“转”是将粉笔从与行笔方向相反的方向凌空落笔（类似毛笔的逆锋起笔），然后再运笔。这样可使笔画开端圆润、饱满。逆按转一定要以锥尖轻触黑板，按转要迅速果断。

（五）收笔

1. “提收”指笔画运行到末尾自然提笔。这种笔法如撇、捺、钩、提、悬针竖等。应注意，收笔也是运笔的一个过程，应逐渐提笔，切忌过猛或不干脆。

2. “按转回”，类似于毛笔的回锋收笔，适用于点、横、折、垂露竖等。方法是在运笔结尾按下粉笔，然后朝与运笔相反的方向回收。注意：“按”是一个很短的过程，“按”要用力，“按”笔时要与运笔方向有所改变，一般都是斜向右下。

若能将上述运笔方法综合灵活地运用，就能写出漂亮的粉笔字来。

四、基本笔画的书写

（一）点

以锥尖触板面，入笔轻，往右下行笔，行笔过程中逐渐用力，收笔时先按（此时用力最大）再回收，这是右点的写法。左点行笔方向相反，出锋点则不回收，先停顿再自然向左下或右上出锋。为了把点写得圆润饱满，可在按笔时往下改变方向再回收。

（二）横

锥尖触板面，切法起笔，向右运笔，逐渐稍高（呈左低右高之态），运笔逐渐用力，收笔用按转回。与逆按转的运用方法相同，收笔也相同。若写短横，行笔则要用力均匀。短横一般写仰横。长横则有直横和覆舟横两种：在上宜用直横，在下宜用覆舟横。

练习横画忌讳两点：一是把横画写得水平，二是把横画右边写得太高。一般说来，短横与水平线的夹角可以大一点，可以在10°左右；长横则应控制在5°左右。

（三）竖

锥尖接触板面，切法起笔，运笔方向垂直向下，运笔用力均匀，悬针竖用提收法收笔，垂露竖则用按转回收笔。

若一字之中有并行的两竖（或多竖），则要求有变化，不要求垂直，但两竖切忌平行，这变化很小，决不能夸大。

初学粉笔字的同学不易把竖写直，练习时可在切法起笔后稍作停顿以调整运笔方向，逐步加以纠正，会有成效。

（四）撇

锥尖接触板面，切法起笔，向左下方向行笔，先均匀用力，至撇腹后逐渐提收，顺势出锋。柳叶撇不用切法起笔，锥尖轻触板面，运笔用力先由轻到重，再由重到轻。写撇时要注意笔画运行一定是弧线，平撇往左出锋，竖撇则是先竖后撇。

（五）捺

锥尖接触板面，先平行向右（或稍偏下）轻匀行笔一小段后，随即折向右下，笔画运行也是弧线；粉笔与黑板的夹角保持不变，运笔渐渐加力，按笔停顿（此时用力最大）折笔向右出锋，出锋时粉笔与板面的夹角保持不变，停顿时粉笔以多的粉笔面出锋。

（六）竖钩

起笔、行笔如竖，竖笔写完时，用力顿笔，然后向左上钩出，出锋要干脆有力。注意向左上出锋时笔势是直的，初学时容易弯曲，那是运笔出锋改变了方向所致。

（七）横钩

起笔、行笔如横，横末用力顿笔，然后往左下出锋钩出。注意横末顿笔是斜向右下顿，粉笔尖不能出横外。钩出同样要很干脆，比竖钩微长一点。

（八）竖弯钩

起笔、行笔如竖，行至竖末时转笔向右写横，横末顿笔，用力向上钩出（也可稍向内钩出），出锋要干脆有力。注意：转笔不顿，转笔处一定要形成弧弯以区别于竖折；在钩之前，粉笔与板面的夹角基本保持不变，写钩时可增大一点夹角；竖和弯钩的横的夹角不能大于90°，应基本垂直。为了把这个笔画写得好看，写竖可由重到轻，写横应由轻到重，转折处的笔画应最轻。

（九）弯钩（弧弯钩）

锥尖触板面，向右下运笔，用力渐加，运行前一小段后改变方向，向下行笔，用力均匀；运行一大段后再改变方向，向左下行笔；运行后一小段后停顿，再向左上钩出，出锋要干脆有力。运笔虽然两次改变方向，但都不能停顿，方向是“弯”过来的，不能留折痕。另外，弯钩一定要立得起，不能向左边倾倒。

（十）卧钩

锥尖触板面，向右下运笔，用力渐加，运行一小段后改变方向，向右行笔，然后停顿，向左上钩出。注意：卧钩不能写成竖弯钩，也不能写成放低的斜钩。开始运笔如斜钩，后如竖弯钩，要弯得很自然。单写此笔画时要立得稳，不能偏斜。在起笔至钩之前，笔画应逐渐变粗。

（十一）斜钩

逆按转起笔，往右下作弧弯运笔，用力逐渐增大，然后停顿，往右上猛地钩出，出锋要迅速有力（也可往上钩出）。斜钩的弧弯很大，弯要自然，切忌先写成竖，再折向右下作弯钩出，也不能把“斜”的部分写成直画（就像往左倒的竖画）。

（十二）横折

起笔如横，横末按笔，折笔向下，收笔如垂露。横折里面若还有笔画，折和横的夹角就应大一些，垂直或基本垂直；若里面没有笔画，折和横的夹角就应小一些。注意：按笔时笔不运行，切忌写成横折折了。为了使笔画显得流畅美观，转折处可圆润一些。

横折钩只是在横折末顿笔再向左上钩出，但其横折的夹角一定要大，近于垂直（“力”“为”等少数字除外）。写横折钩的“折”笔主体不能向左弯曲（折处可圆，钩之前亦可弯一点）。

（十三）竖折

起笔如竖，竖末顿笔，折笔向右写横，按转回收笔。

注意：由竖不要求垂直，转折处一定不要圆角。

（十四）撇折

起笔、行笔如斜撇，笔画由粗逐渐变细，至撇末不起笔，而是折笔起笔向右写横，横末按转回收笔。

（十五）横折弯钩

起笔、折笔如横折，起笔后如写竖弯钩，只是“折”笔不要求垂直，横折夹角应小于90°，折末向右弯，弯过后不作横的运笔，而应立即钩出。折后至弯处的笔画应由粗逐渐变细，“弯钩”则由细变粗。

（十六）提

锥尖触板面，切法起笔，起笔即按，然后迅速向右上挑出。平提角度小一点，斜挑角度大一点。提与钩不同，它比钩出锋稍长一些。

竖提、横折提的挑都是斜挑。横折提的横不能平直，折也不能弯，挑更不能像钩一样只有一点。

以上讲了16种基本笔画，除此之外，还有一些基本笔画，可根据这16种笔画自行练习。粉笔的笔画变化比毛笔要小，但比钢笔要大。基本笔画在不同的字中应灵活变化，否则就会显得很呆板。黑板和纸也不一样，比纸要硬得多，因而写粉笔字很费劲，初学者一般都容易手软，所以练习时一定要掌握方法。首先，黑板不宜过高，也不宜过低，站直身子，以眼睛平视能看见自己写的粉笔字为宜；其次，一定要灵活地转动粉笔（转动粉笔写字能省力）；再者，写字时手指握粉笔要用力，但手腕和肘都要放松，不能紧张。

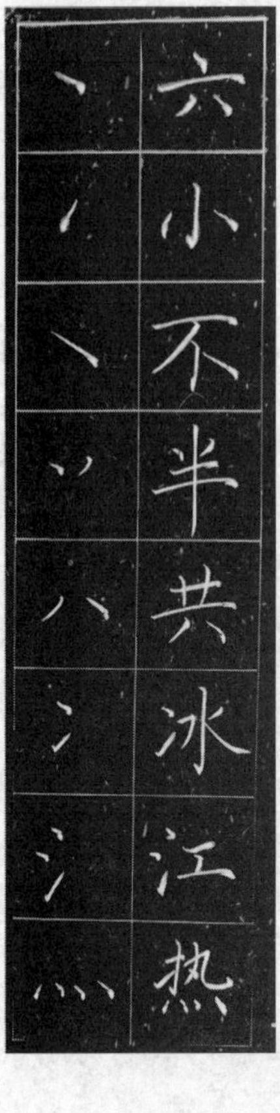

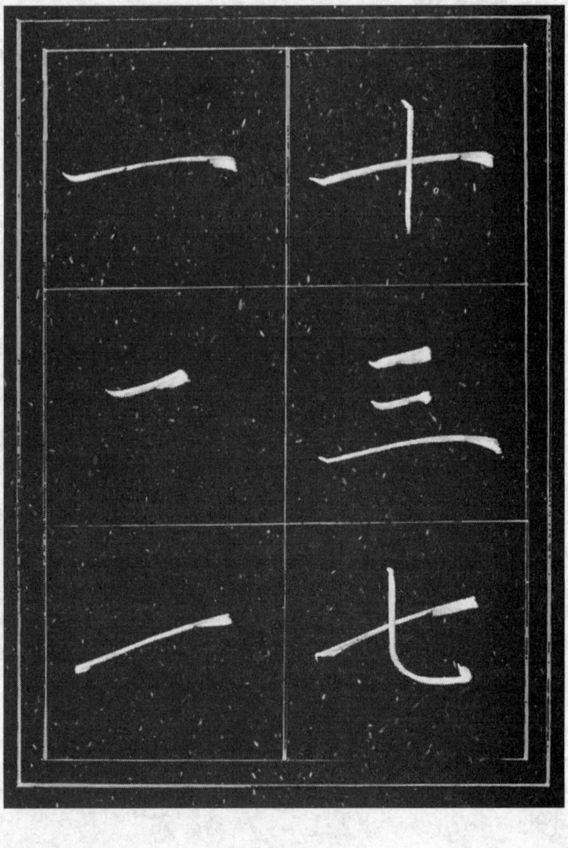

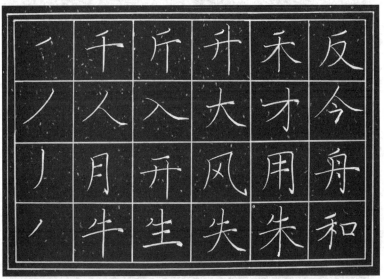

丨	千	巾	中	丰	半
丨	个	木	甲	术	收
丨	士	土	口	占	旧

㇀	千	斤	升	禾	反
丿	人	入	大	才	今
丿	月	开	风	用	舟
㇒	牛	生	失	朱	和

㇖	买	皮	写	军	卖
亅	寸	于	水	可	争
㇁	子	手	乎	象	家
㇂	戈	式	成	我	威
㇃	必	志	思	忠	息

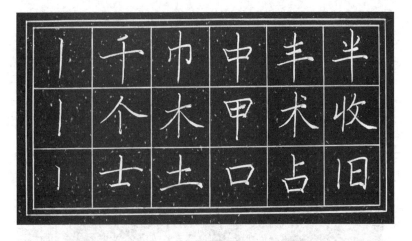

一	虫	地	把	纹	培
㇀	习	冰	河	牧	孜
㇙	长	氏	民	衣	农
㇊	说	话	语	诗	诵

㇆	习	匀	司	句	肉
㇈	凡	九	风	瓦	讥
㇉	弓	马	与	引	鸟
㇌	阳	部	郎	那	都
㇡	乃	仍	扔	秀	奶

㇕	日	白	只	田	回
㇄	山	区	凶	世	画
㇜	公	云	去	丢	织
㇛	女	如	安	好	妈

第三节　粉笔板书设计

板书，是课堂教学重要的组成部分，是教师完成教学任务的必要手段之一。教师在传授知识时，仅凭生动的语言、形象的手势和丰富的表情是难以完成教学任务的。教学中更需要直观、形象的板书，来表现教材的内容和形式、教者的意图和思路、学者的途径和方法。因此，好的板书不仅有利于教师的教，还有利于学生的学，更有助于学生良好学习品质的形成。

1．板书设计是教学直观形象的具体体现

板书是教学过程中的直观因素，它对于发展学生智力、启迪学生思维都起着很大的作用。教学实践证明，在单位时间内，学生的各种感官获得知识的效果是不等的。其中视觉效果最好，其次分别是听觉、嗅觉、触觉等。由此可见，我们在教学过程中，应该采用有声的口授语言（听觉）和无声的板书语言（视觉）相结合的方法，通过直观性的教学来提高学生获得知识的机制，以达到优化教学过程、提高教学实效的目的。

直观而又形象的板书，如果能配以简单的图形，不但可以化抽象为具体，增强板书的美感，而且还可以减少学生接受知识的坡度和思维的难度，甚至使学生的思维过程在复习等学习活动中得到再现，达到帮助记忆再现和巩固旧知识的效果。直观、形象的板书还可以使学生通过对具体事物的回忆展开联想，从而引起对所需概念、方法的回忆和知识体系的形成。

2．板书设计是教学意图的全面体现

板书设计是教师深入钻研教材、再现教学内容、体现教学意图的艺术再创造。许多教师把板书设计称之为“微型教案”是非常恰当的。一幅好的板书设计，既是教材内容的科学体现，又是一种落实教学目标、任务的最佳方案，更是教师教学艺术的再现和升华。也就是说，一幅优秀的板书渗透着教师对教学内容、形式的条分缕析，是教师对教学重点、难点的研摩提炼，对教学过程的计划与实施。它蕴含着教师对教材内容的精心挖掘，对课堂教学的巧妙布局，对教学方法的灵活运用等教学功力。一幅优秀的板书，既是教学活动科学性、系统性、艺术性的统一，又是对教师教学素质与艺术的体现和锤炼。

3．板书设计是提高课堂教学效果的有力手段

板书是教学过程的直观表达语言，它可以使学生通过视觉促进大脑活动。它在激发学生学习兴趣的同时，集中了学生的注意力，调动了学生的思维积极性，促进了学生的各种记忆，培养了学生的阅读、写作能力。板书语言的条理性、概括性，培养了学生综合能力及形象思维和逻辑概括能力。一幅既美观又实用的板书，也为学生的理解能力、审美能力、创新能力的提高提供了契机。同时，板书教学的长期实践也将不断地感染、培养和教育学生，有助于学生良好学习品质的形成。

板书设计形式多样，具体介绍以下几种典型的板书形式。

1．提纲式

提纲式板书以文字为主，是揭示知识要点，用数字标明教学内容的先后顺序的板书。

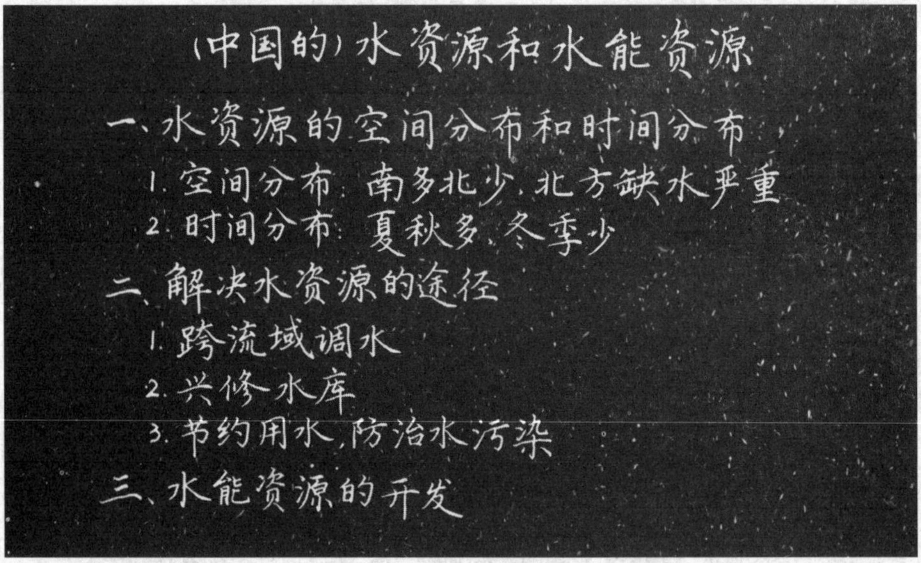
(中国的)水资源和水能资源
一、水资源的空间分布和时间分布
1.空间分布：南多北少，北方缺水严重
2.时间分布：夏秋多，冬季少
二、解决水资源的途径
1.跨流域调水
2.兴修水库
3.节约用水，防治水污染
三、水能资源的开发

2．表格式

通过填写表格反映课文内容和结构的板书形式。这种板书适用于反映有较多时间、地点、人物、事件等因素的课文内容。运用时可先由教师示范填写一两格，然后指导学生填写完成。

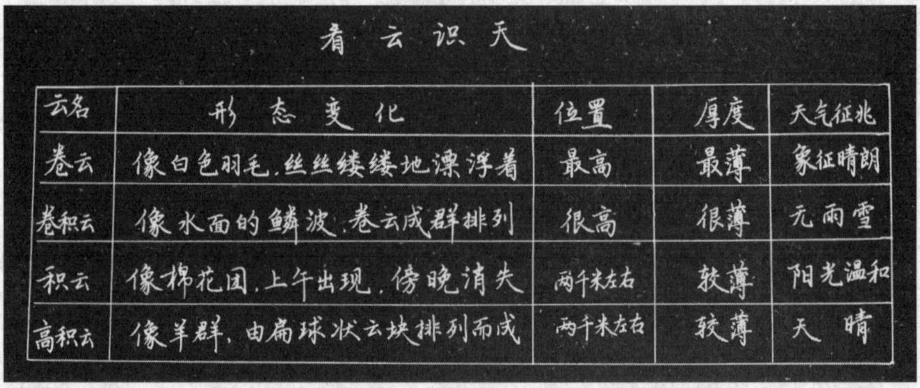

看云识天

云名	形态变化	位置	厚度	天气征兆
卷云	像白色羽毛，丝丝缕缕地漂浮着	最高	最薄	象征晴朗
卷积云	像水面的鳞波，卷云成群排列	很高	很薄	无雨雪
积云	像棉花团，上午出现，傍晚消失	两千米左右	较薄	阳光温和
高积云	像羊群，由扁球状云块排列而成	两千米左右	较薄	天晴

3．总分式

总分式板书，是一种整体和局部相结合的板书。它能够突出教材的重点与难点，体现知识与知识之间的内在联系，形成一个知识结构的体系。这个体系，往往把教学重点、难点和知识点串珠成线，结线成网，形成结构，有助于学生全面系统地掌握所学的知识。它的特点是概括性强，条理分明，能清晰地展示教材各部分间的横向联系，突出中心思想，有时也把教材内容的纵向联系按照并列的形式进行分别归纳。

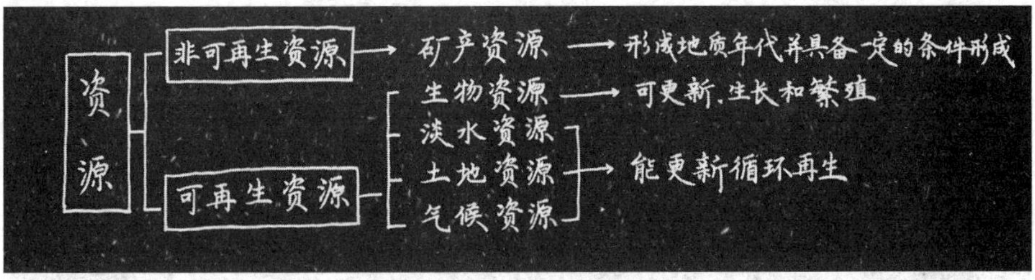

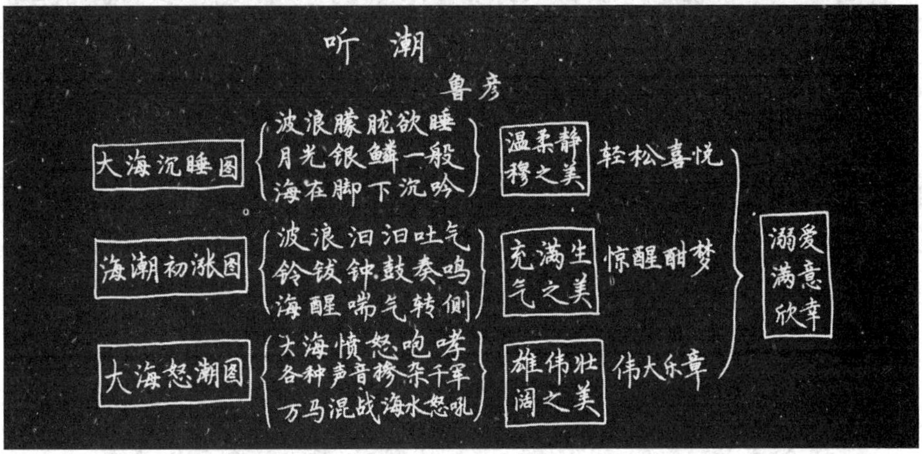

4. 归纳式

归纳式板书是由分到总进行总结、由个别归纳到一起的板书。它的特点是结构严谨、排列整齐、逻辑性强，有利于学生发现和总结规律，培养学生的观察能力和概括能力。

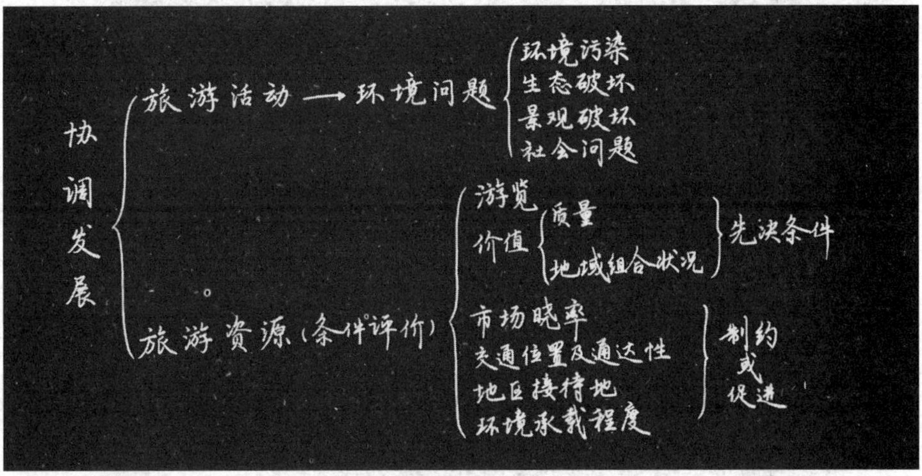

5. 线索式

根据教材内容显性或隐性构建成一个相对完整的知识系统。它常用于看似零散的知识、事件的发展经过、朝代的兴衰更替、动植物的生长过程和某一阶段后学习的复习总结。

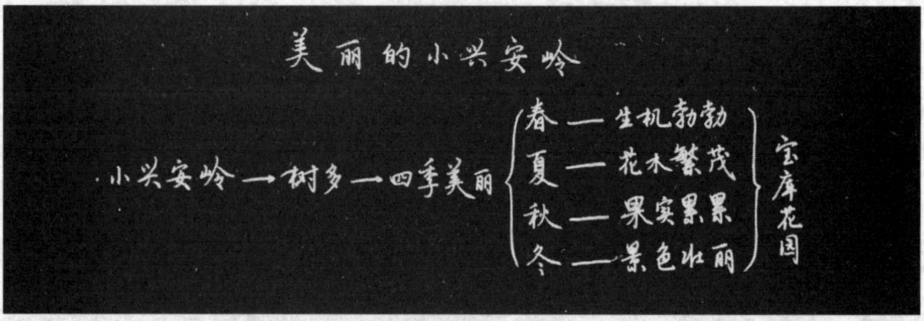

6. 板图式

板图式板书是借助直观图形呈现知识关系和解题思路，烘托抽象思维的外显形式板书。它的特点是形象直观，生动有趣，有利于学生形象、直观地理解知识和寻找解题思路。

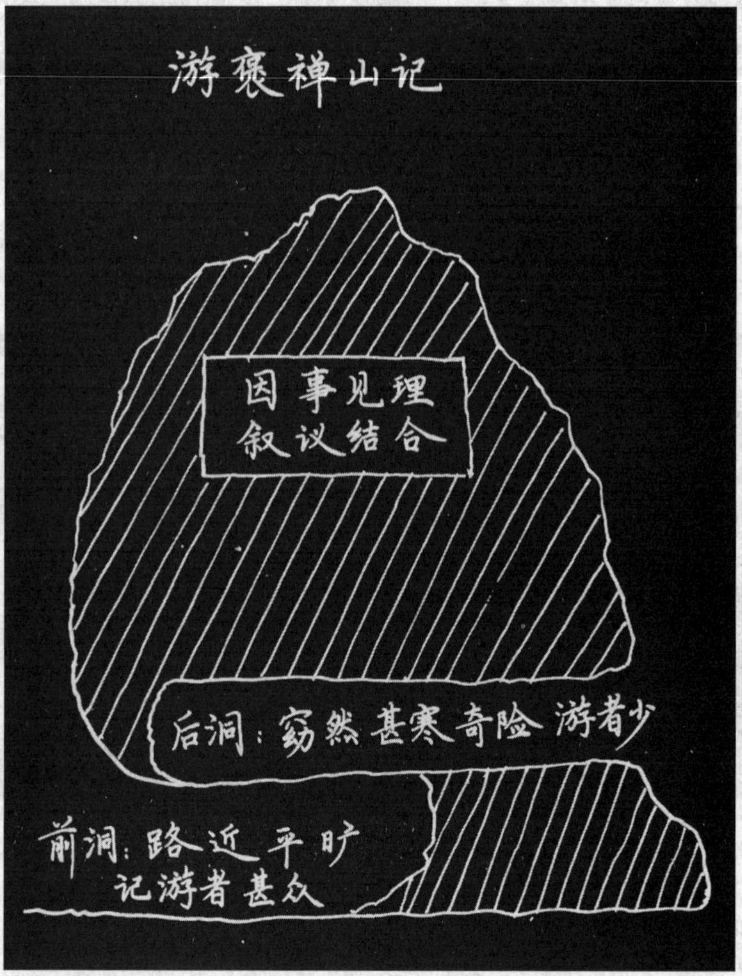

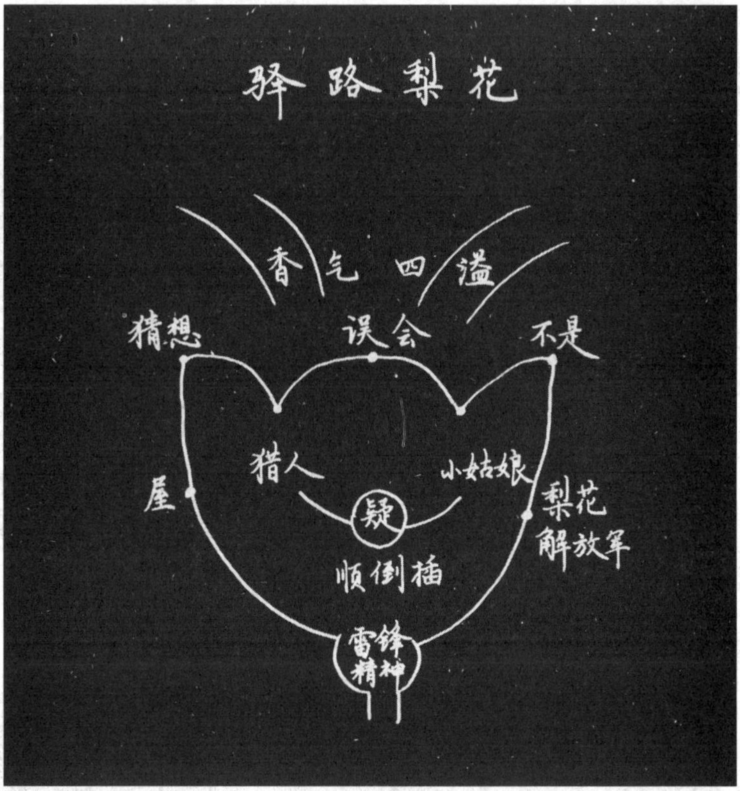
驿路梨花
香气四溢
猜想
误会
不是
猎人
小姑娘
屋
疑
梨花
解放军
顺倒插
雷锋
精神

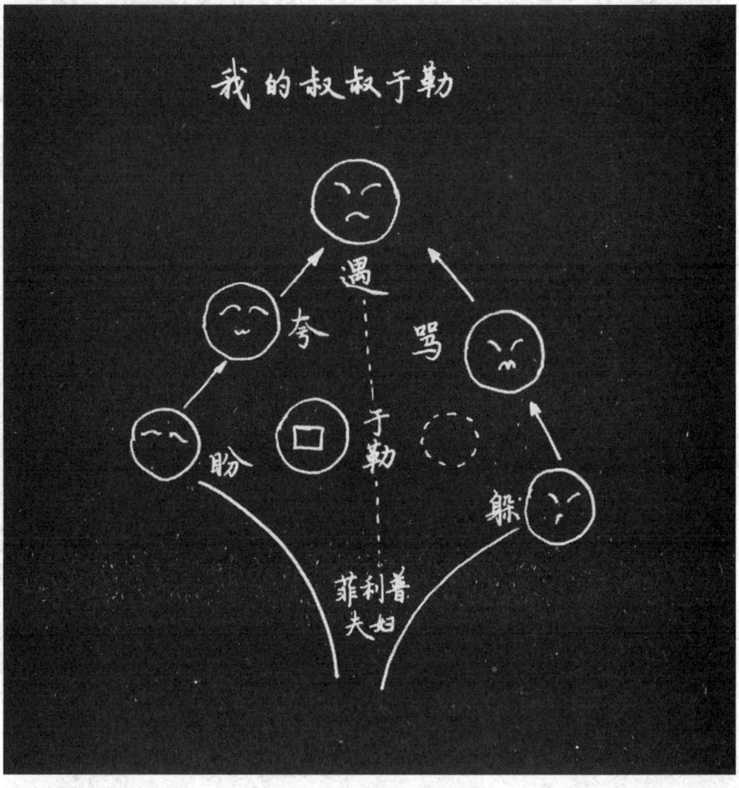
我的叔叔于勒
遇
夸
骂
盼
于勒
躲
菲利普
夫妇

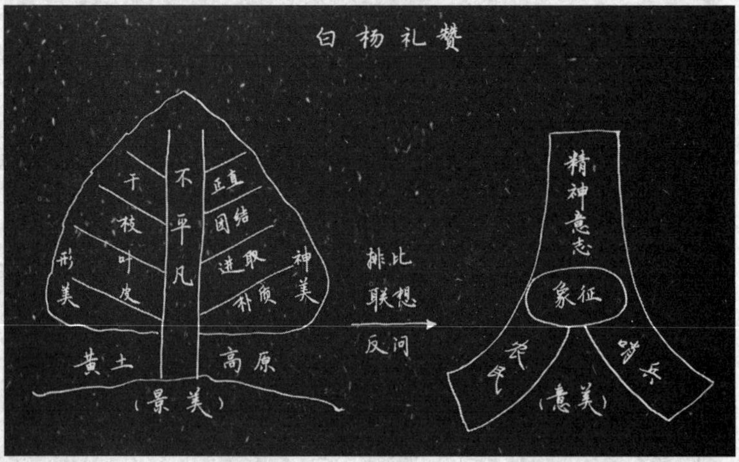
白杨礼赞
干
枝
叶
皮
不
平
凡
正直
团结
进取
朴质
形美
神美
黄土
高原
(景美)
排比
联想
反问
精神意志
象征
农民
哨兵
(意美)

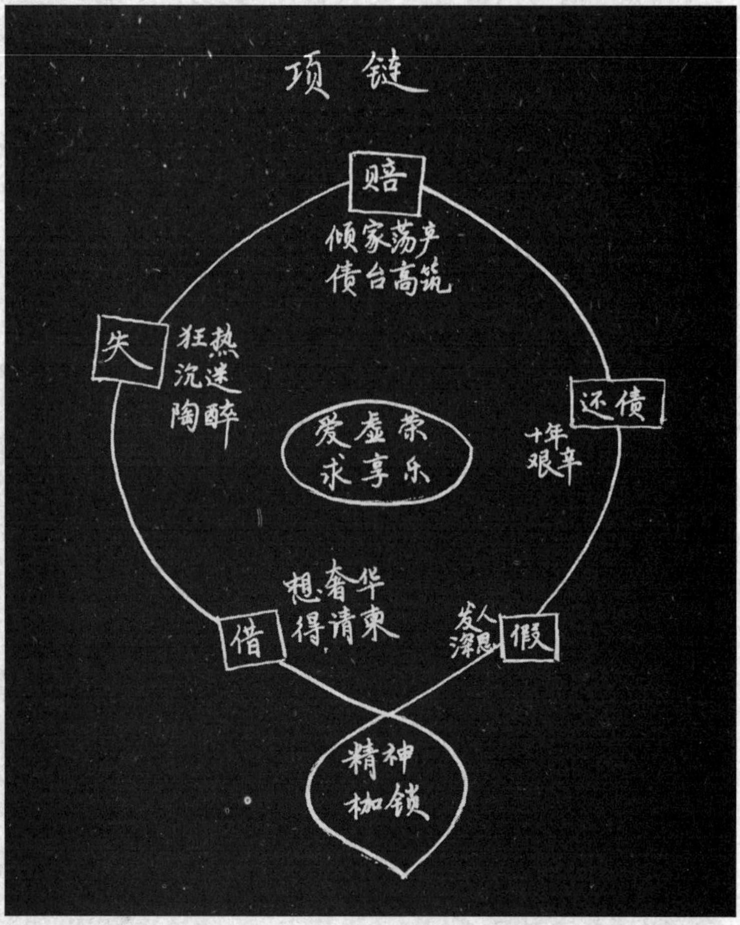
项链
赔
倾家荡产
债台高筑
失
狂热
沉迷
陶醉
爱虚荣
求享乐
还债
十年
艰辛
想奢华
得请柬
借
发人
深思
假
精神
枷锁

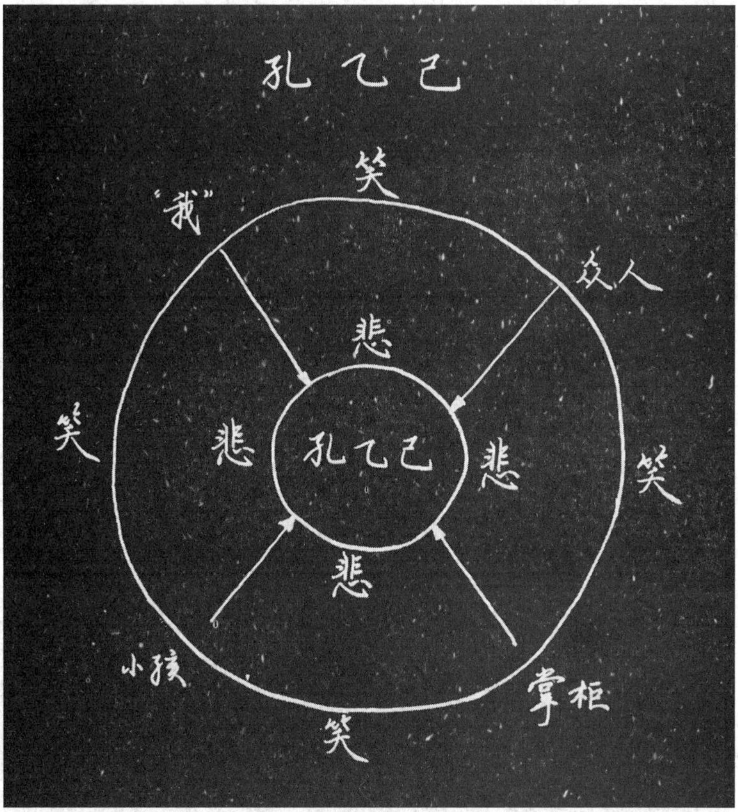
孔乙己
笑
"我"
众人
悲
笑
悲
孔乙己
悲
笑
悲
小孩
掌柜
笑

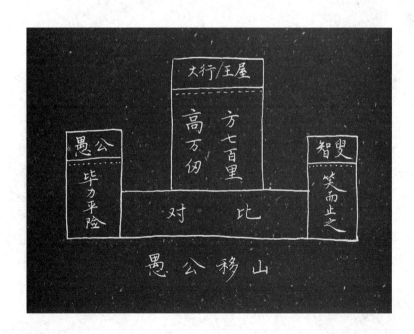

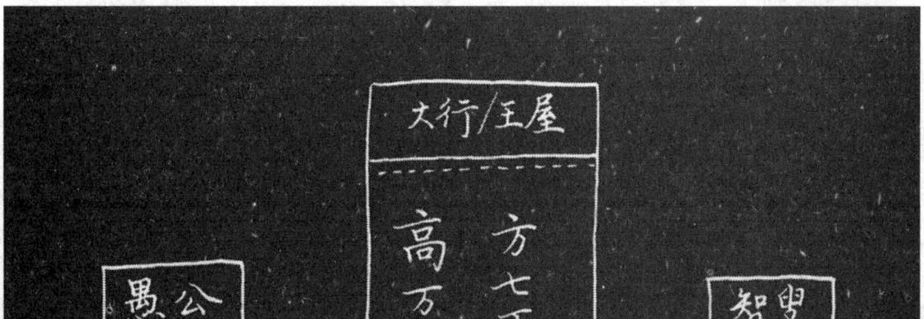
大行/王屋
高万仞
方七百里
愚公
毕力平险
智叟
笑而止之
对比
愚公移山

7．对称式

对称式板书形式整齐、对称、和谐，具有很高的美学价值和实用价值，最受学生青睐。对称式板书一般分为左右对称、上下对称、上下左右对称三大类。

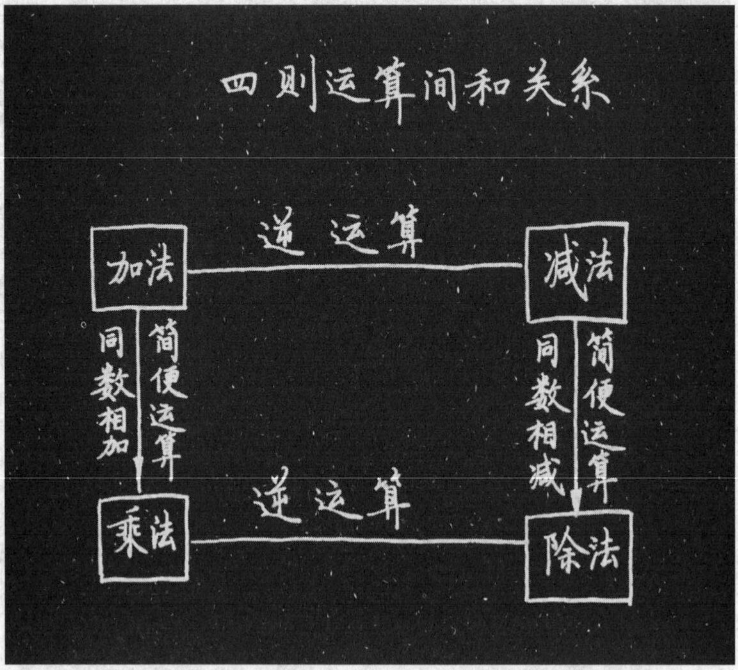

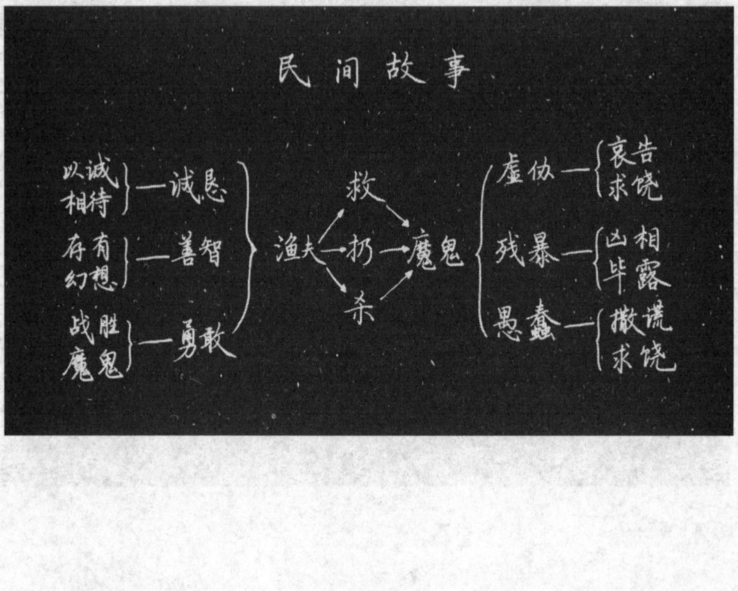

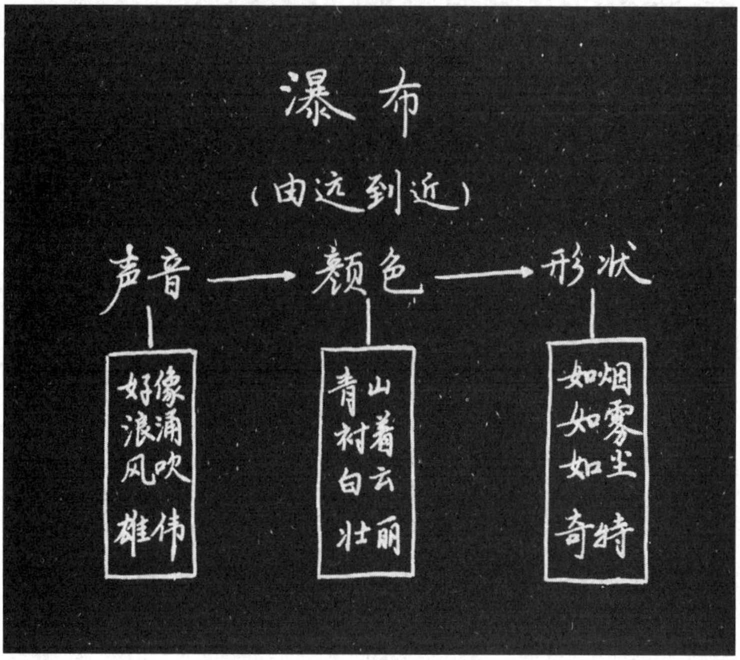

8. 回环式

回环式是采用回旋和循环的形式，揭示知识之间内在联系的板书。它的特点是把抽象的、隐蔽的内在联系化为直观、形象的外显形式，有利于学生简洁明了地掌握知识的纵横联系。

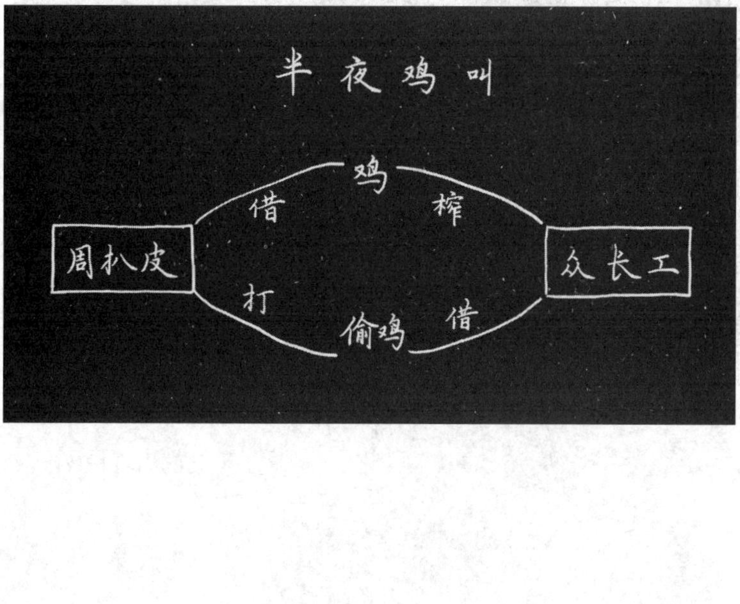

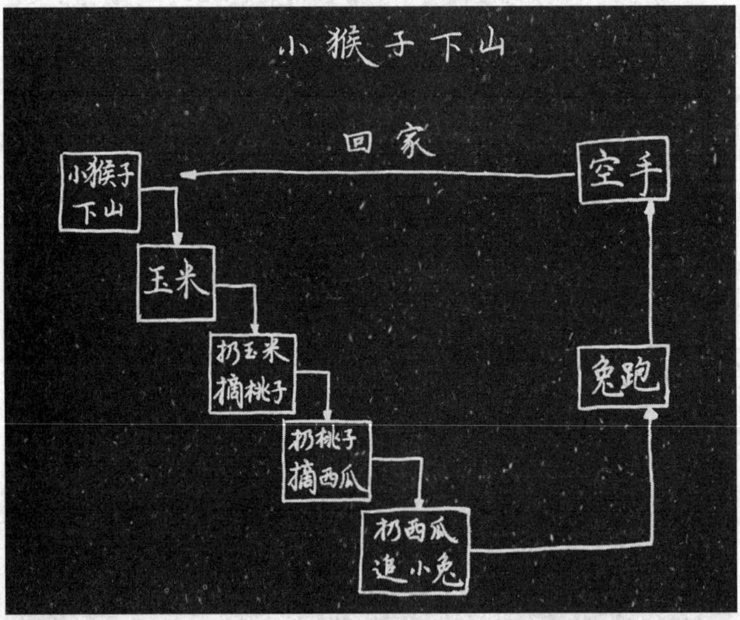

9．综合式

综合式是运用分析、综合等思维方式，揭示教学内容，展示思维过程的一种板书。它的基本特征是思路清晰、逻辑严密、启发性强，是小学数学、语文教学中常用的板书方式。

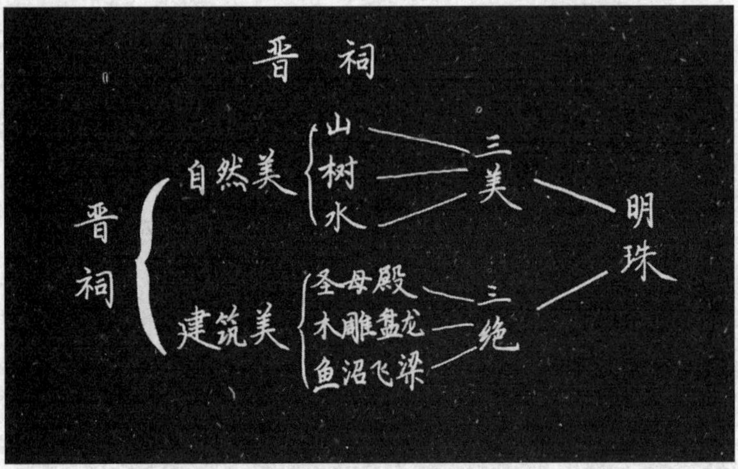

10．互动式

互动式板书是指教师在教学过程中，配合语言、媒体等，运用文字、符号、图表向学生传播信息，并且能引起互动效果的教学手段。

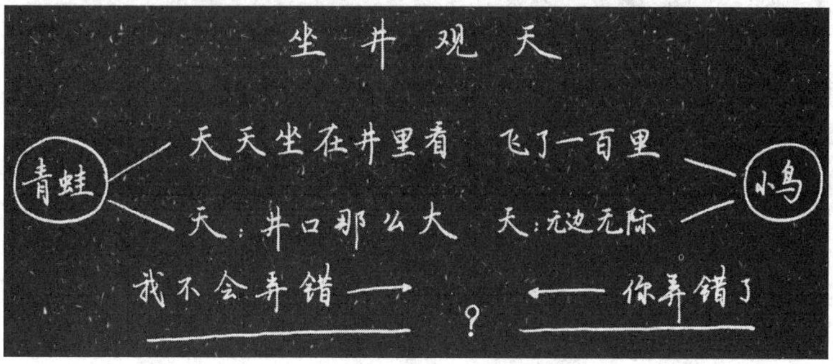

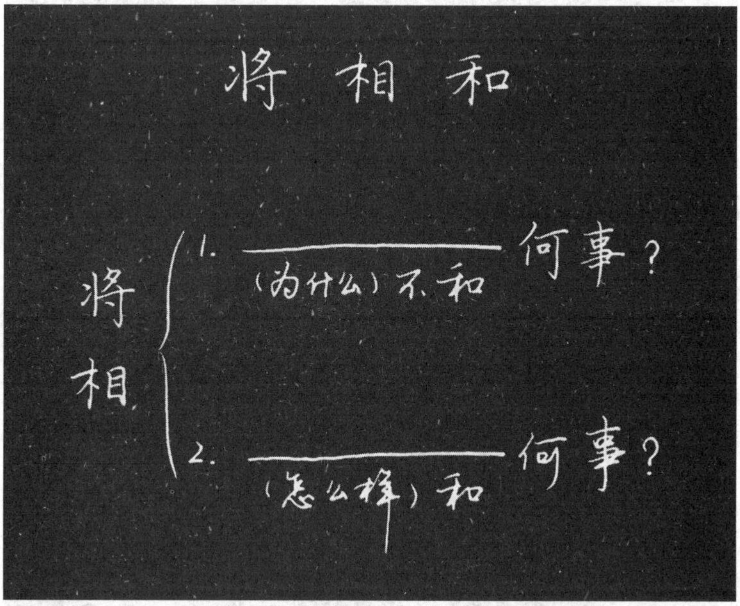

第四节　板书举例

一、大件整体居中式

主板书若为大件整体（不便拆解），板位通常为标题居中上，主板书居中，左右两边作为副板书区。

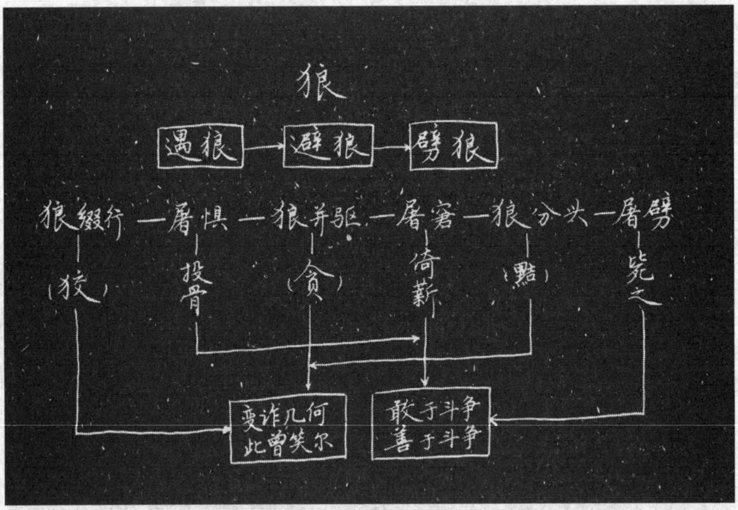

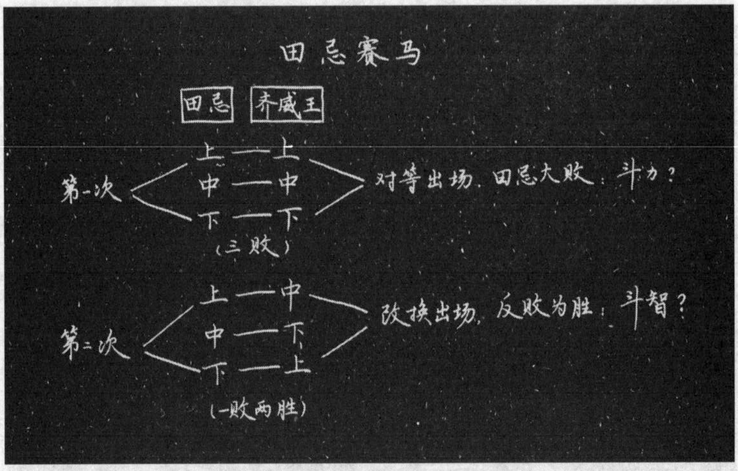

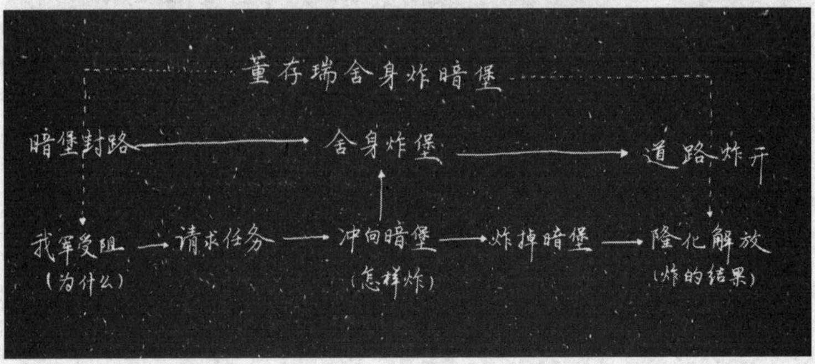

二、小件整体居中式

主板书若为小件整体，副板书较少，板位通常为标题居中上，主板书居中，左右两边作为副板书区。

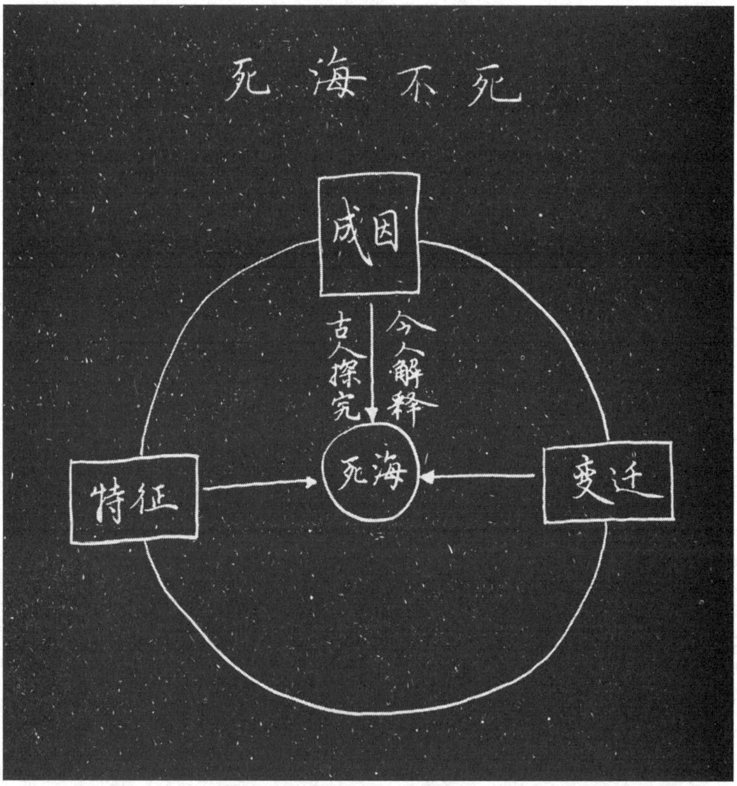
死海不死
成因
古人探究
今人解释
特征
死海
变迁

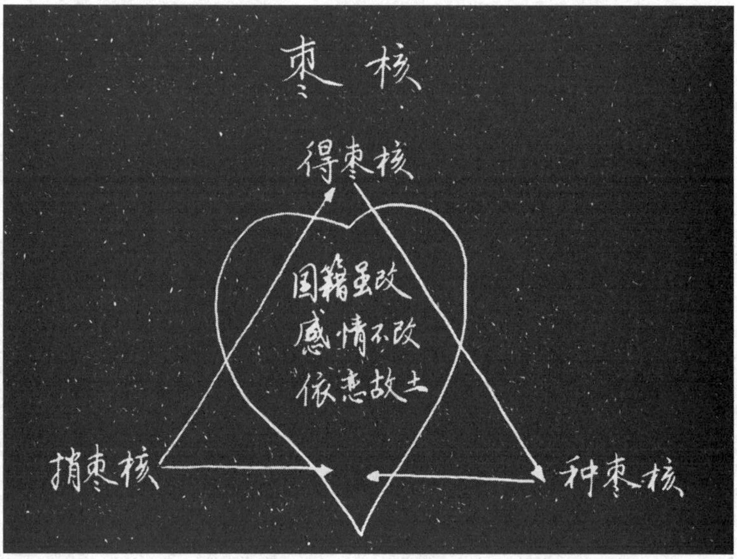
枣核
得枣核
国籍虽改
感情不改
依恋故土
捎枣核
种枣核

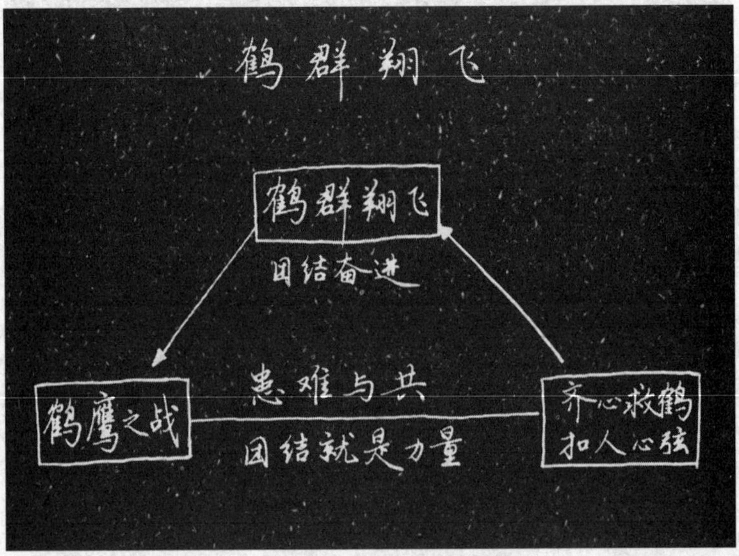
鹤群翔飞
鹤群翔飞
团结奋进
鹤鹰之战
患难与共
团结就是力量
齐心救鹤
扣人心弦

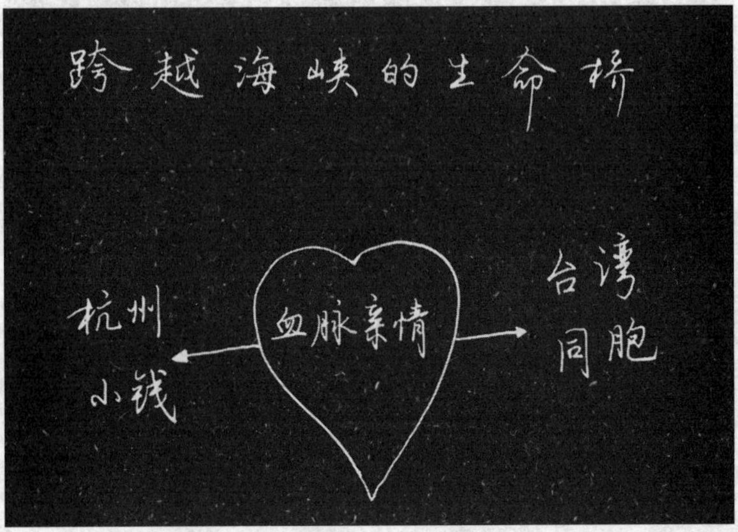
跨越海峡的生命桥
杭州
小钱
血脉亲情
台湾
同胞

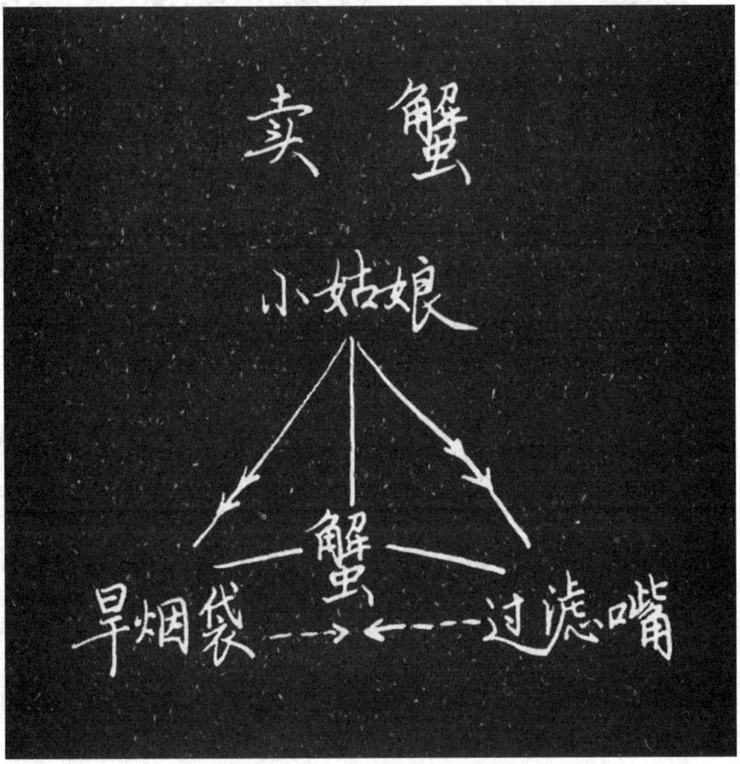
卖蟹
小姑娘
蟹
旱烟袋
过滤嘴

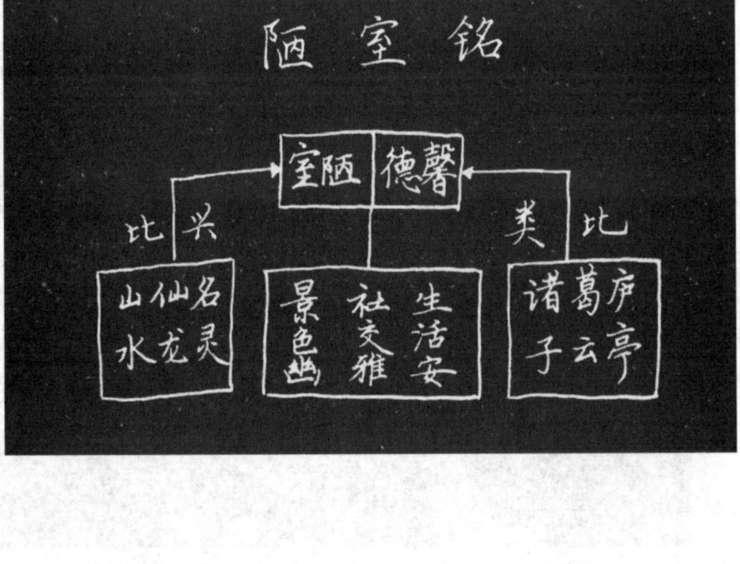
陋室铭
室陋
德馨
比
兴
类
比
名仙山
灵龙水
景色幽
社交雅
生活安
庐葛诸
亭云子

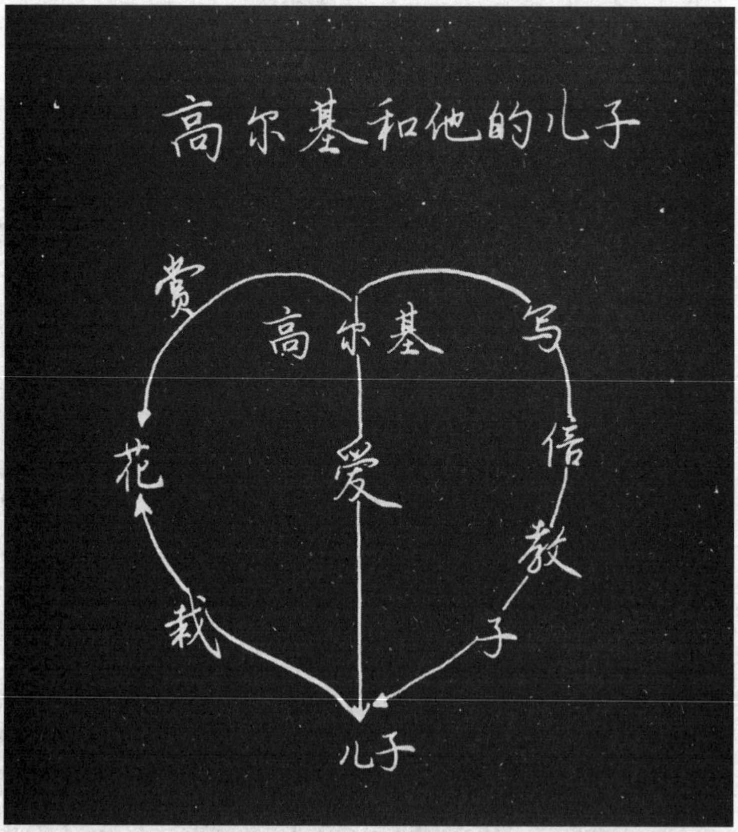
高尔基和他的儿子
赏
高尔基
写
信
花
爱
教
栽
子
儿子

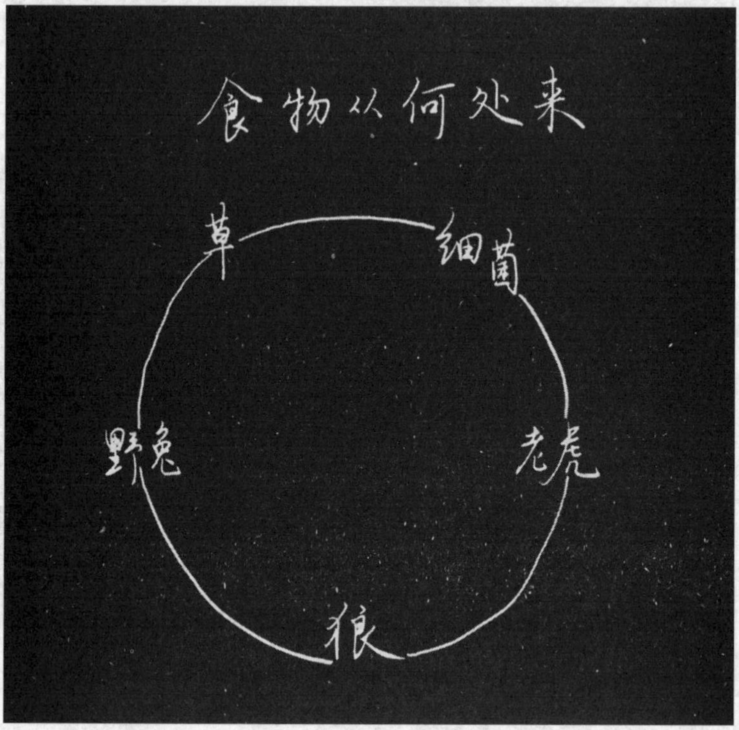
食物从何处来
草
细菌
野兔
老虎
狼

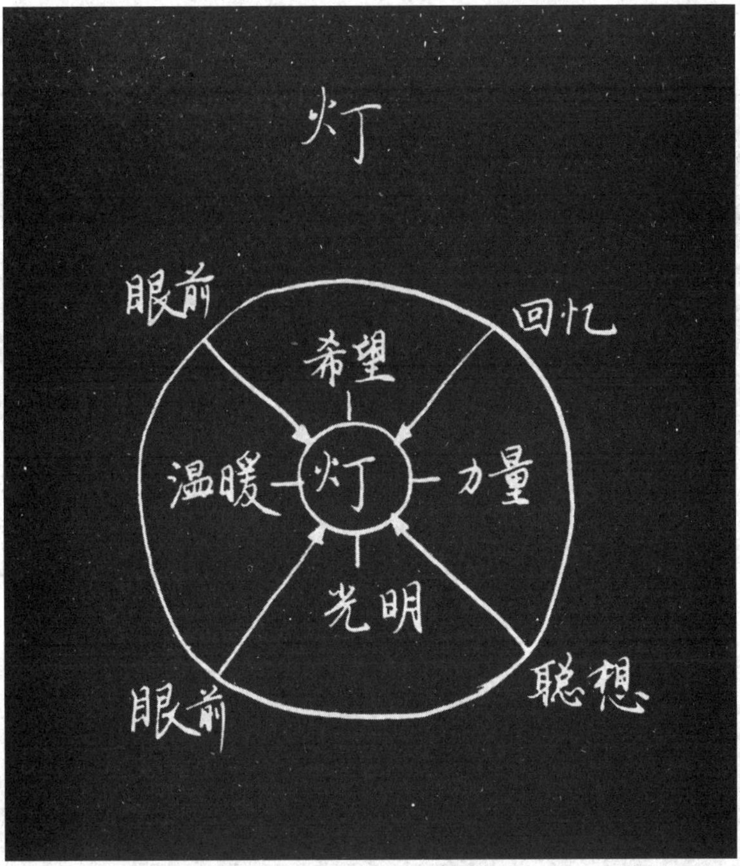
灯
眼前
回忆
希望
温暖
灯
力量
光明
眼前
聪想

第五节　粉笔行书例字

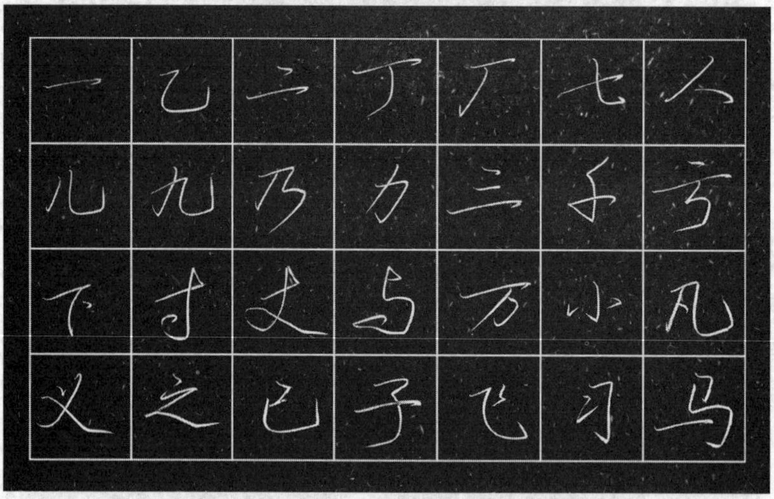
一 乙 二 丁 厂 七 人
儿 九 乃 力 三 千 亏
下 寸 丈 与 万 小 凡
义 之 已 子 飞 习 马

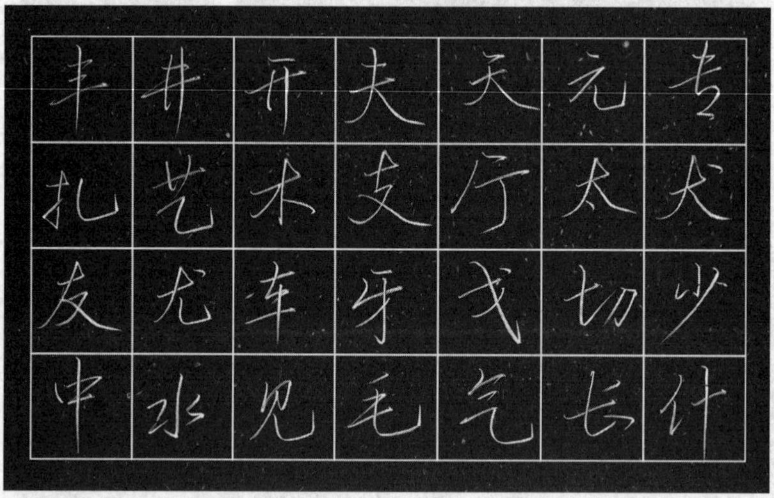
丰 井 开 夫 天 元 专
扎 艺 木 支 厅 太 犬
友 尤 车 牙 戈 切 少
中 水 见 毛 气 长 什

岁 则 刚 钆 年 朱 先
舌 竹 乔 伟 传 休 伏
伐 延 件 伤 仰 仿 后
行 舟 会 杀 爷 创 杂

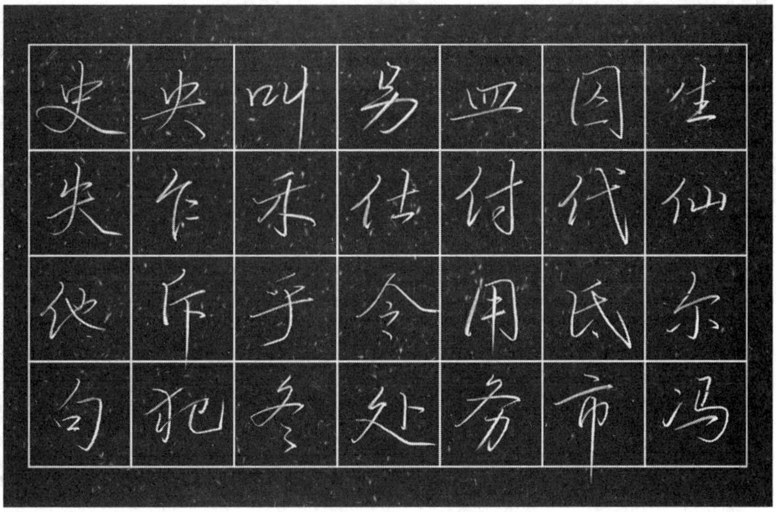
史央叫另四因生
失乍禾仕付代仙
他斤乎今用氏尔
句犯冬处务市冯

毋刊未示戋打邛
去古节本术可丙
厉石布夯龙戊平
东占帅归叶号只

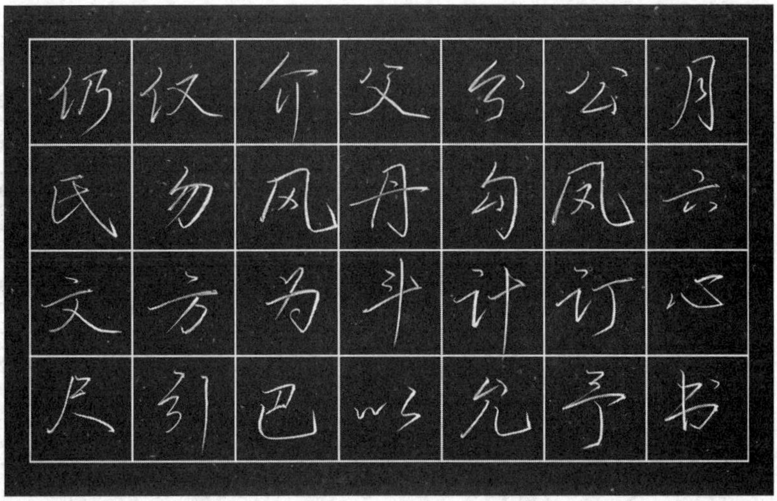
仍仅介父分公月
氏勿风丹句凤六
文方为斗计订心
尺引巴以允亨书

玄	闪	兰	半	汁	汇	头
汉	宁	它	讨	写	礼	讫
训	议	记	永	司	民	弘
阡	出	奶	孕	召	皮	边

鸿	淋	浙	涯	淮	淘	涵
液	淡	淀	情	惜	惨	惊
寡	密	谋	谎	谚	谛	谕
敢	尉	弹	屠	祸	祷	禄

发	台	矛	驭	来	邦	式
刑	动	寺	扣	考	托	老
巩	执	扩	扫	地	扬	场
共	芨	芝	朽	机	权	过

耳 吏 再 协 西 压 厌
戌 列 充 成 邪 尧 毕
至 贞 师 尖 劣 早 吓
虫 曲 团 吃 吸 屹 帆

讵 诘 诉 诊 诌 词 译
灵 层 尾 改 君 张 究
际 阿 陀 阻 附 妍 妩
妙 妖 妨 努 妒 妓 妫

伴 位 你 身 佛 余 希
坐 谷 孚 含 郤 肚 肠
免 狂 犹 角 条 郜 饭
饮 言 状 亩 麻 库 应

跨简横麒
照答蔡鹰
暗蜀誓霜
鄙蜂群藏
鉴蜍福霍
雾踉腾樽
零路缘震

填幕楷碚
肆墓楚碑
魂蓝禁酪
瑰斟楠酝
瑞搞蒙感
编搬蓄楼
缕鼓囊想

庶商盖添
毫章阉清
凑盗闸烽
祭康阔剪
猝痒望粕
猫庚旋粒
猪麻族粗

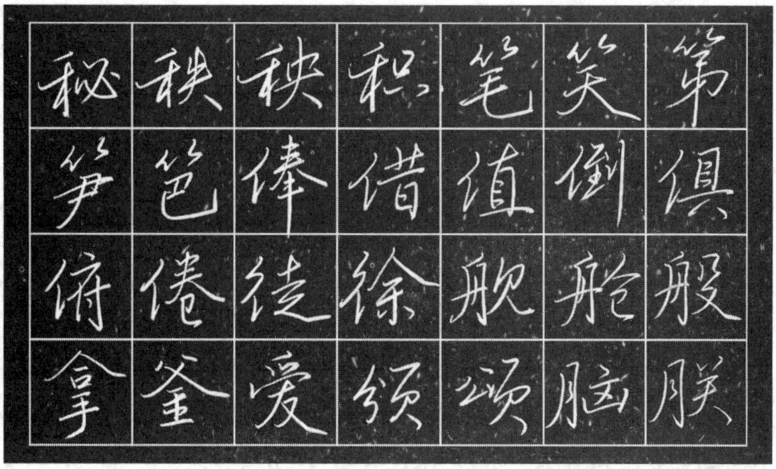

萍 菀 荷 乾 梵 梦 梅
检 票 酝 袭 薰 雪 虚
堂 常 晨 眼 啦 略 蛙
景 唯 崎 铐 销 铭 铮

谈 谊 展 剧 陵 陶 陪
通 难 绣 绦 继 球 琐
琉 琅 捧 描 捺 推 培
基 职 著 黄 荭 萝 萎

烦 烧 烟 酒 婆 浩 海
涂 浮 涤 流 浪 浸 涌
情 悦 害 家 宾 窖 容
请 诸 读 扇 被 祥 袍

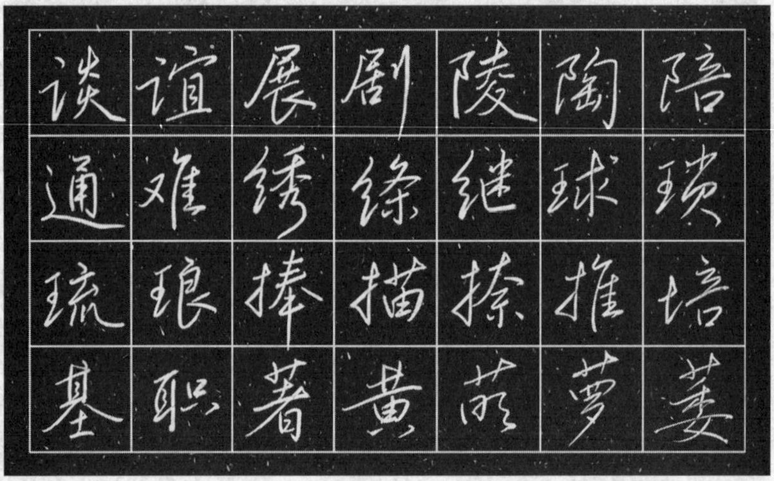

狮 独 狡 狼 急 将 奖
哀 亭 音 帝 闻 阁 阔
姜 美 养 娄 前 首 总
炼 炮 浇 浊 洗 洵 派

眉 胥 陟 除 险 娇 娆
贺 癸 柔 结 绕 给 绝
珠 珣 琤 班 蚕 祯 振
栽 赶 起 捐 袁 都 换

洛 济 浚 洋 浑 浓 津
侍 恒 恰 恨 举 觉 宣
室 宫 穿 宾 语 诚 祖
神 祝 诱 诲 昶 屋 叠

竖临省是昱星昨
畏贵界思虽咽哈
峙峡峥贻钙钛钟
钢铜钦卸缸拜看

矩氣急选适香种
科重复便保俄
俗泉侵盾律很须
叙剑食领胜脉

茸带草菌荃茶荡
枯柯相柳柽树要
咸威研厚所奎
残殇轶轻鸦

降 限 妹 姻 娃 始 妮
叁 参 艰 线 练 组 绅
贰 春 帮 珂 珑 珍 拭
城 欧 赴 赵 挺 括 垢

波 泽 治 泼 性 怜 怪
学 宗 宠 审 帘 试 诗
房 衬 衫 视 话 诞 诤
建 隶 居 屋 孟 承 弦

变 京 店 夜 府 底 疾
净 放 刻 育 郑 卷 券
炬 炊 炔 浅 洁 沽 河
涓 油 泠 泡 洼 泻 泥

纯 纲 纳 纷 纸 纹 细
鸡 玩 环 武 青 责 现
表 拓 担 拖 者 顶 势
抱 拦 幸 坡 取 奉 昔

亭 弃 辛 治 灿 炀 灼
闰 闲 间 闵 闷 沐 汰
沥 沏 沙 汽 沃 沦 沟
忧 怀 忡 快 完 宋 宏

园 围 困 囫 图 足 男
听 吟 吼 岑 岚 钉 针
告 我 乱 利 秀 私 每
兵 邱 体 何 但 作 低

竣	善	普	奠	道	曾	湖
温	渭	滑	渝	渡	游	愤
情	愉	寒	富	窗	裕	裙
禅	禄	属	屡	婷	登	缄

稍	程	稀	黍	税	等	筑
策	筛	答	牌	集	焦	傍
皓	街	循	舒	释	腊	腔
鲁	然	装	就	斌	痛	童

昔	苛	若	茂	芋	英	苟
苑	范	苔	柱	林	枝	框
枚	析	松	枪	构	杰	述
或	事	枣	卖	郁	矿	码

糯	壤	耀	蠢	露	夔	囊
鬓	躜	麟	鑫	衢	攮	齉

第六章　书法章法及装裱常识

第一节　书法章法组成部分

一幅完整的书法作品通常由正文、题款、印章三部分组成。

一、正文

正文即作品的主体部分，其主要形式有下面几种。

1．纵有行横有列，横竖成行，排列整齐。楷书、隶书、篆书多用这种形式。

2．纵有行横无列，行距相等，字距不等。写行书、草书或小楷多用这种形式。

3．纵无行横无列，纵横不分，横竖不成行。这种形式一般用于写行草书或狂草，如徐渭、郑板桥的作品多用这种形式，艺术性很强。初学者慎用。

二、题款

题款又称“款识”或“落款”，是作品的有机组成部分，对整篇作品有平衡、衬托、补充等作用。所以题款是否得宜，可以直接影响作品的艺术效果。

题款的内容有正文的出处、馈赠对象、作者姓名、籍贯、书写时间、地点等。其文字要精练，字形要比正文小，开头要低于正文，结尾不可与正文齐足，更不可下伸。题款的字体一般与正文一样，也可以不一样。比如正文是楷书、隶书、篆书等，题款为行书，但不可正文是行草而题款为楷书或隶书等。

题款有双款和单款之别。双款有上款和下款，上款一般书写书者的名字并冠以称呼，如“×××先生嘱书”，“×××方家教正”等；下款一般书作者姓名、书写时间、地点等。单款只有下款没有上款，但可包括上下款内容。如果单款只写作者姓名，不写其他，又称“穷款”。

三、印章

印章同题款一样，在章法布局中有很重要的作用。常见的有以下三类。

1．起首章：盖在右上角正文起首处，其形状多为长方形、椭圆形、不规则形等，一般不用正方形。其内容主要是纪年、室名或字数不多的格言、成语、警句等。

2．压角章：一般盖在作品的右下角，大多为正方形。其内容也比较广泛，多为简短的诗句或成语、格言等。

3．名号章：盖在作品下款书写者署名下方左侧，宜用正方形。如果连用两方印，则应一方为朱文印，一方为白文印。印章的大小要与题款协调一致，避免过大或过小。

印章是独立的造型艺术，是我国古代劳动人民伟大的创造。印章上的篆文线条苍劲绮丽、曲直多变，构成了一种令人心驰神往的立体书法。在方寸之地的印面上，把豪放飘逸的篆文线条精心安排，错落有致地组合成篆书整体，既有浓缩精妙的书法韵味，又有优美悦目的绘画构图，还有刀法生动的雕刻特征，可说是天地虽小，气象万千，这就是印章独特的艺术价值。

过去的印章分官印和私印两大类。官印是权力的象征，私印主要作为表明身份、履行职能的凭信。私印中又有姓名印、殉葬专用印、成语印、画印、押字印等多种，用途不同，风格各异。现代印章除作凭信的标志使用外，还运用到书法、绘画、雕塑、新闻、出版、生活、文化用品各个方面，成为艺术品构图美的一部分，甚至会起到画龙点睛的重要作用。明清以来，著名篆刻家大都诗书画印全能，使篆刻艺术成为人们精神生活和物质生活紧密结合的一种综合艺术，具有强大的艺术感染力和生命力。

第二节　书法章法基本款式

一、条幅

即长条形的独幅作品。其大小一般是四尺宣纸竖开对裁或竖开三裁（即四尺三裁）。书写时从上而下，自右至左。

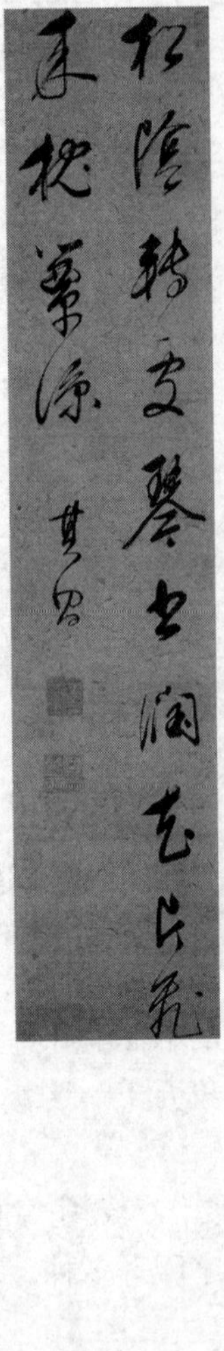

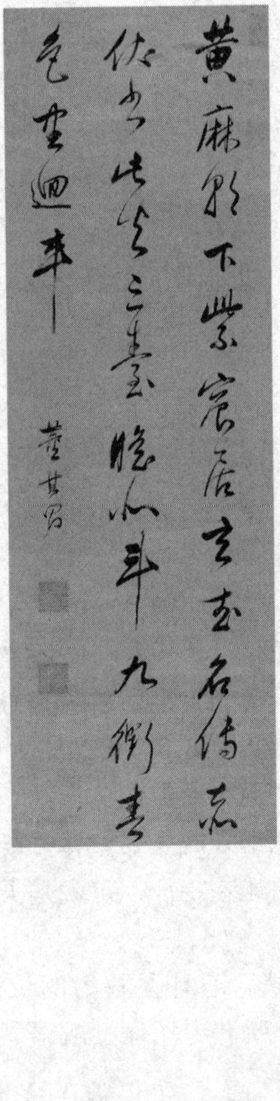

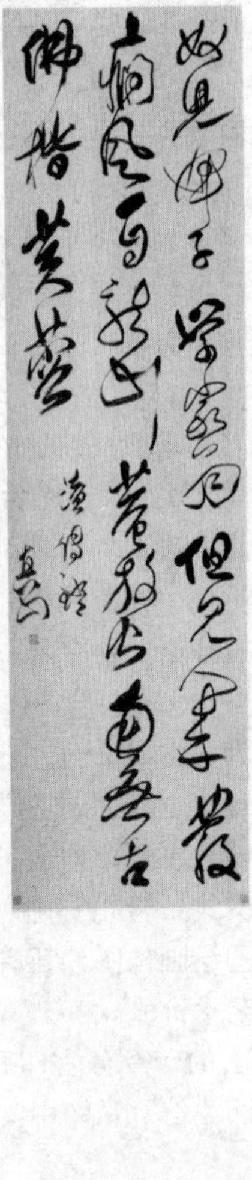

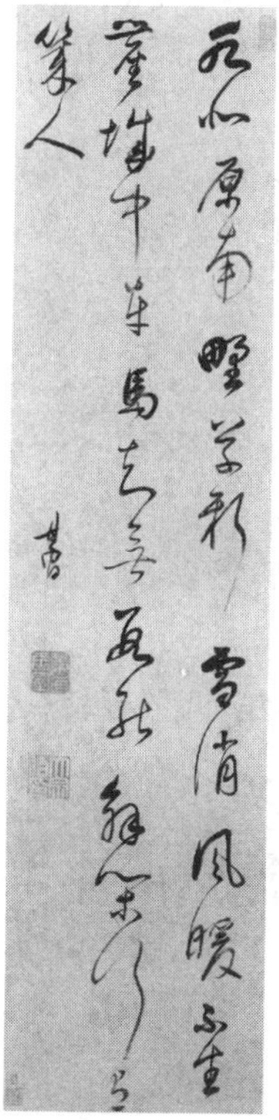

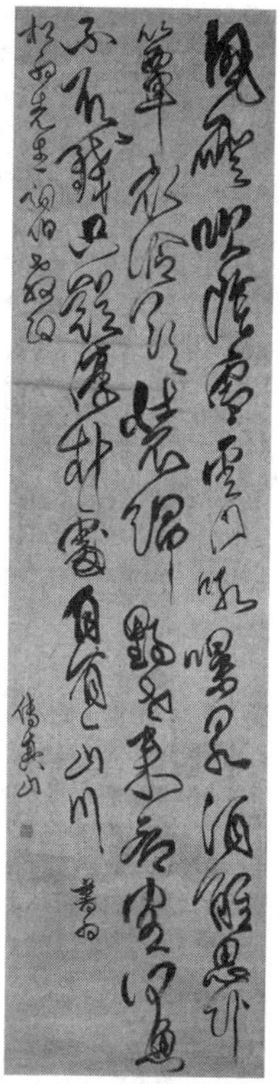

二、中堂

即比条幅宽大的独幅作品。一般用整张宣纸书写或四尺三开(即四尺横裁去一份，留三份)，也可四尺对开。书写方法与条幅相同。

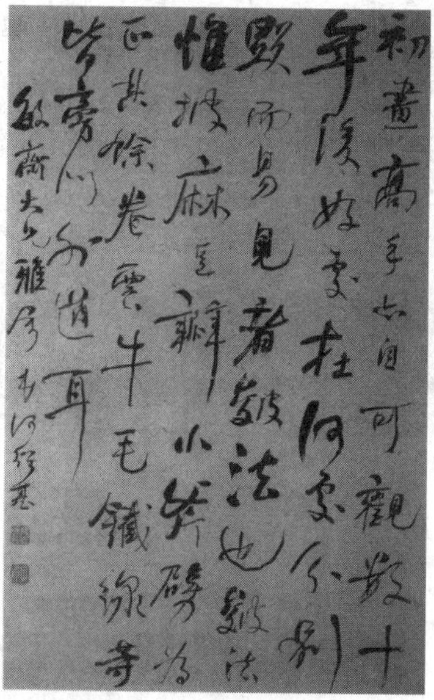

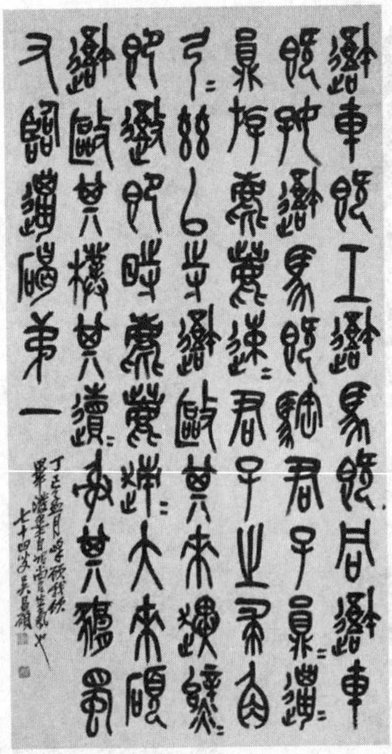

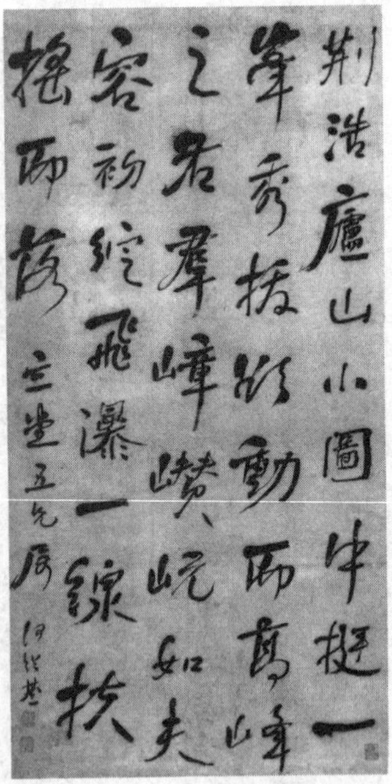

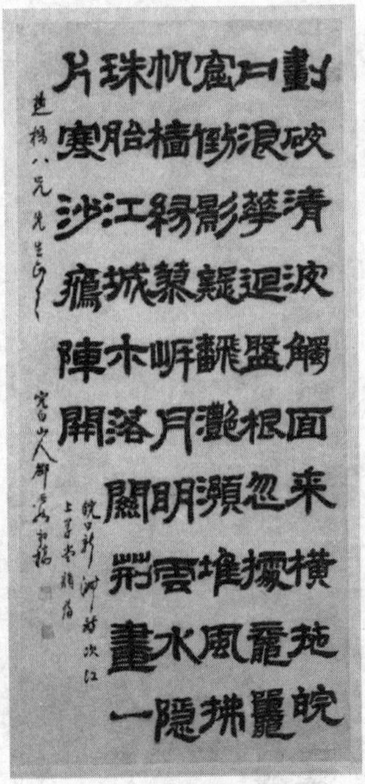

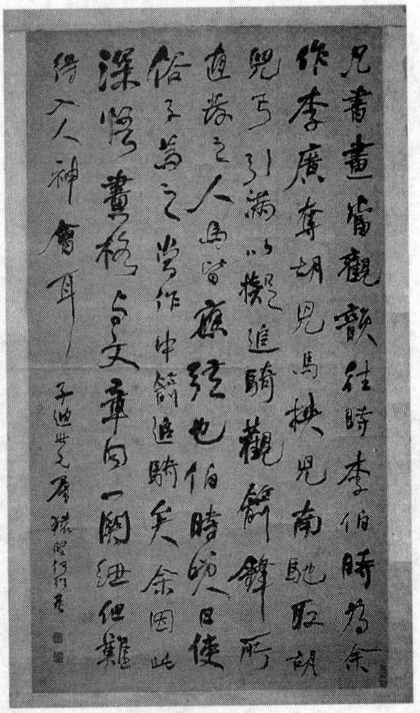

三、对联

又称“楹联”，由两条大小、长短相同的条幅组成。对联常挂在中堂的两边，左右对称，右为上联，左为下联。

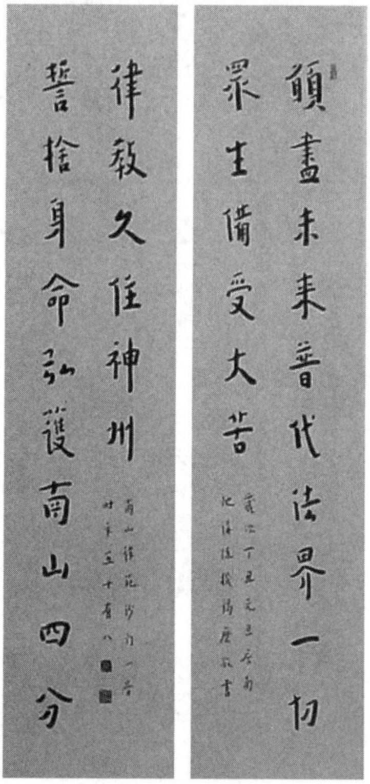
願盡未來普代法界一切眾生備受大苦
律教久住神州誓捨身命弘護南山四分

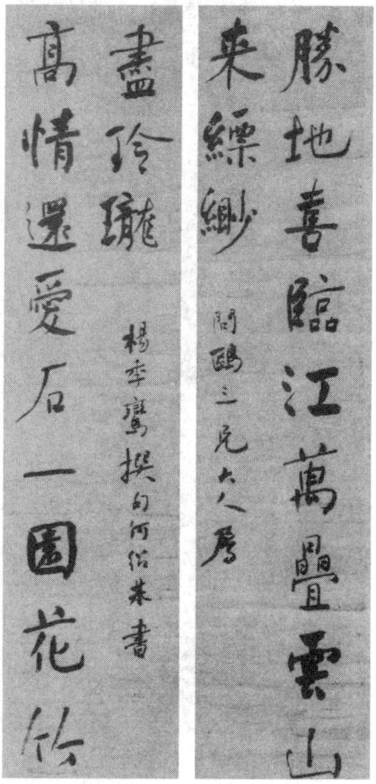
勝地喜臨江萬疊雲山來縹緲
高情還愛石一園花竹盡玲瓏

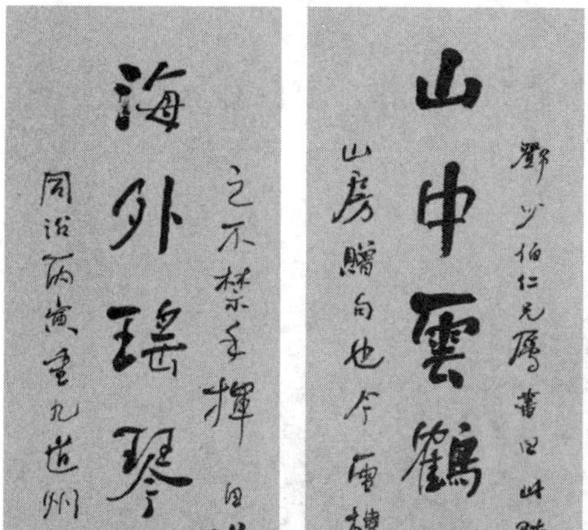
山中雲鶴留奇翼
海外瑤琴有賞音

滄海日赤城霞峨眉雪巫峽雲洞庭月彭蠡煙瀟湘雨廣陵濤廬山瀑布合宇宙奇觀繪吾齋壁
少陵詩摩詰畫左傳文馬遷史薛濤箋右軍帖南華經相如賦屈子離騷收古今絕藝置我山牕

四、扇面

扇面分两种：一种为折扇式，书写时不宜行行写满，要留有空隙；另一种为团（纨）扇式，书写时要灵活安排，随机应变。

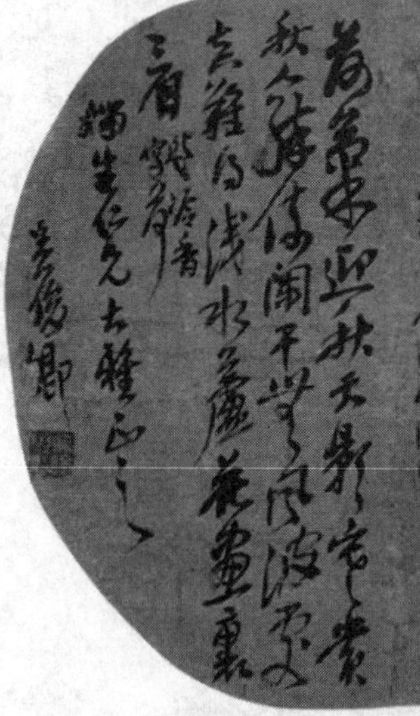

五、横幅

亦称横披，横披最难的是横贯气，从开头到结尾要求气势连贯。因从横气短，有时一行仅一字，换行的频率高，前后的距离长，故而在把握总体气势上有很大的难度，尤其要注意整体气势的内在统一与协调。

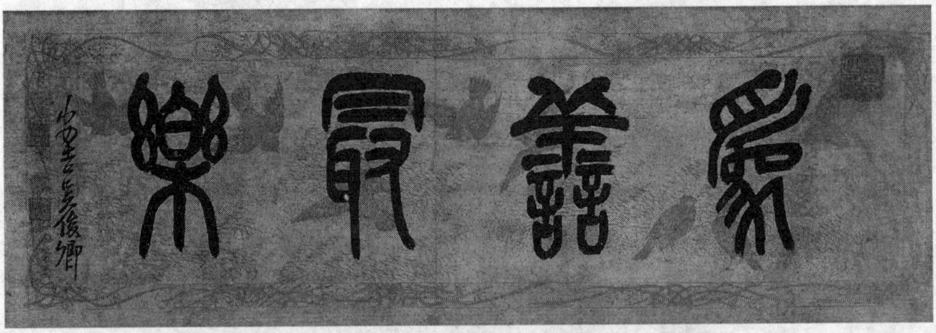

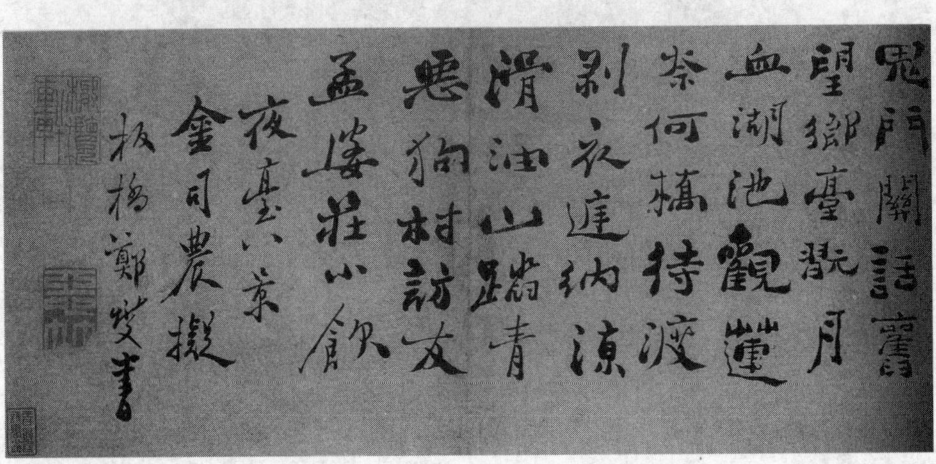

六、条屏

条屏是中国书法装裱的一种样式。其单独悬挂的称“条屏”或“条幅”，四幅并挂称“四条屏”，八幅并挂称“八条屏”等。

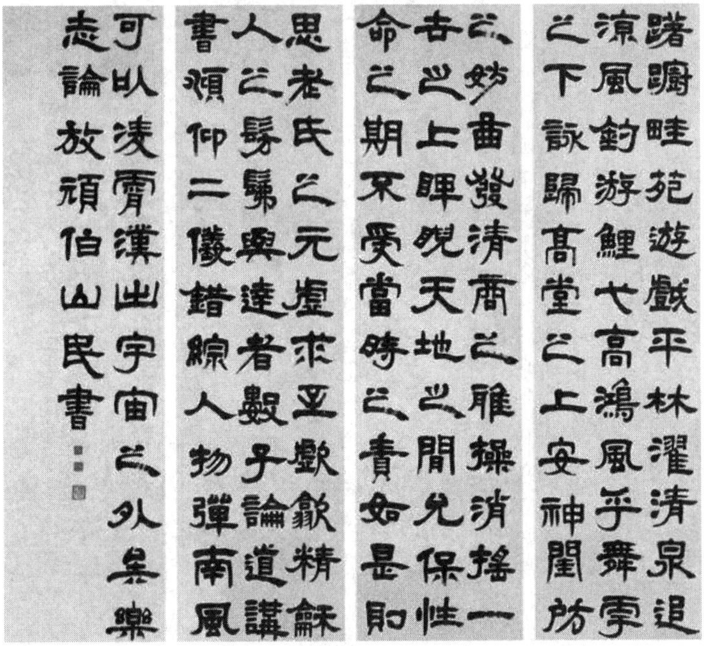

七、斗方

斗方指一或二尺见方的书法或诗幅页。其尺幅较小，一般指25cm～50cm见方的书画作品。

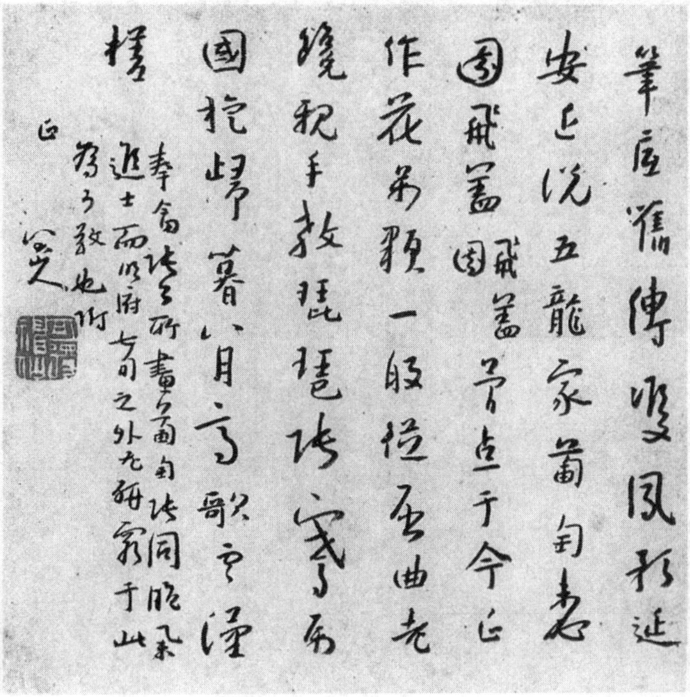

八、手扎

即亲手写的书信，就是现代人讲的“亲笔信”。

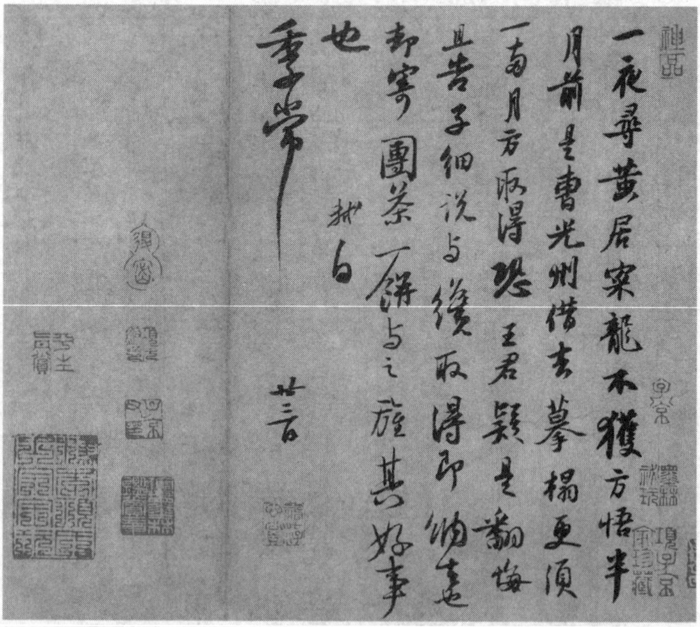

九、手卷

手卷是书法中横幅的一种体式，以能握在手中顺序展开阅览得名。因手卷幅度特点为长，故又称长卷。又因其为横幅，所以也称横卷。

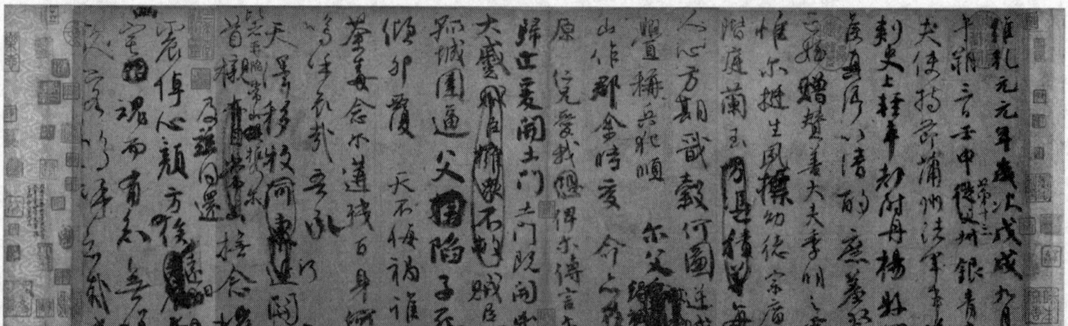

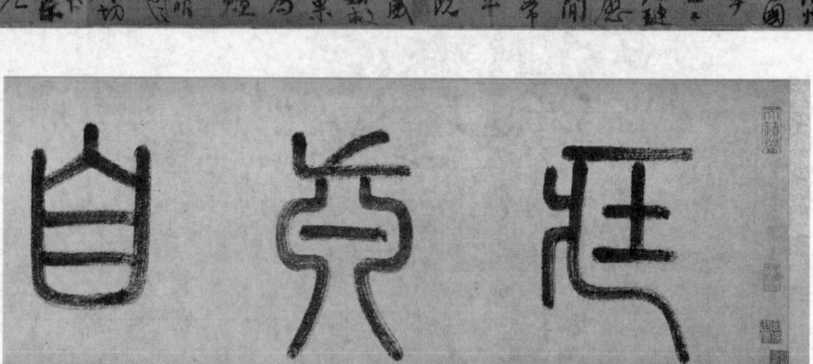

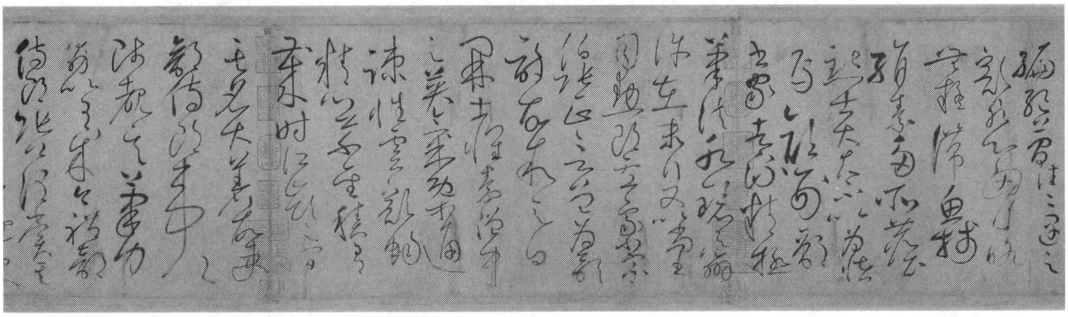

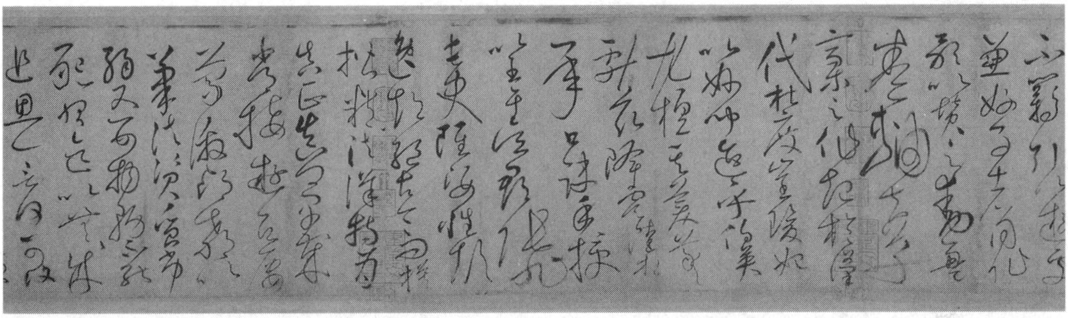

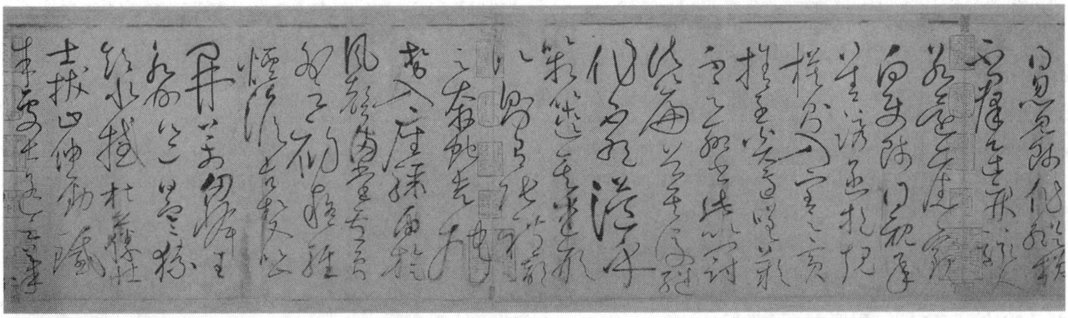

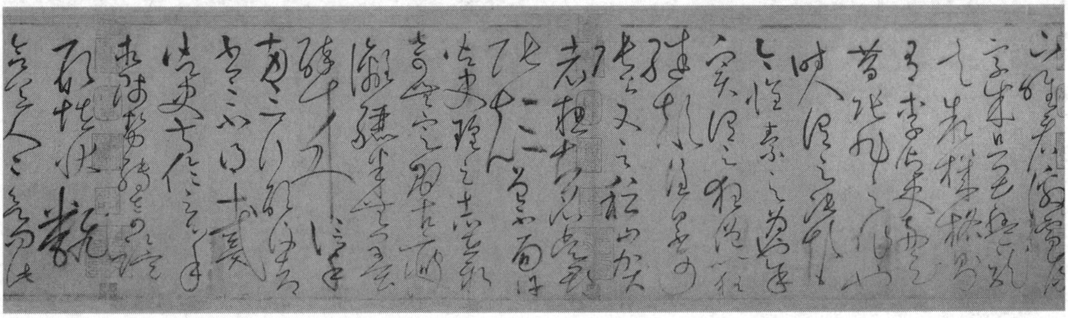

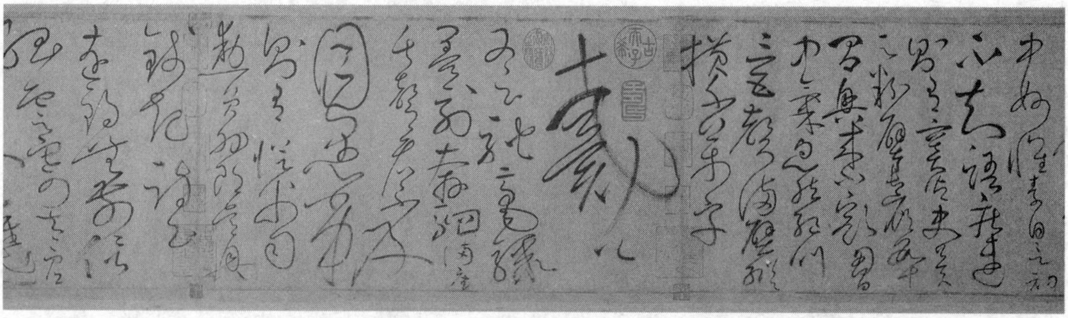

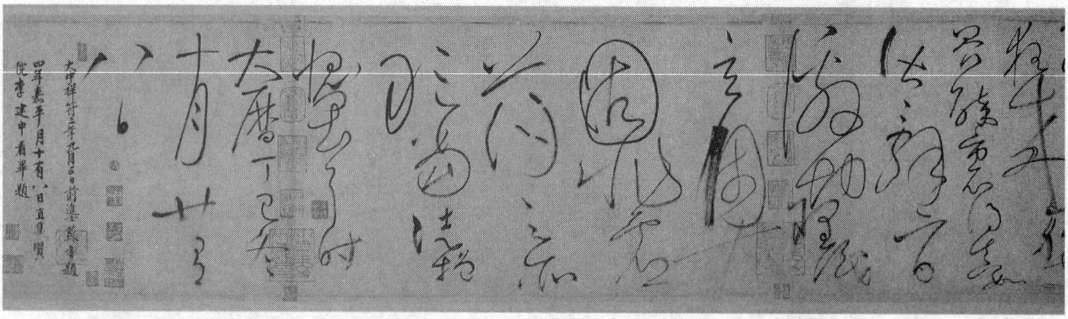

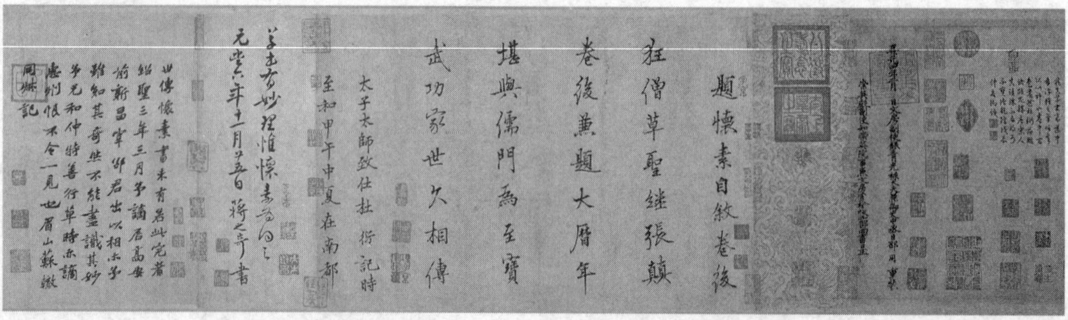
題懷素自敘卷後
狂僧草聖繼張顛
卷後兼題大曆年
堪與儒門爲至寶
武功家世久相傳
太子太師致仕杜衍記時
至和甲午中夏在南都

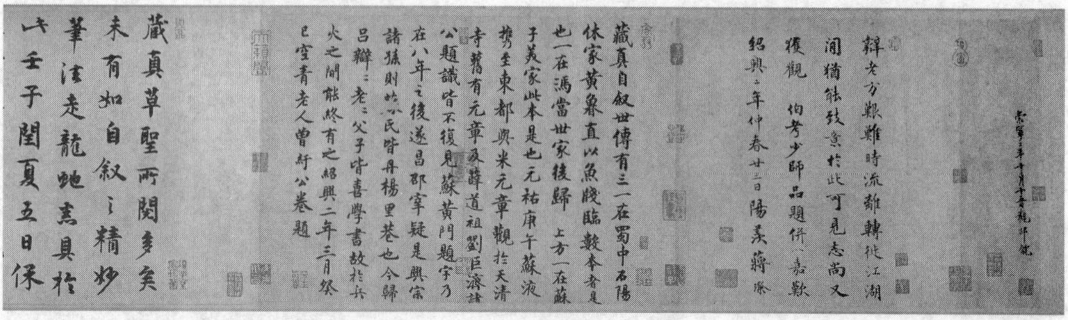
辯老方艱難時流離轉徙江湖
間猶能致意於此可見志尚又
獲觀
紹興二年仲春廿二日陽羨蔣璨
藏真草聖所閱多矣
未有如自敘之精妙
筆法走龍蛇焉具於
此壬子閏夏五日保

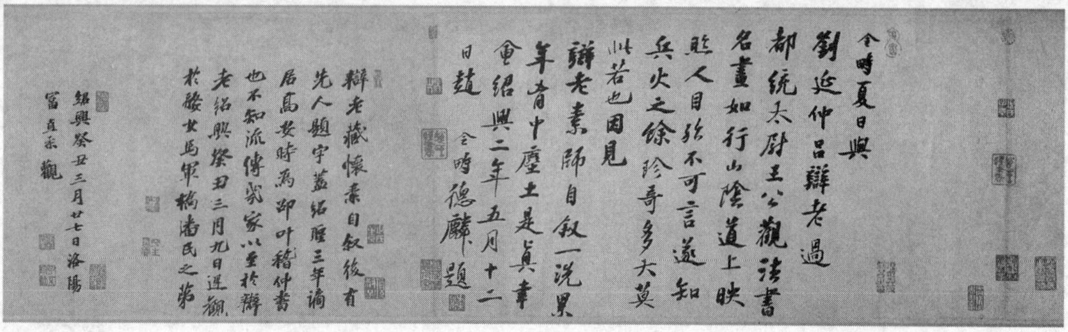
紹興癸丑三月廿七日洛陽
富直柔觀

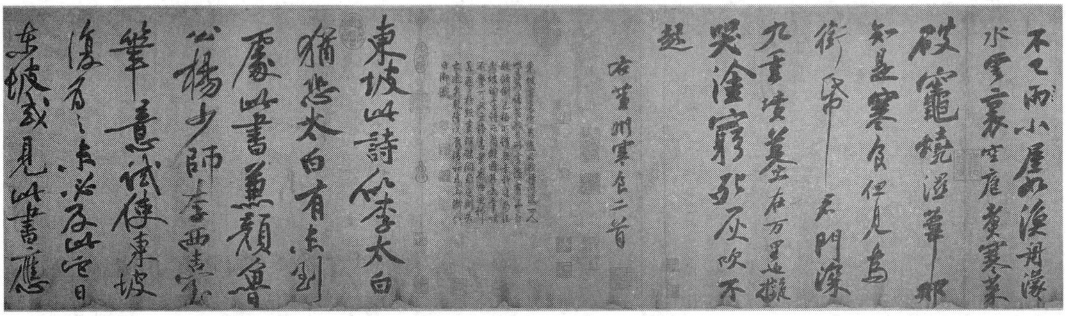

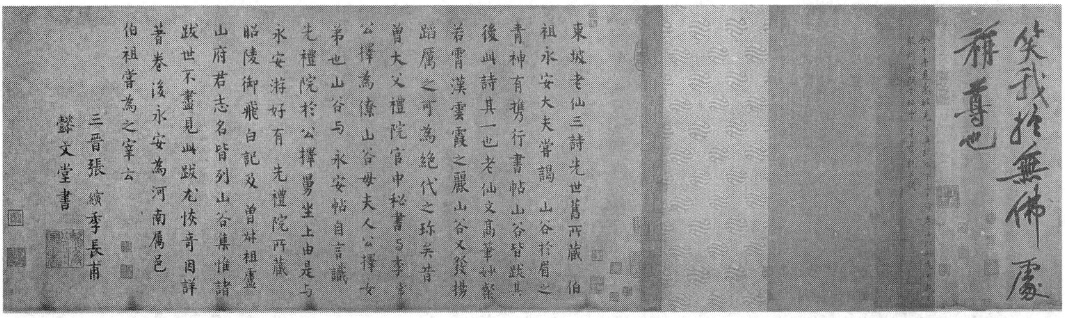

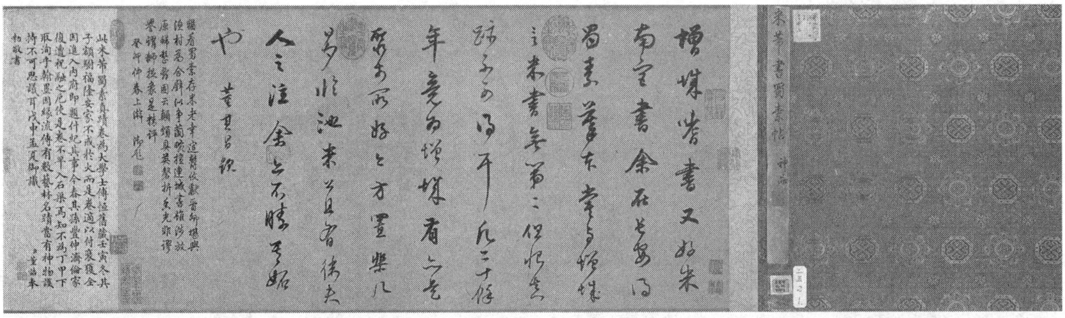

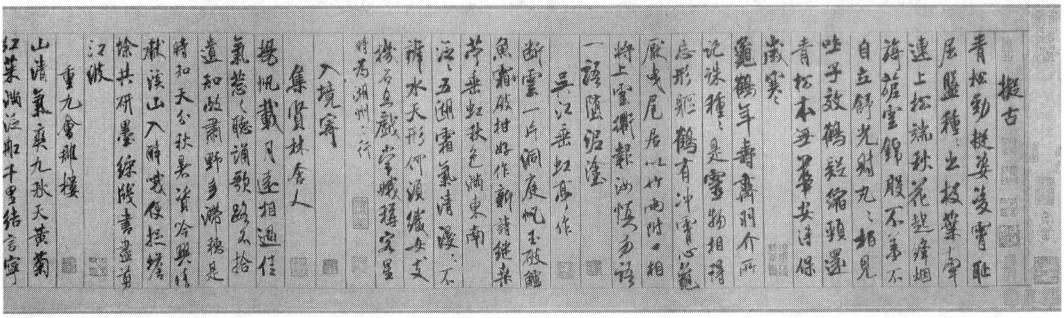

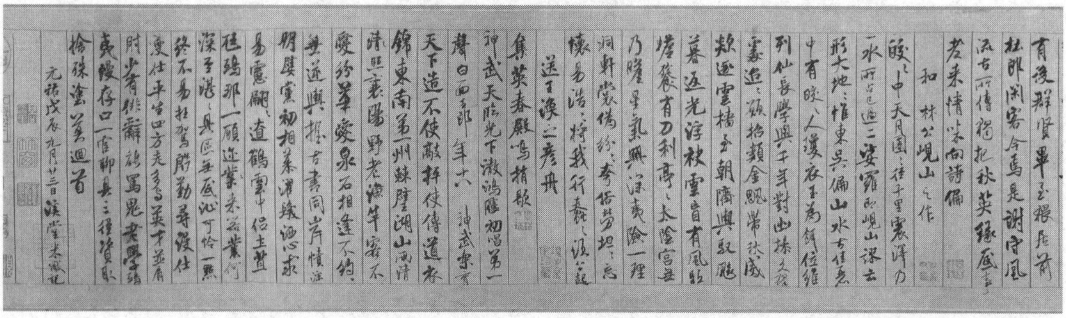

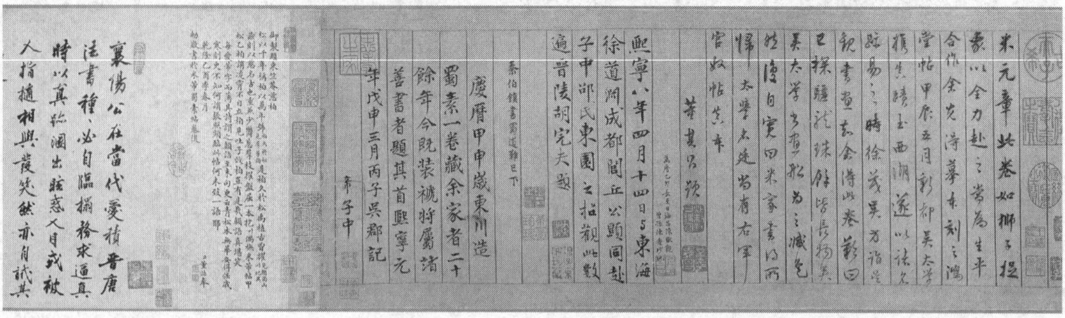

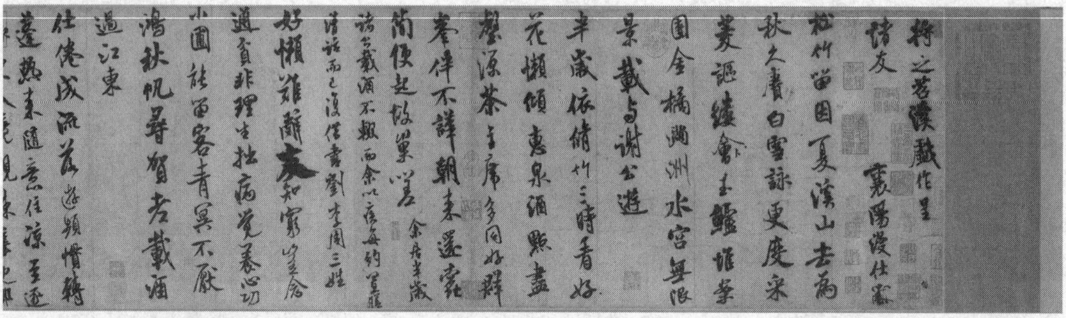

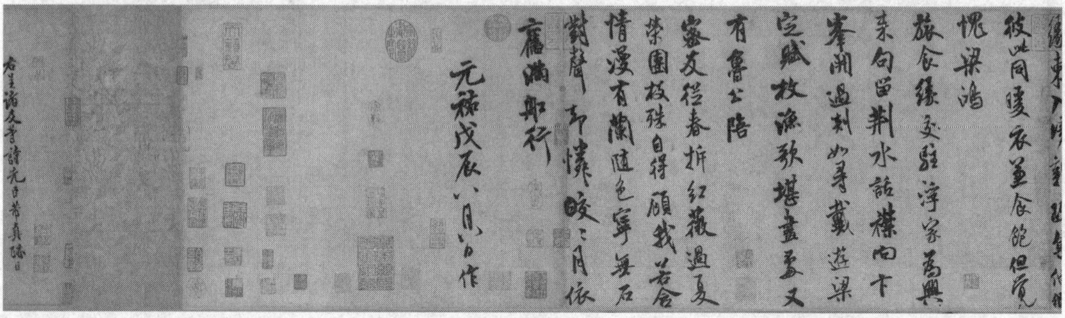

第三节 书法装裱常识

装裱字画简称“裱画”，它包括对纸绢质地的书法、绘画的托裱、装潢，旧书画的去污、揭补等等。过去有的称这些工作为“装褫”“装潢”，有的叫“装褙”“装池”，也有称之为“装褙裱轴”的，虽然叫法不同，含义都是一样的。

装裱新的字画是在作品的四周镶上边框，在背面裱上一层或数层纸，并加上必要的装饰，使原件更为牢固，而且便于舒展、张挂，以适应人们观赏的要求。

历代传世书画及出土书画，或者由于原裱不佳，发生空壳脱落；或者由于收藏保管不妥，受潮发霉，糟朽断裂，虫蛀鼠咬；或者由于在流传过程中被撕断、裁割；或者由于长期埋于地下朽烂叠粘……这就需要重新装裱。明人周嘉胄说：“古迹重裱，如病延医。前代书画历传至今，未有不残脱者，苟欲改装，如病笃延医，医善者随手而起，医不善者随手而毙”，这就说明了书画重新装裱的重要性。需要重新装裱的书画，我们采用传统的裱画技术给以修补装潢，使它能长期保存，这也是对文物保护工作的一项重要贡献。

裱画是我国所特有的一种手艺，有着悠久的历史。唐人张彦远所著《历代名画记》说：“自晋代已前，装背佳，宋时范晔始能装背。”

宋代设有专职官主管装裱书画工作，社会上也有装裱行业，有的开店营业，有的上门到收藏者的家中从事装裱工作。我们从留传下来的宋代宣和装裱等一些装裱成品中，可以想到当时的装裱技术已达到相当高的水平。

宋代以后的宫廷书画装裱常有一定的规格，什么样的书画用什么材料，什么格式装裱都有相应的规定，这也说明裱画技术有了进一步的发展。

明代周嘉胄著《装潢志》，总结了当时的装潢技术，对某些细节做了生动的描述。在“补”的一段中说：“补缀须得书画本身纸涓质料一同者，色不相当尚可染配，绢之粗细，纸之厚薄，稍不相侔，视即两异。故虽有补天之神，必先炼五色之石，绢须丝缕相对，纸必补处莫分。”他提出补配要做到“丝缕相对”“补处莫分”，是很有道理的。他在“衬边”一段指出：“补缀既完，用画心一色纸四周飞衬出边二三分许，为裁镶用糊之地，庶分毫分毫无侵于画心。”“衬边”就是我们现在保护画心的“局条”。这段记载证明镶“局条”这个方法至少在明代就已经使用了。在补全颜色的一段中，作者讲他的一个朋友已经使用了，并讲其是裱画“全色”的能手，他补全的《赵千里芳林春晓图》，即使赵千里复生“亦不能自辨”。可想而知，这种技术当时已经十分精湛了。

我国的裱画历史悠久，经验丰富，技术纯熟。但是，长期以来，这些技术和经验多半是在实际工作中口手相传，很少加以总结。

我国传统的书画装裱品式有多种多样，大致可分为挂轴、手卷、册页三大类。裱画的品式，是根据画心的大小、形状、裱后的用途等方面决定的。新书画不论裱成何种形式，其装裱过程都可分为托画心、镶覆、砑装三个步骤。其中对画心的托裱是整个裱画工艺中最为重要的工序。

旧书画的修复过程比较复杂。首先需将旧画心从原件上揭下，洗出污霉，修补破洞，全色揭裱。而后的工作则与装裱新书画基本相同。

裱画技术在长期的发展过程中，由于地区的不同与个人爱好不同，造成在装潢配色、材料选用、操作程序等方面的某些差异。这里简单介绍的点滴知识，供读者参考。

后记

小时候，离家两里处便是我的小学。小学原是一位大地主的豪宅，宅门刻着八个刚劲有力的大字“山清水秀，竹荫松涛”。这八个大字形体浑圆，线条柔美。尽管过了20多个春秋，但它和院子的协调美，至今仍印在我的脑海里，青枝绿叶间的墨色美，古朴而厚重，线条结字里的韵律感，回肠荡气。每当想起它，心动神往，时时有新的感悟。

巴尔扎克曾热情洋溢地赞颂“中国艺术有一种无边无涯的富饶性”。难怪几个字如此让我动情，甚至影响我一生。

书法，是以文字的点线组合来抒情达意的造型艺术。根植于中国古老的历史、深邃的传统，美国人福开森认定中国一切的艺术乃是中国书法艺术的延长也不足为怪。尺寸的天地中可游心万仞，可体会富有魅力的线条、风情万种的造型、音乐舞蹈的节律、诗情画意的韵味。

新世纪让我们对现代理念与古老传统的矛盾冲突产生了困惑，iPad、4D影院、网络经济、精品屋、休闲吧、情人阁等在时尚世界里应运而生。但是，如果对历史无知，中华民族的崇高自然打了折扣；对优秀传统否认，审美素质自然低俗；对高雅文化淡漠，心灵会变得憔悴而滑稽。

本书未站在艺术的最高层面，而是基于实用性和艺术性相结合的原则，采取名帖名碑，用朴实的言语力图从历史的积淀中发现书写规律。这些篇章谈不上高深，然而是认真的，或有人所未见之处。一管之窥，能让学生们产生兴趣，受点益处，余愿足矣。

西南大学博导曹建先生为本书作序，郭继明先生统稿审定全书，编撰第二章以及第四、第五章部分章节，杨祖涛先生审定图例以及第六章，殷娜老师梳理文字，陈小文老师撰写第三章和钢笔、粉笔楷书范字。其余编委也对本书做了积极有效的工作。

郭继明

壬辰年 孟夏